D1288520

LES ACCENTS CIRCOMPLEXES

Du même auteur

Le Guide du travailleur autonome, Québec Amérique, 2014
The Story of Spanish, St. Martin's Press, 2013
Le Français, quelle histoire !, Le Livre de Poche, 2012
Écrire pour vivre, Québec Amérique, 2007
La Grande Aventure de la langue française, Québec Amérique, 2007
Pas si fous, ces Français !, Le Seuil, 2005
Les Français aussi ont un accent, Payot, 2002

JEAN-BENOÎT NADEAU

LES ACCENTS CIRCOMPLEXES

Catalogage avant publication de Bibliothèque et Archives nationales du Québec et Bibliothèque et Archives Canada

Nadeau, Jean-Benoît, 1964-

Les accents circomplexes
ISBN 978-2-7604-1131-9
1. Ontario - Mœurs et coutumes - 21e siècle. 2. Québec (Province) - Mœurs et coutumes - 21e siècle. 3. Nadeau, Jean-Benoît, 1964- . I. Titre.

FC3068.N32 2014 971.3'05 C2014-941710-1

Édition : Johanne Guay
Révision linguistique : Céline Bouchard
Correction d'épreuves : Sabine Cerboni
Couverture et grille graphique intérieure : Chantal Boyer
Mise en pages : Louise Durocher
Photo de l'auteur : Camille Collin

Remerciements
L'auteur tient à remercier le Conseil des arts et des lettres du Québec pour son soutien.

Nous reconnaissons l'aide financière du gouvernement du Canada par l'entremise du Fonds du livre du Canada pour nos activités d'édition.
Nous remercions le Conseil des Arts du Canada et la Société de développement des entreprises culturelles du Québec (SODEC) du soutien accordé à notre programme de publication.
Gouvernement du Québec – Programme de crédit d'impôt pour l'édition de livres – gestion SODEC.

Les Éditions internationales Alain Stanké
Groupe Librex inc.
Une société de Québecor Média
La Tourelle
1055, boul. René-Lévesque Est
Bureau 300
Montréal (Québec) H2L 4S5
Tél. : 514 849-5259
Téléc. : 514 849-1388
www.edstanke.com

Dépôt légal – Bibliothèque et Archives nationales du Québec et Bibliothèque et Archives Canada, 2014

ISBN : 978-2-7604-1131-9

Distribution au Canada
Messageries ADP inc.
2315, rue de la Province
Longueuil (Québec) J4G 1G4
Tél. : 450 640-1234
Sans frais : 1 800 771-3022
www.messageries-adp.com

Diffusion hors Canada
Interforum
Immeuble Paryseine
3, allée de la Seine
F-94854 Ivry-sur-Seine Cedex
Tél. : 33 (0) 1 49 59 10 10
www.interforum.fr

Ma cabane au Canada
Est blottie au fond des bois.
On y voit des écureuils
Sur le seuil.
Si la porte n'a pas de clé,
C'est qu'il n'y a rien à voler
Sous le toit de ma cabane au Canada.

LINE RENAUD

Sommaire

*

Seconde partie

Chapitre 0

Félicitations pour votre beau pays

Où l'auteur, après quelques hésitations, amorce ce nouvel opus par une mise au point générale combinant habilement les réminiscences et les expériences les plus diverses, mettant par là la table à ce qui sera son propos principal.

« Félicitations pour votre beau pays ! »

J'ai vécu presque trois ans en France, et ce compliment souvent reçu figure très haut dans mon palmarès des remarques les plus mémorables.

Je n'ai jamais vu les Français faire consensus que sur deux choses : la bonne façon de cuire les asperges et le Canada. Ou plutôt leur idée du Canada, qui est ce vaste espace allant du Niagara à Gaspé et de la Pointe-Pelée à Kuujjuaq. Tous les sondages le confirment, le Canada est pour eux le « plus meilleur pays du monde ». Encore que leur définition du mot Canada soit très différente de celles des Canadiens eux-mêmes, y compris les Québécois. Elle englobe très exactement l'idée de la Nouvelle-France, de Gaspé aux chutes du Niagara !

En fait, pour être exact, j'en ai entendu de toutes les sortes sur la géographie canadienne : « La province du Canada fait partie du Québec » (ou à peu près), « Ottawa est la capitale du Toronto » (ouille !), ou encore « Québec, Canada, quelle est la différence ? » (Aïe !) J'exagère un peu, car de nombreux Français connaissent bien, mais ils sont encore plus nombreux qui l'adorent sans jamais y avoir mis le pied. D'ailleurs, même quand ils y mettent le pied, on sent qu'il en manque des bouts. Tenez, encore l'autre jour, cette phrase sibylline tirée de *Libération* en reportage à l'école Lawrence Heights, à Toronto : « Son directeur s'est fixé un objectif : lutter contre la fuite des élèves, notamment des *Québécois de souche* qui, devant l'afflux d'étrangers venus d'Afrique de l'Est et des Caraïbes, ont quitté le quartier ou sont allés dans de meilleures écoles. » De là à conclure que Toronto est peuplée de Québécois, il n'y a qu'un pas !

Mais le plus bizarre, quand on vit chez les Français assez longtemps, c'est qu'on se met à voir le Canada autrement. Pas à le déconstruire, remarquez bien, mais à force de s'immerger dans la société, on commence à se demander ce que les Québécois mangent en hiver. C'est ce que j'ai découvert en juillet 2000, quand je suis revenu en Amérique pour deux semaines.

En principe, je n'aurais pas dû quitter la France à ce moment-là. J'étais boursier de l'Institute of Current World Affairs, et l'une des rares conditions de cette bourse fantastique – deux ans à Paris, toutes dépenses payées (la troisième année était à mes frais) – était que je ne quitte pas le pays où j'étais envoyé. Or, voilà qu'en juin 2000 l'Institut fêtait ses soixante-quinze ans. En fait, cette célébration réunissait la centaine d'anciens boursiers encore vivants et la douzaine – dont moi – encore sur le terrain.

À l'invitation du directeur, j'avais prolongé ce séjour pour aller voir la famille, les amis, la belle-famille, et pour effectuer des démarches auprès de quelques agents littéraires. Nous avons donc loué une bagnole, et en quinze jours, nous avons fait le circuit Montréal-Sherbrooke-Montréal-Hamilton-Montréal-New York-Montréal-Sherbrooke-Montréal.

Ce hiatus peu reposant m'a fait un effet bizarre. J'étais heureux de revoir les copains dans leur environnement naturel, mais en même temps tout avait l'air un peu déphasé – un peu comme ces vieilles photos rendues floues par des couleurs mal superposées. Dépaysant, le pays natal !

J'ai mis plusieurs années à comprendre qu'en fait je subissais deux effets combinés. D'abord l'effet « Monde Perdu », avec bibi dans le rôle du Monde Perdu qui évolue en parallèle avec le monde réel, et pas à la même vitesse. Rien de majeur, mais des petits trucs du genre : « Ah, ça ne joue plus, *La Petite Vie...* » ou « Hein ? Richard Desjardins journaliste de l'année ? » (pour *L'Erreur boréale*).

Le second effet était que je devenais français. Remarquez que ça ne paraissait pas trop, en raison de l'accent, mais ma vision des choses était nettement différente. Par exemple, je disais *week-end* au lieu de *fin de semaine* – en France, la *fin de semaine*, c'est le jeudi et le vendredi, car la semaine exclut le week-end. Il m'arrivait d'utiliser des termes qui n'ont pas le même sens ici, comme *communautariste, anglo-saxon* ou *républicain*, ou encore qui ne veulent strictement rien dire, comme *chiraquien* ou *sheilaesque.*

Certes, par contraste avec l'activité parisienne, Montréal suscite une sensation de tranquillité quasi campagnarde. Plusieurs fois, j'ai eu l'impression très nette que je pourrais tirer un coup de canon dans l'axe de l'avenue du Mont-Royal sans toucher qui que ce soit. Mais ce qui m'a le plus étonné, c'était que j'acquérais des réflexes français. Par exemple, j'étais choqué par les gens qui ne disaient pas bonjour aux caisses, qui parlaient sans cesse d'argent, qui toléraient des commis incapables de s'exprimer correctement ou qui disaient « chais pas » même quand ils « chavaient ». Et je me rappelle aussi ce petit matin de juin où j'ai été surpris d'observer un grand dadais aux cheveux tressés avec à la main une énorme tasse thermos de café, qu'il buvait en marchant sur le trottoir. Le problème, à mes yeux, ce n'étaient pas les cheveux tressés mais bien le fait qu'il buvait son café en marchant – toute la société française est structurée autour du principe qu'on ne consomme pas en marchant. Je suis moi-même un adepte des collations ambulatoires et, en France, j'ai toujours été surpris qu'on me souhaite « bon appétit » pendant que je marchais. Et voilà qu'au Canada j'avais le réflexe inverse !

L'autre aspect qui m'étonne, c'est à quel point je suis saisi par la géographie. La France, je l'ai parcourue dans tous les sens. On la dit petite, mais elle est en fait le plus grand pays d'Europe et le plus dépeuplé aussi. S'il devait y avoir autant de Français en France qu'il y a de Belges en Belgique ou d'Allemands en Allemagne, il devrait y avoir entre 120 et 130 millions de Français, alors qu'ils sont la moitié. Plusieurs d'entre eux m'ont complimenté en me disant que je connaissais mieux leur pays qu'eux-mêmes, mais je suis en fait conscient que je connais mieux la géographie de la France que celle de mon propre pays, qu'il m'en manque de très grands bouts et qu'on ne peut saisir la nature d'un pays que si on l'a parcouru.

Ce bref séjour avait suffi pour me convaincre qu'il allait falloir que je tienne un bon carnet de notes à mon retour...

Mais pour retourner où, au fait ?

En janvier 2001, lorsque ma bourse s'est officiellement éteinte, Julie-ma-Julie et moi avons décidé de passer quelques mois supplémentaires à nos frais en France et de revenir en Amérique un peu avant l'été. Mais quelle Amérique ? Notre citoyenneté canadienne posait évidemment problème pour les États-Unis.

Autre contrainte, celle-là imposée par Julie-ma-Julie : la taille de la ville. C'est que Julie-ma-Julie a grandi dans la campagne entourant la ville de Hamilton et elle ne voulait rien savoir de la campagne et des petites villes. Et dix ans plus tôt, elle m'avait fait jurer que « Jamais – jamais – nous ne vivrons dans une ville de moins d'un million d'habitants ! ».

Alors voilà, pour le Canada, cela réduisait nos options à deux villes : Montréal et Toronto. Et Julie-ma-Julie a voulu faire l'expérience de Toronto où, paraît-il, il y avait des choses excitantes et où elle n'avait jamais vécu. Pour ma part, j'étais un peu tenté par l'aventure.

C'est ainsi que nous sommes revenus au bercail en mai 2001… en nous trompant de bercail. C'est donc Toronto qui a agi comme premier fusible du contre-choc culturel au pays natal, avant le retour à Montréal – le second fusible.

PREMIÈRE PARTIE

*

Le fusible torontois

Chapitre 1

Le *melting*-potes

Où l'auteur, assumant sa condition d'écrivain voyageur, déménage ses pénates une neuvième fois en six ans, quittant Paris pour Toronto, le pauvre, où il apprendra très tôt à voisiner ses voisins, gonflables, gonflants et gonflés, à deux ou à quatre pattes.

Tout est incroyablement vert.

C'est cela, ma première impression de Toronto, cette année-là. Il y a des arbres et du gazon partout. Chaque maison est un cottage à l'anglaise avec son jardin devant et derrière, sans clôture, avec juste ce qu'il faut de débraillé. Il y a au moins un gros arbre devant chaque maison, la rue est presque un tunnel de feuillage. Les lampadaires sont à peine apparents. Moi qui aime davantage les arbres que les fleurs, je suis servi à souhait. Cela va nous changer de Paris, avec ses arbres en moignons de branches et ses haies d'arpenteurs-géomètres. Il se dégage de l'ensemble une impression de tranquillité sidérante. Ils sont un peu comme ça, les Torontois : ils veulent un bout de campagne même à la ville.

Il est 19 heures, et Julie-ma-Julie et moi avons rendez-vous au numéro 100 de l'avenue Cowan, notre nouvelle adresse, pour rencontrer le proprio et récupérer les clés.

Il y a quelque chose de reposant à louer un appartement à Toronto. À Paris, il faut montrer patte blanche, prouver qu'on a des sources de revenus, payer des acomptes de toutes sortes à divers agents de location. Rien de tel à Toronto, où l'on ne demande même pas de bail. La seule chose qui ne soit pas reposante, c'est le prix : 1 750 dollars par mois, c'est le tiers de plus que le prix du loyer à Paris.

L'immeuble se détache nettement du voisinage. Alors que la plupart des maisons torontoises sont en brique d'argile rouge ou brune, la nôtre est peinte en blanc sur la façade. Un bon cottage anglais doit toujours faire un peu vieillot et présenter un air *casual*, avec juste ce qu'il faut de délabré, pour ne pas faire prétentieux.

Le nôtre est franchement déglingué, avec son balcon bizarrement incliné, la brique fendue du pilier droit du balcon et sa peinture écaillée. En fait, le numéro 100 de l'avenue Cowan est un ancien bordel illégal. Placardée pendant près de dix ans, notre maison a servi de *crackhouse*, d'hôtel de passe bas de gamme et de logis temporaire pour la lie de la société torontoise. Sa réputation est telle que les résidents de la rue font semblant de ne pas la voir quand ils passent devant. J'ai même vu une voisine se signer.

Le proprio, appelons-le Bob, arrive enfin et nous offre une boîte de douze beignes assortis de chez Tim Hortons. Merci, Bob[1].

Bob m'irrite dès le premier abord. C'est la faute de sa BMW. Il n'y a que deux façons de faire fortune dans

1. Note aux cousins d'outre-Atlantique : il ne faut pas confondre le beigne (masculin) avec la beigne au sens de taloche. Un beigne, que vous appelez un beignet ou un *donut*, est un aliment de base, ici, au royaume du pain de mie industriel, où les vrais boulangers pâtissent et où les Tim Hortons prolifèrent. Alors, tout le monde se donne des beignes. C'est une forme de politesse.

l'immobilier. Ou bien l'on bâtit du solide, on s'en occupe et on l'entretient ; on ne fait pas de grosses marges, mais cela prend de la valeur avec les années. Ou bien on ne fait rien, on laisse dériver le taudis et les loyers servent à payer les traites de la BMW.

Le tour du propriétaire commence par la porte, dont une des pentures est à moitié arrachée et qui s'affaisse de quelques degrés quand on l'ouvre. L'appartement est un grand quatre pièces mal orienté ; comme toutes les maisons de Toronto, c'est un cottage en kit livré par chemin de fer un petit matin de 1923. Et les gars du kit se sont trompés de côté de rue. La cheminée est du côté sud, pour bien faire obstruction à la lumière, et les fenêtres s'ouvrent du côté nord sur un mur aveugle, celui du voisin, à moins de 60 centimètres de distance. Pas très feng shui, vous en conviendrez. La maison est dotée de deux salles de bain complètes, mais elle ne compte aucun placard.

Bob vient de terminer les travaux promis à Julie-ma-Julie. Il a beaucoup investi dans la peinture – beige. Même qu'il en a mis partout : au plafond, sur les murs et sur le plancher ! Tout – absolument tout – est beige. Quand je repense à Toronto, je vois tout en beige.

En visitant, je tombe sur le détail qui tue : une prise à disjoncteur, du genre que l'on met normalement dans les toilettes, près du lavabo – sauf que celle-ci est dans le passage.

« Oui, explique Bob le Bricoleur. On avait des problèmes de surcharge, avec les voisins, alors on a réglé le problème.

— Les voisins sont sur notre circuit ?

— Genre. Tout le monde est sur le circuit de tout le monde, alors j'ai réglé le problème. »

Car figurez-vous que Bob le Bricoleur a transformé cette ancienne maison unifamiliale en immeuble à quatre logements, mais il n'a pas modifié le circuit électrique. Si bien que nous ne saurons pas vraiment si nous payons notre propre consommation d'électricité ou celle des voisins. Comme certains circuits avaient tendance à se surcharger, il a simplement installé des prises à disjoncteur pour empêcher que les fils fondent dans les murs. Problème réglé à la Bob.

Un peu plus tard, tandis que je vide la bagnole à la brunante, je fais la connaissance de mon premier voisin. J'en suis à mon neuvième aller-retour lorsque je l'aperçois, qui déambule à quatre pattes dans l'allée qui relie l'avant et l'arrière de la maison. De loin, on pourrait croire à un très gros chat à la démarche pataude. C'est un raton laveur !

Le raton laveur est un animal qui m'a toujours mis de bonne humeur, alors je l'observe benoîtement. Les animaux sauvages figurent dans la liste des choses qui m'ont manqué à Paris, royaume du pigeon bombardier, de l'épagneul pisseur et du caniche chieur. Avec son masque noir sur les yeux, sa queue rayée et son pelage poivre et sel, le raton laveur est l'un des animaux les plus sympathiques du bestiaire nord-américain, et il est réputé pour laver sa nourriture dans le ruisseau avec ses petites menottes habiles. Mais je me demande où il peut bien trouver un ruisseau par ici. Sans doute un tuyau d'arrosage qui fuit – ah ! le petit bandit espiègle ! Comme j'aime bien les bêtes, je l'appelle tout de suite Riton le Raton.

Notre rencontre n'a rien d'un hasard. Puisque Toronto s'est voulue comme une ville dans un parc, on y rencontre force ratons laveurs, renards, moustiques, moufettes, écureuils, lapins, oies sauvages, et même des coyotes ! Et tout ce bestiaire s'engraisse aux rejets domestiques, car la poubelle torontoise est bien riche en ordures toutes plus juteuses et goûteuses qu'ailleurs. Pour l'instant, mon Riton est occupé à haler une boîte de pizza – une pepperoni fromage champignons de chez Domino's – qui doit faire son mètre carré et dont les restes suffiraient à nourrir une famille khmère pendant trois jours.

Cette diversion me fait même oublier les soucis du déménagement transatlantique, une opération périlleuse qui nous oblige en fait à gérer deux tas se déplaçant à vitesse variable entre trois points du globe terrestre.

Il nous faudra quelques semaines pour recevoir nos effets de France : deux palettes de cartons emplis de nos livres, papiers, vêtements, couverts, ustensiles, vaisselle, bibelots et breloques qui doivent revenir avec nous. Sans oublier quelques nouveaux « meubles » essentiels, sous la forme de caisses de pinard et de boîtes de confit de canard. Leur position exacte dans l'Atlantique Nord n'est connue que du capitaine du porte-conteneurs. Quelques semaines plus tard, le téléphone sonnera et on nous annoncera qu'un gardien de phare terre-neuvien a signalé la veille le passage de notre porte-conteneurs au large de Cape Freels. Ensuite, il sera déchargé au port d'Halifax, puis, après décompte des conteneurs, nos deux palettes seront chargées sur un train qui parcourra les 2 500 kilomètres entre Halifax et Toronto à la vitesse moyenne de 22 km/h.

Néanmoins, nous attendons pour le lendemain la livraison des reliques et artefacts de notre vie québécoise d'avant notre séjour en France. Huit tonnes de gugusses, de bidules, de machins, de trucs et de cossins, mélange informe de bouquins, de pelles, de vélos, de pots de clous, de cageots à homards des îles de la Madeleine et de lampes mauresques en céramique vert lime.

Le lendemain matin, je guette donc l'arrivée du camion de déménagement qui nous ramène les reliques de notre ancienne vie. C'est malheureusement un mercredi, jour de la collecte bimensuelle des ordures – ils font ça tous les deux mercredis, une horreur. Devant chaque maison s'alignent les poubelles et les bacs de recyclage, des monceaux de belles ordures bien juteuses et odorantes qui feront le régal de Riton et de ses amis.

Enfin, le semi-remorque débouche sur l'avenue Cowan. L'engin énorme provoque une commotion, car le chauffeur doit s'y reprendre à quatre fois pour négocier le virage. Puis il se gare devant la maison, bloquant le passage aux autres véhicules, ce qui provoquera une engueulade monstre avec les gars des poubelles. C'est mon camionneur qui l'emporte : Rolland « Rollie » Valiquette, un gros homme au tempérament sanguin qui leur a bien fait comprendre que son camion était plus gros que le leur.

Je ne vous ferai pas le décompte du déménagement boîte par boîte, mais je suis perdu dans mes pensées déménageuses quand Rollie vient me trouver.

« *M'st'r Nadeau, w'h'v a pr'bl'm.* »

Rollie, qui ne parle pas un mot de français malgré son nom, manie la patate chaude avec brio et réussit à faire des phrases avec aussi peu de voyelles qu'il est humainement possible. Je traduis parce que c'est vous :

« Monsieur Nadeau, il y a un problème. »

Rollie m'annonce que le sommier et la bibliothèque ne passent pas du tout dans l'escalier, ni en long, ni en large, ni en travers.

« On fait quoi, là, mon Rollie ?

— (Je traduis.) Je fais venir un palan de la compagnie, mais je ne sais pas quand ils viendront, et ça coûtera ce que ça coûtera. Ou bien on s'arrange avec une corde, pour 100 piastres *cash*. T'as le choix.

— *Yeah, y' g't th' ch'ce* », obtempère son assistant Timmy, également diplômé du Hot Potato College, docteur *honoris causa* en anglais improbable[2].

Timmy est minuscule, 1,65 mètre, 60 kilos peut-être, rien que des os et du muscle, pas de graisse, quelques neurones très reposés, mais il est le seul déménageur que j'ai vu en vingt ans et autant de déménagements porter une pile de cinq cartons d'un coup. Il s'y prend en se les mettant sur le dos comme un coolie chinois. Il vient de la Nouvelle-Écosse, il est couvert de tatouages, il a fait de la prison, il a été pêcheur et pécheur, et Rollie est la seule personne qui le comprenne vraiment.

---

2. En fait, il est plus *causa* que *honoris.*

Je contemple un instant mon sommier et ma bibliothèque vitrée sur l'herbe. Les Torontois sont archirespectueux de la propriété d'autrui – c'est leur valeur fondamentale. Plusieurs ne verrouillent pas les portes de leur maison. D'ailleurs, vers le mois d'août, la rue sera encombrée par une brouette pleine de terre abandonnée au tiers de la chaussée par on ne sait qui. Elle y restera tout un mois sans qu'on sache trop qu'en faire, jusqu'à ce qu'un bon Samaritain, un bon dimanche, jour du Seigneur – *praise the Lord!* –, ose enfin déplacer la brouette sur le trottoir après avoir pris soin de bien signaler son intention aux voisins, pour ne pas passer pour un voleur. Mais il y a tout de même des limites à laisser un sommier et une bibliothèque vitrée sur l'herbe en attendant l'arrivée du palan... Je n'ai pas vraiment le choix.

Rollie et moi nous installons donc sur le balcon avec un bout de la corde tandis que le brave Timmy, debout au sommet d'un escabeau branlant, soulève la bibliothèque et tente de la diriger par-dessus la corniche du balcon. Opération délicate.

Une fois que la bibliothèque est en orbite, Timmy le valeureux dégringole de son escabeau et monte nous prêter main-forte. Tandis que nous tenons la corde, Timmy, lui, enjambe la corniche et cherche à saisir la sangle de la bibliothèque tout en se tenant d'une main au poteau – pourri? – du balcon. C'est alors que Rollie me regarde:

« Il faut que je te dise: si jamais je te dis de tout lâcher, tu lâches tout, OK?

— Sinon?

— J'ai un client, une fois, quand j'ai crié de lâcher, il n'a pas voulu lâcher, et il est parti avec sa belle bibliothèque, sur cinq étages. Le gars s'est tué. Alors, tu lâches. »

Je me suis donc désentortillé de la corde, au cas où les autres décideraient de lâcher sans me consulter. J'ai aussi eu une pensée pour ma police d'assurance, en me demandant si c'était moi qui serais responsable au cas où Timmy l'intrépide décrocherait de la corniche pourrie.

Pendant une seconde de flottement, je suis certain que la bibliothèque va ficher le camp. À un moment donné, Rollie et Timmy se concertent.

« *Xmpfht ?* demande Timmy.

— *Rh'hm*... lui répond Rollie, qui se met à compter : *'Ng, t', thr'!*

— *Arghgwjihgq !* »

Et c'est comme ça que la bibliothèque s'est retrouvée sur le balcon, ce qui ne réglait pas le problème de la faire passer du balcon à l'appartement, pas plus que le sommier – car nous avions négligé de vérifier ce détail. Je me demande comment on va s'y prendre quand on frappe à la porte de derrière. Quelqu'un ouvre et crie :

« *Hello !* »

Julie-ma-Julie et moi nous retrouvons presque en même temps dans la cuisine, où nous attend une grande brune à la dégaine de top-modèle qui nous a acheté une douzaine de beignes de chez Tim Hortons – ce qui nous fait maintenant une réserve de vingt-deux beignes depuis la veille. C'est la voisine du dessous, Christine Liebig, qui vient nous dire bonjour.

« *Hi guys* (cela se prononce « ail gaïze »), *it's Christine !* »

Nous nous reconnaissons tout de suite, car Christine était une pote de l'Université McGill, et voilà-t-y pas qu'elle nous a reconnus et nous a appelés par nos noms. Une grande mince, belle femme, allemande par-dessus le marché (j'ai toujours trouvé les Allemandes sexy, surtout la variété peu velue), pas grosse Bertha pour un poil. Il s'ensuit une discussion à bâtons rompus, histoire de se remettre les pendules à l'heure.

« Si vous avez besoin d'aide, descendez me voir. Seamus n'est pas dangereux.

— Seamus, c'est ton Jules ?

— Non, mon chien. »

Seamus (qui se prononce « chez-muss ») est un gros berger allemand, *kolossal Schäferhund,* qui garde le jardin en bas de l'escalier et l'espace entre notre stationnement privatif et l'escalier de derrière. C'est le cleb de Christine. Je vais donc devoir vivre avec un cleb, moi ! *Mais c'est un bon pitou torontois bien propre qui sait vivre et qui ne va pas en mettre partout,* pensai-je pour me rassurer. J'ai certainement pensé très fort, car Christine dit :

« C'est un bon pitou torontois bien propre qui sait vivre et qui ne va pas en mettre partout. »

Les Torontois sont des gens fort civilisés, même s'ils ont une conception du voisinage fort particulière – à la fois envahissante et un peu je-m'en-foutiste. Mais au moins, ils ont une conception du voisinage, ce qui nous change de Paris !

Tandis que nous badinons ainsi, Rollie et Timmy le Glorieux, telles deux fourmis charriant un papillon palpitant dans le dédale de leur fourmilière pour en faire du bon miam-miam, ont démonté la fenêtre du balcon et ont fait passer la bibliothèque et le sommier dans le salon. Ils ont terminé et sont déjà prêts à aller se butiner d'autres ménages sur le chemin du retour. J'inspecte le camion, je signe la décharge et je leur refile les vieux beignes de Bob, en ajoutant deux beignes de Christine pour sauver les apparences.

« *Oh, th'nk y' M'st'r N'deau,* me remercie le brave Timmy le Musculeux, à qui je souhaite une longue vie, sans trop y croire.

— *N'pr'bl'm* », réponds-je avec mon plus bel accent Hot Potato College.

Le reste de l'avant-midi se passe à ouvrir des boîtes et à orienter le mobilier en fonction de la position bizarre des prises de courant, dont certaines sont à trois trous et d'autres, à deux trous. J'en suis à me demander comment rallonger une rallonge de deux mètres avec une fiche à trois broches quand il ne me reste qu'une rallonge de quatre mètres avec une fiche à deux broches lorsque :

« Ding dong ! » fait la porte avant avec enthousiasme.

Je descends et j'ouvre : personne. Devant : personne. Dans l'allée : personne. Sûrement un ti-cul venu faire le drôle. Ou Riton…

Sur ces entrefaites, Julie-ma-Julie m'appelle pour me dire qu'il y a une autre voisine qui frappe, derrière. Julie-ma-Julie souffre d'une vieille blessure au genou qui la ralentit, alors je remonte l'escalier quatre à quatre pour courir ouvrir derrière.

Cette fois, ce n'est pas Christine mais l'autre voisine du rez-de-chaussée, Bronwyn Smith, une grande Jamaïcaine malgré son nom gaélique, qui vient nous dire qu'elle aurait besoin que je pousse ma voiture, car elle doit sortir. Les résidents du 100, avenue Cowan partagent un large stationnement privatif auquel on accède par une ruelle. À l'œil, il y a de la place pour six voitures, mais en Ontario on se fait fusiller du regard quand on passe à moins d'un mètre d'une bagnole. Bronwyn a des doutes, mais quelques années de vie parisienne m'ont bien préparé et je lui montre la manœuvre.

En descendant de ma voiture, je fais deux pas dans l'herbe et flouche ! Je mets le pied dans une kolossale merde fraîche et bien grumeleuse produite par un sympathique toutou teuton au nom irlandais. Ce cher Seamus ! Voilà que je vais devoir vivre en terrain miné.

Je remonte l'escalier à cloche-pied en me demandant dans quelle boîte j'ai pu fourrer la brosse à toilette, trente mois plus tôt. Du coin de l'œil, dans la cour du voisin, je repère trois silhouettes pataudes : une « ratonne laveuse » avec ses deux petits « marmots laveurs ». Je les baptise spontanément la famille Ti-Coune, jeu de mots plein d'esprit. Je me demande si c'est la femme de Riton. Il faudra qu'on se présente. Je les regarde assez longtemps pour oublier dans quoi j'ai marché voilà une minute à peine, et quand je remets le pied sur l'escalier de métal, je glisse et manque de débouler.

À la recherche de la brosse à chiotte, ce qui est compliqué en sautant à cloche-pied, je suis en train d'éventrer une troisième boîte quand ça résonne à la porte de devant. Taïaut! Je cours je vole j'accours, à cloche-pied. Je déboule l'escalier avant, j'ouvre la porte: personne. Maudit ti-cul. Si jamais je l'attrape! Je regarde devant: personne. Sous le balcon: personne. J'écoute pour écouter si ça rigole: personne.

Je n'ai pas remonté trois marches que cela re-ding-dogne. Rahh! Tel Tarzan du haut du rocher au sommet des chutes du Zambèze, proférant son célèbre yodel raté, je saute littéralement sur la porte, mais personne. Ça, ce n'est pas possible. Cette fois, j'inspecte la sonnette. Aha! Il y a bien du Bob le Bricoleur là-dessous; il a installé une sonnette sans fil bas de gamme qui transforme n'importe quelle onde radio en ding-dong. Pourvu que le carillon ne commence pas à nous donner les nouvelles du bulletin de 18 heures un de ces quatre jeudis. L'idée n'est pas si farfelue qu'il y paraît: un bon soir de janvier, le ding-dong nous jouera deux heures de Big Ben ininterrompu. Je prends donc une autre note à l'intention de Bob le Bricoleur, mais en attendant, Julie-ma-Julie et moi serons les dindons dodus de son ding-dong dingue[3].

Je n'ai pas sitôt refermé la porte qu'on refrappe à la porte de derrière.

« *Hello!* »

Je reconnais la voix de Christine. Cette fois, j'ai complètement oublié la merde sous mon pied, et j'en mets partout dans l'appartement. Toronto est une ville étrange. En fait, la ville elle-même est comme les Torontois. D'abord, ils sont gentils, ce qui est assez agressant pour quiconque a vécu à Paris et a appris à apprécier l'indifférence franche et non feinte du voisin français. À Paris, il avait fallu attendre deux mois avant que retentisse le premier coup de sonnette non annoncé, et il s'agissait de la fonctionnaire du recensement national. Ici, c'est autre chose. Certains quartiers de Toronto ont même des roulottes d'accueil tenues

3. Et après ça, il y en a qui disent encore que la chronique est un genre littéraire inférieur.

par des belles-mères compatissantes qui viennent vous offrir des beignes et vous expliquer où se trouve le Tim Hortons le plus proche.

C'est Christine qui vient nous présenter les locataires du dessus, Erik et May. Il se trouve qu'Erik Underwood est un Montréalais comme nous, mais un Montréalais d'origine chilienne, comme son nom de famille ne l'indique pas. En fait, son père est anglais, et son grand-père était allemand, mais il est né au Costa Rica et a grandi au Chili avant de finir sa croissance à Montréal. Quant à May Woo, c'est une Sino-Canadienne, comme son nom l'indique, et une Torontoise finie. Rien de spécial là : la moitié de la population de Toronto n'est pas née au Canada. En fait, May est la seule vraie Torontoise de notre maison de fous. Naturellement, Erik et May nous offrent une troisième douzaine de beignes de chez Tim Hortons. C'est comme ça, le voisinage : il faut se voisiner.

« J'espère que tout va bien pour vous.

— Juste la sonnette, qui sonne pour rien.

— Ah oui, la sonnette. La nôtre nous a fait le bulletin de nouvelles, l'autre jour, dit May.

— Bob va vous dire qu'il va venir la réparer, ajoute Erik.

— Et il ne viendra pas…

— En plein ça. »

Erik, May et Christine forment un trio sympathique. En fait, on deviendra amis et on se virera des bringues pas possibles tout l'automne en buvant des *piscos sour* et en se racontant des histoires de Bob le Bricoleur.

Chapitre 2

Tiens, voilà du voisin !

Où l'auteur, après quelques rencontres nocturnes, explore les environs diurnes et, s'étant vu confronté à des vestiges de la Prohibition, se bute à la nullité du service et se demande comment survivre quand « tout le monde il est beau, tout le monde il est gentil ».

Toronto se veut une ville tranquille, mais tranquillité ne veut pas dire silence, et notre première nuit sera troublée par les bruits du voisinage. Il fait très chaud, cette nuit-là, ce qui nous force à dormir la fenêtre ouverte. Ce qui est bien, c'est que je peux me payer le luxe de dormir à poil sur le lit, la fenêtre ouverte sans rideau, car la fenêtre donne une vue superbe du mur de brique d'en face, à 60 centimètres.

Or, la disposition de notre maison mal foutue fait que le balcon est comme un pavillon qui capte tous les bruits. Le son s'engloutit dans le canyon de brique qui sépare les deux bâtiments et qui agit comme un canal auditif. Puis il pénètre par la fenêtre, avec bibi dans les rôles du marteau, de l'enclume et de l'étrier.

Épuisé, je me suis couché tôt, pour être réveillé toutes les quinze minutes par un nouveau bruit.

On peut reconnaître une ville rien qu'à ses bruits : Mexico, Dakar, Tokyo et New York n'ont pas le même son. Nos nuits parisiennes étaient dominées par le gnignigni des Vespas, le poto-poto des pavés, le plic-plic des chiens-chiens pissant sur le trottoir et le bwaaar'fgh occasionnel du fêtard dégueulant dans le caniveau.

À Toronto, il y a d'abord le vroum-vroum des avions à hélices qui décollent de l'aéroport des îles de Toronto et qui virent – ouiiiinnnnn – dans l'axe de notre rue. Il y a aussi le sh-sh-sh-sh de l'autoroute Gardiner, à 300 mètres. Et le patof-patof-patof des motrices du train de banlieue. Mais le bruit le plus agaçant est de loin cette espèce de chuintement métallique et creux – genre kouuush – du tramway (car Toronto est une ville de trams, de très lourds engins qui circulent avec moult grondements, chuintements et cliquetis) accompagné par le tac-tac-twik des lignes électriques mal fixées. Nous habitons à 150 mètres de la rue King, mais ce n'est pas assez loin. Jusqu'à 2 heures du matin, j'aurai l'impression que les trams passent juste sous notre fenêtre.

Le vacarme s'estompe peu à peu, mais vers le milieu de la nuit, je me réveille en sursaut en entendant une espèce de cri glacial de type série B. Ce sont des hurlements, à vrai dire, mais l'effet général ressemble à des croassements de corbeaux mêlés à des crachats d'écureuil, mais il y a comme des jappements au travers. L'impression d'ensemble est celle d'un blaireau qui violerait un corbeau. Après une écoute attentive, cela évoque aussi le varan de Komodo constipé qui tente de passer son dernier chevreau avalé avec les cornes.

Et cela recommence toutes les dix secondes. Parfois cela dure une minute, parfois cela ne jappe que quelques secondes. Mais le bruit est puissant et sinistre. Je sens Julie-ma-Julie se figer :

« C'est quoi ça ? Un chien ?

— Je ne sais pas…

— Une chatte en chaleur?
— Des chats qui se battent? »

Je ferme la fenêtre; cette fois, l'origine du vacarme semble être le BUREAU DERRIÈRE LA CUISINE! Telle Sigourney Weaver dans *Alien*, je mets mon short en tentant de ne pas attirer l'attention de la bête. Déménagement oblige, le coffre d'outils est dans la chambre à coucher – quelle chance! Je m'empare du marteau et, tel Jack Nicholson dans *The Shining*, je descends le corridor pour m'approcher du bruit, qui devient de plus en plus fort, comme dans *Les Oiseaux* d'Hitchcock.

À mon grand étonnement, le son ne vient pas du dedans mais du dehors – il entre par la fenêtre ouverte du bureau. J'observe. Il y a un type en caleçon, pieds nus, qui éclaire le feuillage d'un arbre avec sa lampe de poche.

Est-ce un piège? Je mets mes sandales et je sors. Le type, qui ne porte qu'une chaussette, est couvert de tatouages. Il en a partout. Je remarque que cela descend sous la ceinture de son caleçon.

« *'Coons* », qu'il me dit en pointant la futaie.

Mon regard suit le faisceau. Une demi-douzaine de ratons laveurs sont agrippés à trois ou quatre branches à 10 mètres au-dessus de nous. Six, en fait, qui cernent un septième, mon vieux Riton, j'en suis sûr, qui finit un vieux beigne. Au pied de l'arbre, une boîte de croquignoles au miel de chez Tim Hortons.

Le drame est facile à reconstituer. Riton, qui est un intrus dans le quartier, a jeté son dévolu sur cette belle boîte de croquignoles au miel – on le comprend. Mme Ti-Coune, vieille résidente du quartier, n'a pas tellement apprécié qu'on lui maraude les croquignoles promises à sa progéniture. Alors, elle a ameuté ses frères et ses beaux-frères, la famille Ti-Coune au grand complet. Et ces gars-là, ce sont des pros: ils ne font que ça, la route des poubelles. Et ils sont habitués de régler leurs problèmes entre eux sans appeler la Société protectrice des animaux. Alors, ils ont amorcé une course-poursuite qui s'est terminée sur une branche dans un arbre de la ruelle derrière chez moi. Riton est donc coincé sur sa branche, encerclé des Ti-Coune, qui rêvent de le transformer en chapeau de Davy Crockett.

« Phoque de Beau Dommage ! dis-je avec mon plus bel accent québécois.

— *F'ckin' v'rm'nt* », obtempère mon voisin.

Le gars a l'air d'un repris de justice – ce qui est bel et bien le cas, comme je l'apprendrai dans les semaines suivantes. Mon repris de justice se met à lancer des branchailles aux ratons laveurs, et je l'imite. De toute beauté : un tatoué et un Québécois, à demi nus, lançant des branches dans un arbre pour en faire décrocher des ratons laveurs.

À bien y repenser, c'est une des idées les plus idiotes que j'aie jamais eues, car je n'aurais pas donné cher de nos peaux si nous avions pu décrocher une ou plusieurs de ces bestioles. Dans les films de Walt Disney, le raton laveur est toujours représenté comme un animal sympa et masqué, très charismatique, avec son masque de Zorro, ses petites menottes habiles. Mais je peux vous assurer qu'en les entendant crier, hurler et cracher, les crocs au vent et toutes griffes dehors, je ne me serais pas approché pour les câliner. Ce n'est d'ailleurs pas pour rien que les premiers Français débarqués dans les environs les ont baptisés *chats sauvages.* Un de mes cousins, qui faisait de la trappe pour arrondir ses fins de mois, avait failli y laisser ses bijoux de famille en tentant de libérer un raton laveur prisonnier d'un piège. Alors, imaginez un peu si moi ou mon voisin, à demi nus, avions reçu des ratons laveurs sur la tête. Bonjour les dégâts !

« Il faudrait les faire tirer », dit mon voisin, qui a sûrement tous les contacts voulus.

C'est là qu'un autre voisin s'est manifesté. L'air prof d'université, avec sa barbichette. Habillé style Subaru au tofu des pieds à la tête. Lui, c'est M. Politically Correct en personne.

« Oh non, dit-il, vous ne ferez pas ça. C'est illégal. »

Et là, mon repris de justice m'a surpris avec son à-propos, car il connaît son code pénal par cœur.

« C'est aussi illégal de les nourrir, *right*? »

En fait, comme mon repris de justice l'a découvert, notre émule du Docteur Dolittle tient une mangeoire et un abreuvoir à vermine. Lui, il ne veut pas que sa ville soit dans un parc (c'est un des slogans de Toronto), mais plutôt que sa ville soit dans un zoo. Et il milite pour le droit des ratons laveurs de faire du boucan au milieu de la nuit. On ne choisit pas ses voisins. À Toronto, comme les Torontois...

Nous l'ignorions encore au moment de notre arrivée, mais Julie-ma-Julie et moi avons élu domicile dans un quartier bien spécial, Parkdale, sans doute le plus bizarre de tout Toronto. Parkdale est peuplé de trois catégories d'habitants: des artistes, des immigrants et des fous. Les fous orbitent autour de deux institutions: l'institut psychiatrique juste en haut de notre rue, le plus gros en Ontario, et l'hôpital Saint-Joseph, dix rues à l'ouest, dont le fonds de commerce est le fou mésadapté et incurable communément appelé « sans-abri ». Un bon nombre de fous chambrent dans le ghetto parce que ça se mêle assez bien aux immigrants venus de partout au monde pour tenter leur chance avec le rêve américain, et échouer pour la plupart. Les artistes sont là parce qu'ils aiment bien les concentrations de fous et d'immigrants, car leur présence a tendance à abaisser les loyers.

Julie-ma-Julie et moi appartenons à une sorte d'élite locale, car nous sommes à la fois artistes, immigrants et fous. Car il faut être fou à lier pour payer 1 750 dollars par mois pour un quatre pièces qui ne tient que par la force de sa peinture beige. Encore que, tous les Torontois qui ont visité notre appartement nous ont assuré que nous étions *superbement* logés. C'est le loyer qui est superbe.

Il subsiste aussi un certain nombre de « vieux du quartier », propriétaires de leur cottage, dont une majorité de « Subaru au tofu » qui approchent la cinquantaine et qui ont vu en se grattant la tête arriver les fous, les immigrants et les artistes, et qui nourrissent les ratons laveurs en espérant qu'ils ne seront pas chassés par les varans de Komodo.

Les Torontois n'arrêtent pas de répéter que la moitié de la population torontoise n'est pas née au Canada. Je veux bien le croire. C'est un euphémisme que de dire que Parkdale est un quartier multiethnique. Même la postière parle mieux le pidgin que l'anglais. Cette grande mixité est un spectacle constant: aux fêtes, derrière chez nous, les balcons des HLM peuplés d'Antillais s'illumineront de lumières de Noël jusqu'au douzième étage. Et je ne peux réprimer un sourire chaque fois que je vois passer un des moines bouddhistes de la lamaserie de High Park, juste à côté de Parkdale.

L'une des particularités de Parkdale est l'abondance relative de petits commerces, chose que nous envieront la plupart de nos amis torontois. Par exemple, le dépanneur du coin est effectivement au coin de la rue, ce qui tend à se raréfier dans une ville aux prises avec l'étalement urbain. Il y a même deux rues commerçantes à distance de marche: Queen Street et Roncesvalles Avenue.

La rue Queen traverse toute la ville d'ouest en est. Un peu à l'ouest du centre, elle est réputée comme un des hauts lieux de la grungitude. Mais plus à l'ouest, c'est une accumulation de petits commerces paumés et malfamés. Comme je le constaterai au cours des prochains jours, la moindre gargote de la rue Queen vend des vidéos philippines, des jeux vidéo en tamoul et des *paddys* jamaïcains. Comble de surspécialisation ethnique, il y a même un resto de cuisine « chinoise de style guyanais » – car, apparemment, il existe assez de Sino-Guyanais sur terre pour faire marcher un restaurant sino-guyanais à Toronto.

L'autre voie commerçante est Roncesvalles – dont personne ne connaît la prononciation exacte (c'est Roncevaux en espagnol, et cela vient du célèbre colonel O'Hara, qui y guerroya du temps de

Napoléon). Elle se trouve dans l'axe nord-sud. Ses commerces sont beaucoup moins déglingués que ceux de la rue Queen, mais sa géographie est franchement bâtarde: les magasins s'étendent sur un kilomètre, mais seulement du côté est, car le côté ouest, lui, est résidentiel (Roncesvalles délimite le territoire des deux anciens villages de Parkdale et High Park, et de toute évidence les Parkdalois et les High Parkois ne se parlaient pas).

Mon premier contact commercial avec le quartier s'est produit le soir même de notre déménagement. Normalement, cela aurait dû arriver la veille. Mais, repus de beignes de chez Tim Hortons, Julie-ma-Julie et moi avons oublié tout le reste. Car, c'est bien connu, le beigne repaît.

Comme il faisait très chaud, je me suis avisé vers 20 heures que j'avais bien envie d'une bière – surtout que, aux prises avec la nécessité d'installer la chambre à coucher –, cela faisait une heure et demie que je cherchais la manière de faire entrer une commode de 2 mètres dans un espace de 1,97 mètre. N'y tenant plus, je pars donc au dépanneur du coin pour satisfaire mon envie d'une bonne mousse.

C'est là – plus précisément devant le frigo à bière – que j'ai connu ma première déconvenue. Car le frigo à bière n'est pas un frigo à bière, mais un frigo à lait. Ni bière, ni vin, ni rien. J'avais oublié. Dans une épicerie parisienne, on ne trouve aucun journal et rien à lire, mais souvent d'excellents fruits et légumes et une sélection étonnante de vin, de bière et d'alcools divers – qui sont, vous en conviendrez, des produits essentiels et l'un des six groupes alimentaires selon le Guide alimentaire français (catégorie Boisson). Mais jamais, jamais, jamais de lait frais. Ici, c'est le contraire: les dépanneurs ont surgi à partir d'anciens dépôts de lait qui ont évolué en petites épiceries générales sans fruits ni légumes, mais beaucoup de lait et une sélection étonnante de journaux.

Je vais voir le caissier.

« Il n'y a pas de bière ?
— Ce n'est pas le Québec, ici.
— À qui le dites-vous !
— À vous, bien sûr.
— Où est-ce que je peux en trouver ?
— Il faut aller au Beer Store.
— Qui se trouve… ?
— Je ne sais pas, je ne bois pas. Je pense qu'il y en a un sur Brock, derrière la rue Queen. »

Malgré leur nom, les Beer Stores ne sont pas des magasins, mais des entrepôts d'État qui fleurent bon la vieille bière éventée. Juste derrière la porte, il y a une vitrine qui montre un échantillon de chacun des produits en vente et qui donne les formats. On commande auprès du fonctionnaire qui tient la caisse enregistreuse. Il annonce la commande au micro et reçoit le paiement tandis que le fonctionnaire de derrière balance la commande, qui descend sur un tapis roulant. On ne peut imaginer façon plus ridicule de vendre de la bière, mais c'est la seule en Ontario.

Le Beer Store de la rue Brock se trouve au milieu d'une zone industrielle, adossé à la voie ferrée. Malheureusement, j'arrive juste après la fermeture, à 20 h 30. Le patron met la clé dans la serrure.

« C'est fermé.
— Donc, pas de bière.
— Vous pouvez en acheter à la LCBO.
— C'est quoi, ça ?
— Liquor Control Board of Ontario. Il y a surtout du vin, mais ils ont de la bière.
— Ils sont où ?
— Vous êtes passé devant. Au coin de Queen. Mais dépêchez-vous, ils vont fermer. »

Comme de raison, j'arrive à la LCBO juste après la fermeture. Et je dois me rabattre sur le dépanneur du coin, avec sa bière sans alcool. C'est dit : ils ne sont pas complètement revenus de la Prohibition, ici, et il faudra stocker. En Ontario, comme les Ontariens.

Après Paris, Toronto est ma seconde expérience d'immigration et d'intégration, qui suit finalement une sorte de protocole immuable et probablement universel. Car après le premier contact avec son appartement et les premiers heurts avec ce qui sera son habitat, il faut bien vivre – et cela suppose de trouver à boire, à manger, à se brancher, à réparer ses chaussures, à raccommoder ses bas… Si bien qu'au-delà des présentations d'usage avec les voisins et des échanges de beignes, l'interaction avec la société se fait surtout par l'entremise du commerce, qui structure le voisinage.

Au cours des jours qui suivront, j'irai donc de surprise en surprise. Car le simple fait d'acheter une bière, une brosse à dents ou de la lingerie devient une expérience sociologique ou, dans l'esprit de Parkdale, une expédition ethnographique.

Prenez l'expérience du lendemain matin, quand je pars à la pharmacie m'acheter une brosse à dents. Là, je suis confronté au « mur du choix ». À Paris, je m'étais habitué à des commerces très nombreux offrant un choix parfois limité, mais comportant tout de même un bon éventail. Il y avait bien certaines grandes surfaces qui avaient un choix prodigieux, mais c'était loin d'être la norme. Ici, il y a franchement moins de commerces, mais ceux qu'il y a ont une offre de produits complètement délirante.

Prenez la brosse à dents, qui est mon premier problème à résoudre. Veux-je une brosse à poils raides (archiraides, raides, mi-raides), moyens (moyens-raides, mi-moyens, moyens-doux), doux (mi-doux, superdoux, ultradoux et archidoux) ? On se perd en nuances entre le archiraide et le archidoux. Mais gare à vous : certaines marques sont à poils longs, à poils courts, mi-longs, mi-courts, moyens, mi-moyens, à poils de travers, à poils bleu, blanc, vert. Si on examine bien, il y a une variété à manche long, mais à poils mi-longs, à poils mi-courts, à poils courts ou super courts bleu, blanc, vert. Il y en a même qui combinent des poils mi-longs ultradoux et des poils mi-courts mi-raides. J'ai fini par en acheter trois sortes.

Et le lait, le deuxième problème à résoudre. Quand j'arrive au rayon du lait, j'ai le choix entre neuf frigos de lait frais, qui est vendu soit écrémé, soit avec 1 %, 2 % ou 3,25 % de matières grasses, en format d'un demi, de un, de deux ou de quatre litres, dans trois marques : Lactantia, Sealtest et Natrel. J'ai fait le compte : cela donne quarante-huit permutations possibles. Et nous sommes tous là à débattre des mérites du lait Lactantia à 1 % en format de deux litres comparé au lait Sealtest à 3,25 % en format de quatre litres.

Cette abondance de choix est à mon avis une forme d'esclavage. Pour contenir le peuple, plus besoin de chaînes ou d'opium : il suffit de l'abêtir sous le poids du choix et il passera ses journées à choisir, il débattra publiquement des qualités de la crème glacée trois couleurs. J'en suis à bénir l'époque où il n'y avait que deux sortes de caleçons, un seul format de coca, deux couleurs de crème glacée, un seul film au cinéma et tout juste douze canaux sur la roulette de la télé. De grâce, libérez-nous du choix !

Ce choix est accompagné d'un paradoxe : il est inversement proportionnel au service. Plus il y a de choix, moins vous avez de chances de trouver un employé capable de répondre à une question aussi simple que : pourquoi ce produit est-il plus cher que celui-là ?

Cette nullité générale du personnel de service aura été, je pense, mon plus grand choc d'ex-Parisien transplanté – en fait, je ne m'en remettrai jamais. En France, je m'étais habitué aux vendeurs, généralement compétents, quoique parfois très chiants. J'avais même élaboré quelques trucs pour désamorcer la chiantise des commis parisiens et me les rendre sympathiques en deux ou trois mots. On dit bien des choses des Français, mais ceux qui servent sont en général correctement formés à le faire, et comme ils travaillent trente-cinq heures par semaine, c'est leur métier – qu'ils n'aiment pas, toutefois, mais c'est une autre histoire. D'ailleurs, l'une des raisons pour lesquelles les Nord-Américains trouvent les serveurs français si chiants est précisément qu'ils les traitent comme des employés à temps partiel alors qu'il s'agit de gens de métier.

À Toronto, c'est exactement l'inverse : les commis, vendeurs et serveurs aiment leur emploi, leur employeur et leur entreprise, mais ils sont toujours très nuls. Si vous trouvez un commis compétent, félicitez-le donc tout de suite pour sa promotion : il va être promu gérant.

Les cas où je me suis trouvé en butte à un employé nunuche sont trop nombreux pour en faire la liste, mais je rencontrerai le summum de l'incompétence quelques mois plus tard chez Loblaws, et l'anecdote est révélatrice de l'espèce de délabrement généralisé du secteur tertiaire.

Il s'agit d'acheter une dinde. Mais comme de raison, il y a trop d'offre : des dindes à 15 dollars, des dindes à 30 dollars et des dindes à 45 dollars. Outre le prix, je n'observe aucune différence de poids entre les trois volailles. Comme il n'y a pas d'étiquettes, je fais venir le garçon boucher.

« Vous connaissez ça, vous, la dinde ? Alors, vous allez me dire pourquoi cette dinde-là coûte le double, et l'autre, le triple. »

Le pauvre diable me regarde avec un drôle d'air. Il finit par déclarer :

« Celle à 45 dollars est congelée et elle est donc différente.

— Mais elles sont toutes congelées. Et puis, d'habitude, un produit congelé se vend moins cher que la version fraîche.

— Ah bon, réfléchit-il. Mais la plus chère a été congelée fraîche.

— Alors, l'autre à 15 dollars, elle a été congelée pas fraîche ou bien elle a été congelée décongelée ? »

Je ne m'appesantirai pas trop, car vous allez m'accuser de cruauté envers un civil sans défense, ce qui est contre la Convention de Genève. Vingt ans de journalisme à interviewer des politiciens et des PDG qui n'ont souvent à dire que des foutaises m'ont rendu patient. Finalement, je prends la dinde la moins chère et je la balance dans mon panier.

Une cliente qui nous écoutait vient nous trouver et nous dit à voix basse :

« Le commis a omis de vous dire que la dinde à 45 dollars, c'est une oie. Et celle à 30 dollars est un canard. »

La mâchoire a dû me décrocher.

« Ça se voit tout de suite, ajoute-t-elle, les oies, comme les canards, ont le corps allongé et les pattes vers l'arrière du corps.

— ?!?!?

— !!! répond-elle.

— ?? demandé-je.

— ... », conclut-elle.

La première chose qui ressort de ce que nous appelons, avec Julie-ma-Julie, l'Anecdote de la Dinde de Chez Loblaws, c'est qu'on s'y fait très vite et qu'on s'attend à beaucoup d'incompétence de la part des commis et des vendeurs. Personne ne juge anormal d'être confronté à des employés de librairie qui ne lisent pas un livre, ou encore à des serveurs qui ne connaissent pas le menu, à des chauffeurs de taxi qui ne parlent pas la langue ou ne connaissent pas les rues, voire à des bouchers végétariens.

Finalement, on s'attend beaucoup, ici, à ce que ce soit le client plutôt que l'entreprise qui forme l'employé. C'est particulièrement vrai au printemps et à l'été, alors que le marché du travail se sature de millions de surnuméraires – en général de jeunes étudiants pas très allumés, qui auraient somme toute été plus utiles dans un camp de travail que sur le marché de l'emploi. En Amérique, tous les jeunes de seize ans veulent avoir un emploi d'été, même les fils de bourges, alors personne ne s'attend à des miracles et tout le monde y met du sien pour parfaire l'éducation des jeunes laissés aux libres joies du marché. Le problème est que ce sirop de bonne volonté déteint sur l'ensemble de la main-d'œuvre de ce secteur, ce qui assure une qualité de service universellement nulle.

De toute manière, c'est le client qui paie. C'est toujours le client qui paie. Ou bien le client paie plus cher pour du personnel bien formé, ou bien il ne paie pas plus cher pour du personnel mal formé qu'il doit lui-même former à mesure en payant de son temps et de sa personne.

Leur formation de base consiste à dire exactement trois choses : « *Can I help you ?* », « *I don't know* » et « *I'm so sorry* ». Cela m'est arrivé le premier weekend à Toronto, alors que nous sommes allés visiter un musée. Je trouve un bureau d'information touristique.

« *Can I help you ?*

— Le restaurant n'est pas ouvert ?

— *I'm so sorry.*

— À quelle heure est-ce qu'il ouvre ?

— *I don't know.* »

Elle s'informe, personne n'est au courant. Elle veut faire un appel, mais elle ne sait pas qui appeler.

« *Oh, I'm so sorry. I don't know.*

— Ça va, ça va.

— *Really, I'm so sorry.* »

L'envie me prend d'aller rapporter sa nullité à sa patronne, alors je lui demande son nom.

« *My name is Tammy…* »

Et là, elle repart avec sa cassette :

« *Can I help you ?*

— *I don't know* », conclus-je.

L'autre facette révélatrice de l'Anecdote de la Dinde de Loblaws est que nous n'avons pas fait d'esclandre et que l'autre cliente est venue contredire le garçon boucher quand celui-ci fut parti et ne pouvait pas l'entendre. Pour ne pas le confronter et lui faire perdre la face. Ceci explique cela, d'ailleurs : on attend du commis qu'il soit d'abord gentil avant d'être compétent, parce que c'est la gentillesse qui est la clé de voûte de tout l'édifice.

Dans un commerce ou un restaurant, chaque fois que je serai en présence d'un commis nul mais gentil, je me ligoterai mentalement la mâchoire pour ne pas exploser. La vie serait tellement plus simple s'ils étaient nuls et méchants : on pourrait leur rentrer dedans, comme de bons Parisiens. Mais non ! On voit bien qu'ils ne savent rien, mais ils nous implorent de leurs yeux de biches aveuglées devant les phares de la voiture, et nous, on se jette dans le fossé pour éviter de leur rentrer dedans.

Mais si jamais vous vous avisez de leur dire la vérité – qu'il serait plus productif qu'ils soient moins gentils et plus compétents –, là, ils disjonctent, vous boudent ou se fâchent carrément. Car rien ne fâche plus le Nord-Américain que s'il ne peut pas être gentil. Cela le sort du paradigme et il est tout de suite mal.

Le Nord-Américain n'a peur que d'une chose : ne pas être accepté et aimé. Donnez-lui l'occasion de se sentir aimé et accepté, et il exprimera toute sa nullité avec un abandon qui passe souvent pour de l'arrogance, mais qui est en fait ici une marque de confiance. Le grand complexe nord-américain n'est pas d'afficher sa supériorité sans vergogne, comme ce l'est en Europe et particulièrement en France, c'est d'être accepté et aimé. La gentillesse, ici, est une monnaie d'échange. On dit à tous des beaux *Hi !* bien diphtongués – prononcer « âââââïïiiii » – pour leur démontrer combien ils sont acceptés et aimés, car on veut l'être soi-même par retour d'ascenseur.

Depuis mon arrivée, j'ai des crampes bizarres au visage à force de sourire, ce dont j'ai perdu l'habitude à Paris. Ce sourire constant est la manifestation du désir quasi maladif d'être aimé ou accepté. C'est un sourire de concours de beauté. L'Ontarien aime être aimé, et quand on n'aime pas son vin, il fait une figure terrible du genre : « Quoi, tu ne m'aimes pas ? » Mais il ne dit rien, il attend, passif agressif. Ou bien il va vous parler jusqu'à plus soif pour s'assurer que vous l'aimez, lui, quand même. Il n'est pas sûr.

Cette gentillesse ambiante atteint des sommets d'exubérance à Toronto, car les Torontois ont la gentillesse agressive. « On va t'en donner, du gentil ! »

Cela fait partie du milieu ambiant. Même les feux, aux intersections, font coucou (sens est-ouest) ou cuicui (sens nord-sud) – pour les aveugles (pardon : les malvoyants). Vous voulez traverser, vous n'avez qu'à lever le petit doigt et les automobilistes s'arrêtent. Ils respectent les règles. Ils perdent leur emploi ? C'est leur faute. Pas de manif. Tout est léché, gentil.

Mais ne vous avisez pas de tenir la porte à une dame, comme je l'ai fait dans le métro : elle a changé de porte. Pour un peu, elle me dénonçait pour harcèlement. La galanterie est une chose suspecte. Il y a gentil et trop gentil.

Chapitre 3

J'ai pour moi un lac

Où l'auteur, parti admirer la faune aquatique du lac Ontario, s'interroge sur l'anatomie de l'oreille interne de certaines peuplades, avant d'expliquer aux lecteurs impatients les origines mystérieuses du nom de Toronto, pour ensuite se refamiliariser avec une géographie basée sur les points cardinaux.

Une des beautés de Parkdale, et en particulier de l'avenue Cowan, est sa proximité avec le lac Ontario. Notre appartement déglingué est à moins de 500 mètres de la rive, et je n'ai pas tardé à le découvrir.

Car Toronto, bien qu'elle l'ignore elle-même avec superbe, est une des grandes cités lacustres du globe. Ce n'est pas qu'on y vive sur pilotis ou qu'on s'y balade en gondole, mais son trait déterminant demeure tout de même le fait qu'elle soit établie sur les rives d'une petite mer intérieure d'eau douce qui est en soi une merveille de la nature.

Quand on demande aux Ontariens de parler de leur lac, ils vous répondent poissons à deux têtes, bébés mutants, invasions de moules zébrées et lamproies suceuses de sang. Ce en quoi ils n'ont pas tout à fait tort, puisque leur merveille de la nature locale a surtout servi de poubelle.

La plupart des Torontois qui aiment leur lac – il s'en trouve – me disent que je suis chanceux d'avoir accès au lac. Mais quel accès! Je dois emprunter le pont de l'avenue Jameson, qui franchit l'autoroute Gardiner, et les quatre voies de chemin de fer, puis traverser les quatre voies du boulevard Lake Shore.

Trois ans en France m'ont fait réaliser à quel point les Nord-Américains entretiennent un lien ambigu avec la nature. La France est résolument moderne, mais les villes y sont presque toutes établies autour d'une colline ou d'un méandre, et les matériaux locaux sont à l'honneur dans presque toutes leurs constructions. En Amérique du Nord, on entretient parfois de très beaux espaces naturels, mais la nature entre rarement en ligne de compte dans l'organisation des villes, dans le choix des matériaux ou même dans l'élaboration des menus.

Je ne sais pas trop pourquoi le lac Ontario m'a fait un choc. Je l'ai tout de suite aimé. Au troisième jour, je parlerai du lac Ontario comme de *mon* lac.

Ontario, on ne sait pas trop d'où vient ce mot. Ce serait soit du huron pour « grand lac », soit de l'iroquoien pour « eaux scintillantes » – je vous laisse choisir. Sous une brise légère, il scintille bel et bien, mais il vire vite au gris acier. Par temps maussade, j'ai observé une espèce de mauve-brun maladif. Il n'est jamais pareil d'un jour à l'autre. Il s'étend à perte de vue, il y a des effets de brume, mais aussi de mirage. Les jours de tempête, d'énormes vagues viennent se fracasser contre les brise-lames. D'ailleurs, le vent y est si fort qu'il détermine la direction de ma balade. Parfois, les gros laquiers viennent mouiller non loin du littoral, et si je suis chanceux ils me font un concert de beuglements.

Il ressemble à la mer par son immensité et son imprévisibilité, mais c'est bel et bien un lac : on y sent presque jamais cette odeur de sel et de pourriture typique des marées basses. Le lac Ontario est le plus petit des cinq Grands Lacs. Il est très profond. À quelques kilomètres du bord, il fait son petit 250 mètres de profondeur, et l'eau y est si glaciale qu'on la pompe pour climatiser les gratte-ciel du centre-ville.

Le lac Ontario demeure inchangé été comme hiver. Comme c'est le seul des cinq Grands Lacs qui ne gèle jamais, en raison de sa masse d'eau et des vents dominants, j'y observerai quantité d'oiseaux aquatiques qui viennent hiverner là. Du colvert à la sarcelle, en passant par les plongeons, les cormorans, les bernaches, les grèbes, les garrots, les harles et même les cygnes, je les verrai tous passer.

Je me prendrai donc au jeu d'observer des bestioles toute l'année et cela me distraira beaucoup. Un jour d'hiver ensoleillé, ce sera le bain des garrots, qui se jettent à l'eau, qui plongent, qui font les fous, qui en lancent partout. Un autre jour, ce sera le passage des volées de cormorans, qui volent du bout des ailes et qui se font sécher sur les brise-lames, les ailes ouvertes dans une espèce de déhanché bizarre de petits marquis dédaigneux.

Quand je broie du noir – ou du beige –, je me déride en contemplant les oiseaux aquatiques. Il suffit souvent d'une volée d'outardes pour me mettre de bonne humeur. L'amerrissage et le décollage en formation, dans le brouillard, avec leur cri claironnant et un peu ridicule, sont franchement spectaculaires. J'aime bien aussi le spectacle des grosses flottilles de quatre-vingts outardes à la queue leu leu sur le lac, dans la brume, sous « les sanglots longs des violons de l'automne[4] ».

Un samedi matin de balade avec Julie-ma-Julie, j'ai même compté une armada de quarante-cinq cygnes, en couple, seuls ou en famille. Impressionnants, les cygnes. En France, je m'étais épaté qu'il y eût des cygnes en liberté, mais cela me scie de constater qu'il

---

4. Merci au jeune Paul Verlaine pour son joli poème.

en existe aussi de ce côté-ci de l'Atlantique. J'ai été encore plus surpris de découvrir qu'ils volent. Moi qui croyais que c'était une sorte d'autruche ou de dindon glorifié !

Cygne, cela rime avec Boeing, et ce n'est pas pour rien, car le vol du cygne est un prodige. J'ai vu cela pour la première fois alors que je me baladais avec mon vieux père, qui était venu nous visiter dans notre beigitude. De loin, j'ai vu ce qui ressemblait à une très grosse mouette à l'envergure démesurée et qui battait furieusement des ailes. J'ai mis une bonne minute à comprendre ce que j'observais :

« Tu vois, papa ? C'est un cygne qui arrive.

— Où ça ?

— Là-bas, droit devant, c'est un cygne.

— Un signe de quoi ?

— Non, un cygne – l'oiseau.

— Ça se peut pas.

— Je te dis. Ça vole. Regarde-moi le miracle.

— C'est ce que je disais : c'est un signe ! »

Il est passé à 10 mètres de nous, battant puissamment des ailes. L'air sifflait entre ses plumes. Puis il a viré, et il est revenu en planant pour l'amerrissage. Juste devant nous, il a sorti ses grosses pattes, et là il a carrément frappé l'eau, trois coups rapides – toc toc toc – pour freiner, et il est tombé dans l'eau en une grosse vague, il a replié ses ailes et il s'est mis à croiser, l'air de rien. C'est d'ailleurs sa marque de commerce, au cygne, d'avoir l'air de ne pas en avoir l'air.

Mais ce n'est rien à côté du décollage du cygne, autre prodige de la nature, dont je serai témoin un autre jour. Au début, il croise, toujours l'air de rien. Puis on l'entend crier à sa douce : « Onk ! Onk ! Onk ! » À ce signal, le cygne se déjauge d'un seul coup d'ailes et de pattes. Puis, battant des ailes comme un damné, il se met à courir sur l'eau de plus en plus vite, et au bout de 100 mètres il réussit à prendre son envol et à rentrer le train. Et voilà, c'est parti mon kiki, on n'arrête plus jusqu'à La Havane. Et le plus impressionnant là-dedans, c'est qu'ils réussissent le truc en formation.

Les plus observateurs parmi vous ont noté que j'ai écrit « Onk ! Onk ! » pour le cri du cygne. Or, certains auteurs rapportent plutôt que le cri du cygne s'écrit « kow-wowou », alors qu'ils ont pourtant entendu le même truc. C'est à se demander s'ils ont un cubitus et un radius dans l'oreille à la place du marteau, de l'enclume et de l'étrier.

C'est très amusant, les onomatopées. Prenez le coq, qui fait *cocorico,* comme chacun sait. Or, si l'on en croit les germanophones, le coq allemand ferait plutôt *kikeriki,* et l'Espagnol, plutôt *quiquiriqui,* sans doute sous l'influence des Habsbourg. Les Japonais entendent *kokekokko,* et les coqs brésiliens y iraient, semble-t-il, d'un *cócórócócóóóó* très samba. Celui-ci n'est pas sans rappeler le *coucouroucoucou* de Nana Mouskouri, qui serait le roucoulement de la colombe grecque. Quant au coq grec, lui, il ferait *kikiriku.* Il y en a de plus curieux, comme le coq arabe peu porté sur la voyelle, avec un très guttural *kwkwk'w* – presque aussi guttural que le coq mandarin, quasi goitreux, dont le *gùgùgù* n'est pas sans rappeler le *gaggalagó* du coq islandais. Mais les deux qui me tuent sont les coqs hébreux et anglais. Un coq anglais, cela fait *cock-a-doodle-doo,* et un coq hébreu y va d'un *tsape baparopyl* finalement assez surréaliste. Et je ne vous parlerai pas maintenant des *oua-ouą* du chien et des *miaou-miaọu* du chat, on n'en sortirait pas. Bref, l'arche de Noé est une vraie tour de Babel !

Ces prouesses aériennes du cygne ne font pas oublier ses quelques vilains défauts. D'abord, c'est une bête agressive qui n'aime pas qu'on l'approche et qui donne de vilains coups de bec. Parlant de vilain, son petit, le cygneau, est gros, gris, et pas joli joli. Andersen ne s'est pas trompé de *casting* quand il lui a réservé le rôle-titre dans son *Vilain Petit Canard.* Il faut au cygneau une bonne année pour atteindre la taille de papa et maman, et pour y arriver il va passer le plus clair de sa première année à picorer les fonds vaseux le cul en l'air. Si seulement le cygne pouvait voler plus souvent.

J'ignore pourquoi au juste, mais on dirait que la connerie des volatiles est directement proportionnelle à leur taille. Cela va par degré. Le canard est con, on s'entend, mais c'est un petit con et ça ne paraît pas trop. De là, on fait déjà un saut quantique dans la connerie avec l'outarde, qui est plus grosse et plus grégaire, ce qui est rarement un signe d'esprit.

À vélo, j'ai failli en tuer quelques douzaines, qui refusaient de me céder le passage. Plantées au milieu du sentier pavé, elles me regardaient arriver avec mon vélo et restaient là. C'est devant de tels comportements qu'on peut mesurer la supériorité intellectuelle de l'écureuil.

Ce genre de scène est courante en mai et en juin, alors que la mue empêche les outardes de voler. La nature est quand même bien faite : la mue survient pendant la nidification, ce qui est la seule chose qui retient ces idiotes auprès de leurs petits. Elles peuvent alors assurer leur croissance avec une diète à base de vieux timbits régurgités. Leur cas est d'ailleurs désespéré : chez les outardes, on est conne de mère en fille – remarquez que les jars ne font pas mieux.

Mes démêlés avec les outardes seront fréquents, ce printemps-là, car je me suis remis au vélo très tôt. J'ai toujours aimé le vélo, pas pour la course, mais d'abord comme moyen de transport, pour me déplacer. Or, ce n'est pas une mince affaire à Toronto.

Malgré tous ses efforts pour encourager la pratique du vélo, Toronto ne sera jamais une ville de cyclistes comme Montréal, et cela pour plusieurs raisons qui tiennent de sa géographie physique et humaine. Premier obstacle grave, les Torontois eux-mêmes, qui font de gros yeux quand on n'arrête pas au feu rouge ou au *stop*, même quand il n'y a personne à laisser passer. Ma philosophie du vélo est celle du piéton véloce : dans mon esprit, un cycliste est un piéton qui va plus vite que les autres. À force de se faire klaxonner, on finit par arrêter et il n'y a plus aucun avantage à faire du vélo.

L'autre problème du vélo tient des tramways torontois, dont les rails sont de véritables pièges à cyclistes, surtout aux intersections. Je finirai par ne plus compter le nombre de fois où je manquerai de me casser la gueule alors que ma roue se coince dans l'ornière du rail. Par-dessus le marché, ils sont allés foutre les tramways au milieu des avenues, ce qui a pour effet de bloquer deux voies, puisque les passagers doivent traverser la voie libre pour monter et descendre – ce qui est franchement dangereux. Une telle approche n'est d'ailleurs possible qu'avec des automobilistes scrupuleux, des piétons respectueux et des cyclistes disciplinés, ce qui n'est évidemment pas mon cas.

L'autre problème cycliste de Toronto est sa géographie physique, en particulier son relief. Si on circule d'est en ouest, ça ne paraît presque pas. Mais dans l'axe nord-sud, il y a une dénivelée de presque 134 mètres entre le lac et le point le plus élevé – plus haut en fait que le mont Royal. Toute la ville est donc une gigantesque succession de faux plats et de terrasses. Ce n'est d'ailleurs pas pour rien qu'on voit à peine le centre-ville depuis l'autoroute 401, le principal axe, qui passe à 20 kilomètres au nord : la plupart des gratte-ciel sont *sous* la ligne d'horizon ! En fait, il n'y a que la tour du CN qui dépasse.

Tout de même, je ferai quelques longues balades le long du littoral du lac Ontario, qui est étonnamment varié. À l'est, il y a les *Beaches*, une série de belles grandes plages contaminées aux coliformes. Un peu plus à l'est, la plage se transforme en une série de falaises, dont certaines sont spectaculaires, quoique menacées par le développement urbain. On pouvait même y observer une jolie maison qui pendouillait à moitié au-dessus du précipice – j'ignore si elle est encore là. Côté ouest, du côté de Parkdale, c'est Sunnyside Beach, où la très longue plage de sable est également contaminée aux coliformes.

Entre les Beaches et Sunnyside Beach, les 15 kilomètres de littoral ont été colonisés par un centre-ville, un archipel avec plage de nudistes, un port raté, des centaines d'hectares de sols contaminés, des cimenteries, des immeubles à condos de quarante étages, une autoroute, le parc d'attractions d'Ontario Place, les halls victoriens d'Exhibition Place (Centre de foire de Toronto), une gare de triage et même un aéroport! C'est très varié, archilaid, mais pas inintéressant pour l'anthropologue amateur.

Le sort de Fort York est particulièrement indigne. À peine soixante-quinze mille écoliers défilent chaque année dans cet ancien fort de défense dont il ne subsiste que deux ou trois baraquements. Du terrain de 300 hectares jadis cédé à la Ville, il n'en reste plus que onze. Le fort a failli y passer en 1950 quand ils ont construit l'autoroute Gardiner; ils ont finalement dévié un peu l'autoroute. Côté lac, on voit surtout la grosse cimenterie entre les pilotis de l'autoroute Gardiner. Côté nord, la voie de chemin de fer passe tout juste à 100 mètres des baraquements.

Fort York n'est d'ailleurs pas le fort original de Toronto, qui se trouvait un peu plus à l'ouest, du côté de Parkdale, en fait à 500 mètres de chez moi, au milieu du Parc des Expositions, en bordure du lac. Je suis tombé dessus un petit matin de juin, pendant une de mes premières balades.

Ce monument presque confidentiel – un petit obélisque et deux canons – commémore la présence du fort Rouillé, aussi appelé fort Toronto, établi vers 1720. Les archéologues n'ont trouvé à cet endroit que les fondations de deux ou trois murailles et palissades, de vieux tessons de verre et quelques capotes en intestin de mouton de soldats véroleux. Ce petit fortin français gardait l'embouchure de la rivière Humber, située un peu à l'ouest de Sunnyside Beach.

Ce qui me permet d'ouvrir une parenthèse sur le nom même de Toronto, que l'on croit à tort être le nom d'une tribu indienne. Comme les guides touristiques et la plaque commémorative ne disent presque rien, j'ai fait quelques recherches, et j'ai trouvé. En fait, la raison pour laquelle cet endroit s'appelle

Toronto est assez compliquée et repose sur une série d'erreurs orthographiques et de méprises géographiques pas très glorieuses.

En fait, Toronto aurait dû s'appeler *Tkaronto,* d'un mot iroquois qui signifie « là où les arbres sont dans l'eau ». Le mot désignait non pas le lieu même, mais un chenal entre les lacs Couchiching et Simcoe, à 150 kilomètres au nord ! Le premier qui a utilisé le mot en français est Champlain, en 1615, et *tkaronto* décrivait en fait une technique de pêche à fascines, qui consiste à construire des barrages de piquets et de branches tressées pour diriger le poisson vers des trappes. Il y en avait tellement dans ce chenal qu'on lui avait donné le nom de Tkaronto. En 1680, le mot avait dérivé vers le lac Simcoe, appelé le lac de Taronto. Puis en 1686, le terme désignait le sentier de portage – le portage de Taronto – entre le lac Ontario et le lac de Taronto. Et c'est en faisant une carte des Grands Lacs en 1688 que le cartographe italien Vincenzo Coronelli a introduit une faute et écrit « Toronto ». La messe était dite. Puis, en 1720, on a construit le fort Rouillé, vite surnommé fort Toronto – encore un glissement –, car il servait à garder le portage de Taronto. Enfin, les Français ont rebaptisé la rivière Tanaovate en portage de Toronto – qui est la rivière Humber actuelle.

La présence du fort s'explique par le fait que l'endroit était stratégique ; le portage de Toronto était le plus court chemin à partir du lac Ontario vers le lac Huron. Il suffit de 250 kilomètres de rivières et de lacs, plus quelques portages. Alors que si on passe par les rives des lacs Ontario, Érié et Huron, il faudrait se taper 1 500 kilomètres d'aviron et un portage particulièrement brutal à Niagara. Normalement, le site de Fort Rouillé aurait dû devenir le centre-ville. Mais le centre-ville de Toronto a poussé cinq kilomètres plus à l'est parce que le colonel Simcoe voulait un havre protégé par les îles – et c'est de cet endroit que part la rue Young, qui était le départ du portage à cheval vers le lac qui portera son nom. Simcoe n'aimait d'ailleurs pas les noms indiens, et il a décidé que la nouvelle ville s'appellerait York – que les gens n'aimaient pas puisque la ville est redevenue officiellement Toronto en 1834.

Il est fascinant de songer que la plupart des grandes villes intérieures de l'Amérique du Nord ont été fondées sur le site d'un portage indien – c'est vrai pour Toronto, mais aussi pour Montréal et Québec. C'est aussi vrai pour ma ville natale, Sherbrooke.

Il est encore plus fascinant de constater que cette empreinte géographique originale a été largement effacée par l'autre penchant géographique des Torontois : un abus de géométrie. C'est à croire que le Nouveau Monde a été découvert par des arpenteurs. Je ne parle pas seulement des villes coupées au cordeau et en damier. Je parle aussi du fait que tout, en Amérique du Nord, est une direction : nord, sud, est, ouest.

La chose est frappante quand on arrive de France, où les points cardinaux sont absents. Il y a bien un Nord, mais c'est un lieu : la Picardie. L'Est, c'est l'Alsace, la Lorraine et la Franche-Comté. Même pour un Marseillais, pour qui c'est au nord. À l'est de Marseille, c'est l'Italie. Mais on sait bien que l'Italie, ce n'est pas à l'est, puisque l'Est, c'est l'Alsace (au nord) : l'Italie est en Italie. L'Ouest, c'est la Normandie, la Bretagne et la vallée de la Loire. Le Sud n'existe pas (c'est le Midi), sauf le Sud-Ouest, qui se trouve en fait au sud de l'Ouest.

Au Canada, nord-sud-est-ouest sont parfois des lieux, mais il s'agit surtout de directions. Il arrive au Canada qu'on n'aille pas nulle part, mais quelque part ; mais on va toujours « en direction de ». Cela paraît clair, mais ça devient vite mêlant quand tout s'exprime par une direction. Cela atteint des sommets d'exubérance autour du métro de Toronto, comme je le découvrirai la première fois que je le prendrai, pour un rendez-vous, la semaine suivant notre arrivée.

Pour se rendre au centre-ville depuis chez moi, il faut prendre le tram sur la rue King, en direction est (puisque je suis côté ouest). J'ai ensuite le choix de prendre le métro à la station St. Andrew ou à King. Dans tous les cas, c'est la même ligne, que je peux prendre en direction nord ou en direction sud. Peu importe, puisque c'est la même ligne, elle court sur deux branches parallèles jusqu'à la station Union, où elles sont réunies en fer à cheval. Bref, si je prends la direction nord sur la branche est, cela m'amène au nord. Mais si je prends la direction sud, cela m'amène au sud pour une station puis repart au nord sur la branche ouest. Vous me suivez?

Ça se corse partout aux points d'intersection. Un peu plus loin, pour arriver à mon rendez-vous, je dois passer sur la ligne verte en direction est, et ensuite prendre un tramway qui m'amène au nord. Mais il n'y a pas de direction nord indiquée dans la station.

Je vais voir le type dans la cabine.

«Je dois prendre le tramway en direction nord. Mais je ne vois pas le nord.

— C'est simple: vous devez sortir côté est.»

C'est en effet très simple, puisque pour aller au nord il faut être du côté est de la rue.

Au retour, ce sera aussi «simple», mais dans l'autre sens. Après avoir pris deux fois le mauvais métro, je parviens enfin à la station St. Andrew, où je pourrai enfin prendre le tram de la rue King qui me ramènera à la maison. Nous roulons cinq minutes avant que je m'aperçoive que je vais dans la mauvaise direction – vers l'est plutôt que vers l'ouest. Sans trop comprendre comment j'ai pu me tromper, je vais voir le chauffeur:

«Non, dit-il. Pour aller à l'ouest, vous auriez dû sortir du côté nord.»

Où avais-je la tête!

CHAPITRE 4

Dead ducks à l'orangisme

Où l'auteur, ayant été confronté à un petit tyranneau de la fonction publique ontarienne, trébuche sur la version ontarienne du fleurdelisé et découvre que les dead ducks *ne sont pas* dead *du tout, et, partant de la face cachée du protestantisme, explique quelques fondements théologiques torontois.*

J'ai plusieurs bonnes raisons de me détendre par mes balades sur le bord du lac Ontario, car outre le fait que je doive écrire deux livres sur les Français, je suis également aux prises avec les difficultés de notre installation. Les provinces canadiennes ont beau former un même pays, les embûches administratives auxquelles se heurte quiconque veut en changer sont confondantes. Pour ouvrir un compte en Ontario, à la même banque que celle où je suis client au Québec, il me faut une deuxième carte bancaire. Il faut aussi que je prenne une assurance voyage en attendant d'obtenir ma carte d'assurance maladie ontarienne. Mais là où ça accroche vraiment, c'est concernant le permis de conduire ontarien, que je dois obtenir dans les trente jours.

Julie-ma-Julie et moi nous présentons au Bureau des véhicules, et j'ai l'idée idiote de dire « Bonjour » au fonctionnaire présent. Je ne l'oublierai d'ailleurs jamais, ce petit rouquin minable qui réussira le tour de force d'être à la fois aimable et tyrannique. Je lui tends mon dossier de conduite. Il s'agit d'une simple lettre des autorités québécoises mentionnant les infractions à mon dossier (aucune) et le nombre de mois depuis l'obtention de mon permis (213). Le petit fonctionnaire la lit pendant cinq bonnes minutes, ce qui en soi est un exploit puisque la lettre compte environ trente mots.

« Ça ne va pas, dit-il. Cette lettre devait spécifier depuis combien de *jours* vous avez votre permis.

— Facile, on va faire une règle de trois et ce sera réglé.

— Non, dit-il, il me faut la lettre. En jours.

— Voyons donc, personne ne fait ça en jours. De toute façon, on ne l'invente pas: si cela fait 213 mois, cela donne... gneu-gneu-gneu[5]... 6 390 jours[6].

— Je le sais. D'ailleurs, sur mon ordinateur, j'ai accès à votre dossier de la SAAQ. Je le vois, mais il me faut la lettre.

— !?&%$#@!

— Eh oui! »

Je sors donc en furie, et ma colère est d'autant plus grande que ma voiture a été remorquée – je m'étais garé dans une zone interdite.

C'est donc de très mauvaise humeur que je reviens à la maison, après avoir récupéré ma voiture à la fourrière, pour appeler la Société de l'assurance automobile du Québec. La fonctionnaire responsable des dossiers de conduite n'a jamais entendu parler d'états de dossiers à produire *en jours*. Elle est pourtant habituée de traiter avec l'extérieur. Je lui explique la situation et elle m'envoie tout de suite la même lettre, mais en jours.

---

5. Je fais toujours gneu-gneu-gneu quand je compte mentalement. Si je ne fais pas gneu-gneu-gneu, je ne compte pas bien.
6. Vous voyez, quand je peux faire gneu-gneu-gneu, ça marche bien.

Quand je retourne au Bureau des véhicules, je tombe sur une autre fonctionnaire, à qui je prends soin de ne pas dire « Bonjour », mais mon plus bel « Ail », bien diphtongué au maximum avec un sourire Colgate, au risque de m'en déchirer le risorius.

« C'est bizarre, ça, une lettre en jours. D'habitude, c'est en mois. »

Heureusement que je traînais avec moi la vieille lettre en mois.

« C'est votre collègue, là. Celui à deux bureaux de vous. Il y a trois jours, il m'a dit que la nouvelle politique était d'avoir la lettre en jours.

— Je ne sais pas où il a pris ça. »

Bref, le petit fonctionnaire orange n'avait pas aimé que je lui dise « Bonjour » et il avait voulu me donner une leçon.

Je lui avais dit « Bonjour » parce que l'une de mes surprises les plus fortes depuis mon arrivée, c'est de voir combien la ville s'affiche en français. Dix ans plus tôt, j'avais fait un reportage sur les Québécois de Toronto, une minorité minuscule. Le français était alors presque totalement absent. Ce n'est plus le cas maintenant. Plus souvent qu'à mon tour, un fonctionnaire me répondra en français.

Ce revirement est d'autant plus étonnant que cela va à l'encontre des vues du premier ministre conservateur d'alors, Mike Harris, pas particulièrement chaud à l'idée d'encourager le fait français et qui a mené une longue bataille pour essayer de fermer le seul hôpital français de l'Ontario, à Ottawa. Toronto n'a jamais eu une communauté francophone historique comme Ottawa, Sudbury ou Welland. Mais les Franco-Ontariens ont mené de dures batailles et se sont érigés en force politique majeure.

Quelques jours après ma mésaventure avec le petit tyranneau du Bureau des véhicules, je tombe sur un entrefilet tout à fait curieux dans le *Toronto Star*: le 24 juin prochain, le drapeau franco-ontarien flottera devant la législature ontarienne, et il deviendra le 29 juin un des sept emblèmes officiels de la province ! Moi qui croyais, à l'instar d'Yves Beauchemin, que les Franco-Ontariens étaient des cadavres encore chauds du fédéralisme, cela m'étonne beaucoup.

Cette découverte m'inspire un reportage, et après quelques coups de téléphone je tombe sur un prof de l'Université laurentienne de Sudbury, le professeur Gaétan Gervais, qui se trouve être le père de ce drapeau.

L'affaire remonte à 1970. Jusqu'aux années 1960, le fleurdelisé était le symbole de tous les Canadiens français et il flottait devant toutes les écoles françaises au Québec, en Ontario, au Manitoba et ainsi de suite jusqu'au Pacifique. Ce que nous appelons la cuisine québécoise ou la musique québécoise était en fait de la cuisine et de la musique canadiennes-françaises, qui étaient le ciment de toutes les communautés canadiennes-françaises du Maine au Yukon en passant par Batoche, Winnipeg et Saint-Polycarpe.

Mais en 1969, lors des États généraux de la langue française, les Canadiens français du Québec – qui commencent à s'appeler les Québécois – décidèrent de faire bande à part. « Le Canada français, ça ne marchera jamais, conclurent-ils, il faut un État ! » Ils se proclamèrent donc Québécois et récupérèrent pour eux-mêmes les symboles : le drapeau canadien-français devint le drapeau québécois, la cuisine canadienne-française devint québécoise, et la chanson traditionnelle canadienne-française devint la chanson traditionnelle québécoise. Et comme ces symboles, en particulier le drapeau, furent vite associés aux indépendantistes québécois, cela posa tout de suite un problème de représentation dans les communautés canadiennes-françaises de l'Ontario, très minoritaires et où l'on ne peut se permettre d'être indépendantiste.

C'est ce problème de représentation que le professeur Gaétan Gervais a voulu régler en 1973 quand il a demandé à un groupe d'étudiants de plancher sur un drapeau franco-ontarien. Avec l'étudiant Michel Dupuis, il a créé un drapeau vert et blanc, orné d'une fleur de lis et d'un trille blanc, qu'ils ont hissé au mât de l'Université laurentienne en 1975. Mais ce drapeau était loin d'avoir un statut officiel : l'Association canadienne-française de l'Ontario (ACFO) ne le reconnaissait pas encore (on préférait malgré tout le fleurdelisé). C'est alors que Gervais a eu une idée de génie : il a appelé le Bureau de la propriété intellectuelle et a déposé une marque de commerce sur l'expression « drapeau franco-ontarien », qui est devenue sa propriété personnelle. Il est ensuite allé présenter son drapeau à l'ACFO en disant : « Voici le drapeau franco-ontarien, et si vous ne le prenez pas, vous n'aurez pas le droit d'utiliser l'expression "drapeau franco-ontarien". » L'affaire était réglée en 1977, mais il a encore fallu près de vingt-cinq ans pour faire avaler la pilule à la législature ontarienne.

Tous les 24 juin, le Bureau du Québec à Toronto organise une grande réception qui attire quelques centaines de participants – des Québécois, des Franco-Ontariens, des francophones de toutes provenances et des sympathisants. Étant journaliste pour *L'actualité*, j'y serai invité et je serai témoin de quelques belles disputes sur la langue et les étiquettes. Je m'en suis aperçu en revoyant Gaétan Gervais.

« Bonne fête nationale !

— Bonne Saint-Jean, tu veux dire. »

J'avais évidemment oublié. Pour un Franco-Ontarien, le 24 juin n'est pas la fête nationale, mais la Saint-Jean-Baptiste, tout simplement – ou le Vingt-quatre juin, pour les agnostiques. La fête nationale des Franco-Ontariens, c'est le 1er juillet.

Pour un Québécois, le fait français en Ontario pose toutes sortes de problèmes de vocabulaire, puisque les expressions dont on use habituellement ne fonctionnent pas bien dans le contexte. L'emblème national est ici l'emblème canadien-français. Et ce que nous appelons le Rest-of-Canada est le Canada.

Ces difficultés de langage s'expliquent par le fait que la réalité franco-ontarienne, et plus largement canadienne-française, a été évacuée du discours québécois depuis les années 1960. René Lévesque, le fondateur du Parti québécois, les appelait les *dead ducks*, les « canards morts », au sens de « ils sont foutus, sans espoir ». Vingt ans plus tard, l'écrivain Yves Beauchemin les appelait les cadavres encore chauds du fédéralisme. De temps en temps, il y a bien un chanteur ou un artiste acadien ou canadien-français – du genre de Roch Voisine ou Antonine Maillet (deux Acadiens), ou de Daniel Lavoie (un Franco-Manitobain) ou encore de Carmen Campagne (Fransaskoise, comme le reste de la famille Campagne) et Hart Rouge – qui perce au Québec, mais rien qui bouleverse les perceptions de ces groupes oubliés.

Sauf que, quarante ans plus tard, ils sont encore cinq cent mille *dead ducks* en Ontario – à côté d'un million d'Ontariens qui se déclarent bilingues. Les canards morts se portent plutôt bien, même s'ils demeurent un peu les vilains petits canards de l'histoire.

Lorsque la grand-mère de Julie-ma-Julie décédera, quelques années plus tard, à quatre-vingt-quatorze ans et au terme de cette longue suite d'indignités que l'on appelle pudiquement la vieillesse, Julie-ma-Julie et moi ferons le ménage de sa bibliothèque. Et c'est dans une caisse de livres que nous découvrirons deux petits manuels sur *The Loyal Order of Orange* – l'Ordre loyal d'Orange, dont le grand-père était un membre en règle. « C'était la franc-maçonnerie du pauvre », nous a expliqué le père de Julie-ma-Julie en s'excusant un peu, car l'orangisme fait partie de la face la plus sombre du protestantisme.

L'ordre d'Orange – nommé en l'honneur du roi Guillaume d'Orange – a été fondé en Irlande au XVIIIe siècle par des protestants irlandais et écossais. Ce sont eux qui transposèrent leur ordre au Canada et dans toutes les colonies. Cette organisation fraternelle, qui visait l'entraide entre protestants, était aussi viscéralement anticatholique et donc anti-Canadiens français.

Si bien que les Canadiens français, qui avaient fondé l'Ontario, furent complètement évacués de l'histoire ontarienne et des institutions – comme les Indiens.

Il en subsiste des traces, volontairement oubliées. Julie, qui a grandi à Hamilton, a ignoré pendant toute son enfance qu'il y avait une communauté francophone tout près de chez elle, à Welland, près de St. Catharines, et encore une autre un peu plus loin, à Windsor. Cette dernière est même la communauté francophone fondatrice de l'Ontario ; elle remonte à 1701.

Cet orangisme a été très dur. C'est lui qui a provoqué la rébellion de Louis Riel au Manitoba et tenté d'y effacer toute trace de la langue française. En Saskatchewan, il a nourri le Ku Klux Klan. Les Klansmen saskatchewanais, trouvant très peu de Noirs à haïr dans leur plaine, se sont rabattus sur les catholiques, dont ils dynamitaient les églises avant les élections. À Montréal, cet orangisme s'est manifesté de façon brutale en 1849, lorsque les orangistes ont incendié le Parlement de la colonie du Canada-Uni – ce Parlement a d'abord été déplacé à Toronto, puis à Kingston, puis à Ottawa. Toute l'affaire Louis Riel découle des tentatives des orangistes de rabaisser les Métis qui colonisaient le Manitoba au rang de moins-que-rien.

Ça n'a jamais joué aussi dur en Ontario, mais presque, puisqu'à Sudbury les commerçants redoutent encore d'afficher le mot « Bonjour » dans leur vitrine, de peur de « perdre des clients ». C'est l'esprit du fameux Règlement 17 qui, en 1912, a banni le français des écoles publiques ontariennes. Presque toutes les familles se remémorent les pupitres à double fond où les élèves franco-ontariens cachaient leurs manuels en français des regards des inspecteurs scolaires.

Il se trouve que, l'année après notre arrivée, l'Ontario élira pour la première fois de son histoire un premier ministre canadien-français, Dalton McGuinty, un Irlandais catholique par son père, mais élevé en français par sa mère canadienne-française – comme ses neuf frères et sœurs. Sauf que cette origine sera systématiquement effacée de son curriculum. C'est dire tout le mérite que les *dead ducks* ont eu à survivre.

(Ce fond d'orangisme explique d'ailleurs à la perfection la réaction de mon petit tyranneau du Bureau des véhicules.)

Au Canada, l'orangisme a été renforcé par un autre courant plus profond du protestantisme, le « protestantisme biblique ». Il s'agit d'une relecture très orientée de l'Ancien Testament qui consiste à établir tous les parallèles possibles entre le « peuple élu » de l'Ancien Testament et les protestants. Cette posture a beaucoup animé la conquête de l'Ouest, mais aussi le colonialisme néerlandais en Afrique du Sud et la colonisation de l'Australie – nouvelles « terres promises » où l'on tirait volontiers de l'Indien, du Nègre ou de l'Aborigène.

Cet orangisme culturel survit encore en Ontario sous la forme d'une francophobie qui s'affirme très crûment par une haine incontrôlée du Québec, de ses politiques linguistiques et du bilinguisme officiel. Il n'y a qu'à lire des journaux orangistes comme le *Globe and Mail* ou le *National Post* pour voir que la francophobie demeure, au Canada, le dernier préjugé acceptable. Ce qui est d'autant plus étonnant que les Canadiens sont remarquablement plus tolérants que les Américains.

Néanmoins, il serait faux de prétendre que tous les Ontariens protestants ont été orangistes. C'est même plutôt le contraire. La preuve en est que l'Ontario s'est dotée d'une loi sur les services en français avant la plupart des autres provinces et qu'elle est allée très au-delà des politiques fédérales sur le bilinguisme.

D'ailleurs, à trop insister sur la face sombre du protestantisme, je risquerais d'en omettre les aspects constructifs, qui sont également nombreux. Car la culture protestante ne se résume pas qu'à son orangisme, qui fait honte à la plupart des protestants, de nos jours.

Son caractère particulier est plutôt une formidable capacité d'organisation qui a changé le monde et à laquelle je ne peux que rendre hommage.

L'affaire est théologique : les protestants sont sectaires ; ils n'ont pas de pape. Chaque communauté religieuse et chaque paroisse sont responsables d'elles-mêmes pour leur théologie et leur organisation sociale. La communauté est donc devenue le pilier de l'organisation sociale. Tout part du local. L'État ? Il prend le relais quand la communauté n'a plus la force. Mais on s'en méfie, foncièrement, comme on se méfie du pape.

Fondée par des méthodistes, Toronto demeure profondément protestante, de par son communautarisme, qui est l'une des valeurs les plus essentielles du protestantisme. On voit des signes de cela partout. En plus de l'excellent réseau de bibliothèques et de parcs, la Ville a longtemps géré son propre service *municipal* d'éducation, et son service de santé publique était l'un des plus avant-gardistes de l'Amérique du Nord.

Cette capacité d'organisation se manifeste aussi dans la faculté de réaction des Torontois : quand ils se sont avisés, dans les années 1970, que leur ville était ennuyeuse à mourir, ils ont réussi à lancer des festivals divers – littérature, cinéma –, ce qui a mis Toronto sur la carte. Quand ils ont constaté qu'on y mangeait très mal, le collège Brown s'est mis à l'œuvre pour former une génération de jeunes chefs bien toqués presque tous établis à Toronto. Naturellement, les protestants s'attendent à ce que les immigrants fassent comme eux et s'organisent, ce qui explique la prolifération d'associations tamoules, grecques, italiennes, chinoises, ouzbèkes ou encore sino-guyanaises.

Pour nous qui arrivons de Paris, cette fantastique capacité d'organisation locale est un choc. La France est une nation colonisée par sa capitale, qui a fait tout ce qu'elle pouvait pour casser toute initiative locale – jusqu'à la police, qui ne peut être que nationale, sauf si monsieur le préfet permet à une ville d'avoir sa propre mini-police. Ce qui ne veut pas dire que les Français soient désorganisés. Mais dans la culture protestante, tout part de la base, et l'État ne fait que ce que les niveaux inférieurs sont incapables de faire. Bref, les Torontois n'attendent pas après les autorités pour agir. En fait, comme le montrera la saga Rob Ford bien des années plus tard, ils sont même capables de se gouverner sans maire.

Jusqu'en 1998, Toronto était une petite ville qui faisait la moitié de la taille de Montréal, au mieux, avant sa fusion forcée à ses cinq banlieues – York, North York, East York, Scarborough et Etobicoke. Sa devise était *Industry, Intelligence, Integrity*, ce qui lui ressemblait beaucoup. En particulier le mot « industrie », dont le sens ici n'est pas celui d'usine mais de qualité morale au sens de la diligence et de l'assiduité. Ce sens est très vieilli en français, mais il persiste en anglais, notamment chez les protestants, qui en ont fait une valeur. Comme *business*, dont le sens d'origine était « occupation » comme dans « l'état d'être occupé ».

Les protestants de Toronto, qui sont plutôt typiques, se sentent investis de la mission de s'instruire, de s'organiser et de s'enrichir.

L'autre dimension morale du protestantisme est son culte de l'argent. L'affaire, encore là, est théologique. C'est une chose que j'ai apprise à McGill à la lecture de *L'Éthique protestante et l'esprit du capitalisme*, de Max Weber, mais il est toujours amusant de constater que la pertinence d'un classique continue de se vérifier. Les protestants ne croient pas au purgatoire ou à la confession : c'est d'ailleurs ce rejet qui est à l'origine de leur « hérésie ». Or voilà : comment sait-on que la grâce est sur nous si le curé ne peut pas nous absoudre de nos péchés ? Par des signes de la Providence. Et le premier signe providentiel, c'est la richesse et la prospérité.

Il ressort du protestantisme qu'il a valorisé la lecture et l'éducation des masses beaucoup plus tôt que le catholicisme, mais aussi l'argent – non seulement le fait d'en avoir, mais le fait de le montrer.

Alors, ne vous demandez pas comment il se fait que les cultures protestantes aient développé le capitalisme et le crédit. Cela était non seulement autorisé mais moralement inéluctable, puisque c'était une manifestation de la grâce. Le mot même de « crédit » dérive du mot latin pour « foi ». C'est ce protestantisme qui explique les grosses maisons avec pelouses (manifestation de la grâce), les sièges sociaux opulents (toujours la grâce) et les discussions incessantes sur la Bourse ou les taux d'intérêt (rien que la grâce). Belles pelouses, beaux sièges sociaux, belles voitures : on exhibe sa prospérité puisqu'elle est un signe de la divine Providence.

Évidemment, ce raisonnement est totalement circulaire. Tout bon athée qui se respecte sait parfaitement que cette théologie sert surtout de justification *a posteriori*. On s'enrichit aux dépens des autres, en les volant parfois, on étale sa richesse et on affirme que l'on est touché par la grâce. Ce qui est moralement acceptable puisque, si c'était vraiment un crime, Dieu nous punirait... Tout se tient !

C'est justement cette circularité dans le raisonnement qui est la marque des grandes civilisations.

Chapitre 5

Canosutra

Où l'auteur, renouant avec les joies du camping sauvage, s'embarque pour une expédition d'une semaine au pays des moustiques, éclaboussant au passage la réputation de certains emblèmes nationaux, tout en devisant sur les propriétés aphrodisiaques du canoë.

Pour le week-end de la fête du Canada, nous revoyons la famille et quelques amis, dont Kate, une vieille copine de McGill, qui tient à nous présenter son nouveau *boyfriend*, Nigel. En conversant avec eux, j'apprends qu'ils partiront en août avec un groupe de douze zigotos pour une semaine de canoë dans le parc Algonquin, alors j'en profite pour m'inviter.

J'ai toujours beaucoup aimé le canoë, mais je suis d'autant plus curieux de faire cette aventure que mes amis du club de randonnée, à Paris, veulent que je leur organise un « voyage canadien ». Contrairement à la France, le Canada est un pays qui n'a pas assez de population et trop de géographie. La synthèse de cette géographie est une technologie qui a mis dix mille ans à se perfectionner : le canoë. Mis à part l'hydravion, la motoneige et le Winnebago, le canoë est le seul engin qui permette de parcourir l'essentiel de notre géographie, là où les seuls sentiers servent au portage entre lacs, marais, rivières et tourbières où grouille, grenouille et gargouille tout un tas de choses molles et déplaisantes. Cette sortie avec Kate est une belle occasion de tester le concept.

Quelques semaines plus tard, un soir de juillet, je ferai connaissance avec les zigotos dans un bar de Hamilton où ils se sont réunis pour discuter logistique. J'ai l'impression de revenir à l'âge de pierre : c'est qu'en France, où je me suis tapé deux ans et demi de rando, la logistique est prise en charge par la SNCF et les divers tenanciers de gîtes et de refuges. Ici, en l'absence de trains, voire de routes et de présence humaine, donc sans refuges, ni buvettes, ni épiceries, il faut tout organiser : les transports, les vivres, le matériel, le papier cul. Tout.

Et puis, il y a cette problématique tout à fait ontarienne des « alimentations particulières ». En Ontario, cela affecte tout groupe réunissant plus de deux personnes. Il nous faut donc partager les zigotos en deux sous-groupes. D'un côté, les « ariens » – végétariens, pouletariens, poissonnariens et autres bons ariens. Quant à moi, je serai avec Kate, Nigel, Laura (la sœur de Nigel) et Rodrigo (le mari de Laura). Techniquement, notre sous-groupe est celui des omnivores, mais Nigel et Laura sont en fait des carnivores finis : ils ne mangent que de la viande, et des patates à la rigueur, et personne ne les a jamais vus manger un légume.

Un bon vendredi, je partirai de Toronto avec un des zigotos qui habitent pas très loin de chez moi, Jonah, qui est biologiste et l'un des trois célibataires du groupe, avec Mary et moi. Car, pour la semaine, je serai « célibataire honoraire ». Julie-ma-Julie, qui n'est pas une grande amatrice de canoë, trouve en général les longues journées à pagayer trop éprouvantes pour la compensation que représentent les petites gâteries canoteuses que l'on peut échanger sur un lac au chant des huards sous un clair de lune brumeux[7].

Jonah et moi roulons six heures plein nord. Les vertes prairies le cèdent rapidement aux gigantesques masses de granite raboté par les glaciations successives, un pays de tourbières, d'épinettes, de marais, de lacs, de castors. C'est l'endroit idéal pour le parc Algonquin.

Le parc Algonquin est un immense parc provincial de 7 700 kilomètres carrés – il y a même trente pays dans le monde qui sont plus petits. Côté population, c'est plutôt l'Antarctique, car personne ne vit au parc Algonquin, même s'il y passe un million de campeurs. Une seule petite route de 60 kilomètres le traverse dans sa pointe sud, mais tout le reste se compose de territoires inaccessibles aux voitures. Autant dire que, pendant toute la semaine qui vient, il n'y aura pas de Tim Hortons. Ce qui, en Ontario, marque la fin de toute civilisation.

Les zigotos se retrouvent au bout de la route, chez le pourvoyeur Northern Wilderness Outfitter. En France, le pourvoyeur est un genre de revendeur de drogue. Ici, c'est quelqu'un qui exploite une pourvoirie, une sorte de refuge forestier qui pourvoit aux besoins des chasseurs, des pêcheurs et des campeurs en matériel, en vivres et en guides pour parcourir les tourbières fécondes du bouclier canadien.

Devant le feu de camp, nous célébrons plusieurs « dernières » : dernier feu de camp (à cause de la sécheresse), dernière nuit sans moustiques, dernière bière. Au bar, deux semaines plus tôt, quand j'avais suggéré qu'il ne fallait pas oublier l'alcool, mes zigotos s'étaient tournés vers moi avec leur meilleure tête de puritain, l'air de dire « Je ne bois pas de ce vin-là » ou « Traînes-en si tu veux ». Sur place, je constate que mes temples de vertu ont une très bonne descente. À

7. Belle évocation, ici.

tel point que Jonah et moi devons cacher nos bières dans sa voiture. Finalement, je trinquerai mes dernières bières avec Rodrigo.

« Un excellent remède.

— Oui, contre la sobriété ! »

Il est comme ça, le Rodrigo. Nous nous entendrons très bien pendant tout le voyage. Rodrigo, c'est aussi M. Plein Air par excellence, qui traîne toujours un bout de corde dans ses poches, au cas où. C'est un grand primaire qui parle ouvertement de tous les mouvements de son tube digestif, mais il a un excellent sens de l'humour, où la quantité écrase nettement la qualité – mais il en sort tellement qu'on finit toujours par trouver une ou deux perles au milieu de la vase.

Rodrigo est aux antipodes de Nigel, son beau-frère, technicien en génie électrique totalement introverti. Il y a une chanson du groupe XTC, *Making Plans for Nigel,* dont le refrain résume tout le bonhomme : *He must be happy in his world* (« Il doit être heureux dans son monde »). Seulement deux choses unissent ces deux êtres dissemblables : Laura, d'abord, et le triathlon.

Les trois quarts des zigotos sont en fait des triathloniens – c'est comme ça qu'ils se sont connus, paraît-il. Ce qui m'inquiète, d'ailleurs, car moi, avec ma boudine naissante, je ne fais clairement pas partie du club. Le triathlon est une ascèse dont les adeptes sont des tarés de la forme physique. L'origine de ce sport vient d'ailleurs du besoin de résoudre un conflit d'horaire. Pourquoi en effet se fatiguer à faire une épreuve de course à pied le vendredi, de vélo le samedi ou de natation le dimanche ? Avec toutes les douches. Autant faire tout ça le samedi et ne se doucher qu'une seule fois !

Comme je serai en mesure de le constater, il est néanmoins très utile de compter des triathloniens parmi ses équipiers de canoë, surtout à l'heure des portages...

Le lendemain, c'est le départ. Cette fois, ça y est. Hippie Pourra ! Youkaïdi aïda. Qu'ils sont longs ces caleçons longs-là, et gai-lon-la, gai le rosier[8].

Nous serons trois dans notre canoë : Kate est à l'avant, Nigel s'est élu barreur à l'arrière, et moi je suis assis sur la travée du milieu.

Nous n'avons pas encore parcouru un kilomètre sur le lac Kawawaymog que je sais déjà que je ne serai pas assis au milieu très longtemps. Car Nigel ne sait pas barrer : notre embarcation fait tellement de zigzags que nous parcourons 2 kilomètres pour chaque kilomètre de ligne droite. Nigel est tellement nul qu'à un moment donné nous avançons carrément en direction opposée.

Pour bien barrer un canoë, il faut maîtriser toute une série de coups de base, comme le coup en J, le coup en C, le coup d'écart, le coup d'appel et le coup balayé. Cela paraît compliqué, mais c'est très simple, avec un peu de pratique.

En fait, il y a deux problèmes : la technique et Nigel, qui est heureux dans son monde. Or, pour bien barrer, il faut pouvoir sortir de son monde de temps à autre pour s'intéresser à des externalités aussi banales que le vent ou le relief. À un moment donné, Kate demande :

« Ça ne va pas, Nigel ?

— C'est le vent », dit-il.

Yeah, right, pensé-je.

« Il vente ? » demande Kate.

Les difficultés de ce pauvre Nigel (et les nôtres) deviennent franchement pénibles au bout du lac Kawawaymog, où notre itinéraire nous engage dans un ruisseau portant le joli nom d'Amable du Fond. Ce petit cours d'eau, étroit de 3 mètres par endroits, fait de larges méandres à travers une succession de grands marais herbeux et de tourbières boisées sur 3 kilomètres. Son cours est interrompu par une demi-douzaine de petits barrages de castors.

---

8. Air connu du folklore.

Au premier méandre, ce pauvre Nigel nous envoie directement nous échouer sur la berge. Comme Kate n'a pas mis ses sandales, c'est bibi qui saute dans la vase mêlée de branchages jusqu'aux cuisses pour nous dégager, ce qui me permet de constater que le ruisseau Amable du Fond n'est guère aimable même s'il a bien du fond. Nous poursuivons notre chemin en nous échouant deux fois à chaque méandre.

« C'est le courant ! » dit Nigel.

Yeah, right, bouillé-je intérieurement.

« Il y a du courant ? » demande Kate.

Ce qui n'aide nullement à la manœuvre, c'est que Kate, devant, ne veut pas faire mal aux nénuphars et aux grenouilles. Kate est un peu notre botaniste en titre. Passionnée de nature, elle peut passer des heures à examiner une plante. Et quand elle voit un récif, au lieu de faire le bon coup de pagaie qui s'impose, elle lève son aviron pour ne pas abîmer le caillou. Si Nigel était à moitié compétent, ça irait, mais ça ne va pas du tout.

Cette grande amante de la nature sera la victime de la première mésaventure animalière de l'expédition. La scène se passe au troisième barrage de castors, dans lequel Nigel nous emboutit. Kate, qui s'est résolue à salir ses sandales et à piétiner quelques nénuphars, saute à l'eau pour nous dégager. Mais en remontant à la surface, elle regarde ses jambes et pousse un grand cri. Deux longues sangsues noires se sont collées à elle. Rodrigo et Laura, qui étaient devant et qui croient qu'on est en train d'étrangler un cochon, accourent en brandissant leurs pagaies. Nous nous retrouvons donc tous les cinq sur les branchages du barrage, à contempler les jambes de Kate, toute blême. Rodrigo me regarde :

« Ta hache va être utile, JB.

— Avec la scie, ce serait plus net.

— Je vais allumer un feu, pour cautériser…

— Oui, c'est mieux de le faire avant l'amputation.

— Sinon, elle pourrait se vider de son sang.

— On fait quoi, là ? demande Nigel, brièvement sorti de son monde.

— On ne peut pas arracher une sangsue, son dard risque de s'infecter, dit Laura.

— Tu as des cigarettes, Jean-Benoît, dit Nigel. On peut la brûler, j'ai vu ça dans un film.

— Oui, mais il y a le dard, dit Laura.

— Du sel serait mieux. Qui a le sel ? demande Kate.

— Non, il faut un cheveu », dit le grand Rodrigo, qui arrache un cheveu de la tête de Nigel.

Il glisse le cheveu sous la tête, et les sangsues ont fini de jouer les vampires aquatiques. Bienvenue au parc Algonquin, Kate.

Je profite de la diversion pour m'asseoir à l'arrière du canoë et prendre la place du barreur. Nigel est donc relégué sur le tas, au milieu, où il pourra être heureux dans son monde.

Le ruisseau Amable du Fond se termine par deux petits portages successifs.

Un bon portage est toujours à la fois très chiant et très amusant. Parlons d'abord du côté amusant. Outre le fait qu'il permet de se délier les jambes, le portage est toujours un point de rencontre. Pendant cette semaine-là au parc Algonquin, nous verrons parfois plus d'une trentaine de canoës converger aux portages, qui deviennent un véritable capharnaüm où embarquent et débarquent une soixantaine de personnes parlant l'anglais, le français, l'allemand, l'espagnol. Pas de quoi s'étonner que Montréal, Québec et Toronto aient toutes été fondées sur des portages ; ces arrêts obligés étaient aussi des points de rencontre où l'on s'échangeait de l'information et des blagues.

J'ai d'ailleurs un souvenir impérissable d'un portage sur le lac Three Mile, où nous étions arrivés les derniers et où nous attendaient les autres zigotos, dont Rodrigo et Laura. La berge, à cet endroit, était une véritable falaise qui plongeait directement dans le lac. Nous étions à 10 mètres du bord quand Rodrigo lance à Nigel, sur le ton de la conversation :

« C'est bon, Nigel, tu peux descendre. »

Et Nigel, sans jamais vraiment sortir de son monde, se lève, pose son aviron, met le pied par-dessus bord…

… et s'enfonce dans 20 mètres de flotte. Il ne reste que son chapeau sur l'eau. Jamais je n'oublierai la demi-seconde où j'ai vu sa tête de poupin introverti qui s'enfonce incrédule alors qu'il croyait atterrir sur du solide. Rodrigo et moi sommes pris d'un tel fou rire que Rodrigo perd pied et va rejoindre Nigel dans la flotte tandis que j'oublie la manœuvre et vais emboutir le canoë de Jonah.

« *Jesus Christ,* Nigel, tu veux marcher sur les eaux ?

— Tu m'as dit de sortir ! crache Nigel à son beau-frère en remontant à la surface.

— Oui, mais regarde où tu mets les pieds ! »

Le souvenir de cet événement m'a beaucoup aidé à supporter les trois douzaines de portages que nous avons faits cette semaine-là. Car c'est bien sympathique, une semaine de canoë entre une trentaine de lacs, mais encore faut-il parcourir la distance entre les lacs.

La partie chiante du portage est qu'il faut tout marcher trois fois : une fois pour transporter les bagages, une autre pour revenir chercher le canoë, puis l'amener. C'est sympa pour des petits portages de 100, 200 mètres ; ce l'est moins quand il s'agit d'un portage de 3 kilomètres.

Le canoë se porte à deux ou seul. Seul, c'est lourd. À deux, il faut marcher du même pas et ne pas mettre le plus petit devant, sinon on voit rien. Et la tête dans un canoë, ce n'est pas la meilleure manière de voir du pays.

Heureusement qu'il y a Nigel et les autres triathloniens. Nigel et Rodrigo, qui ont bien des choses à se prouver entre beaux-frères, tiennent absolument à charrier leur sac *et* leur canoë en un seul voyage, au risque de s'éreinter ou de se fouler une cheville, chaussés comme ils le sont de petites sandales. Cela nous épargnera souvent un aller-retour[9].

Ces journées épuisantes se terminent au bivouac. Les sites varient grandement. Certains, au bord d'une

---

9. Aide-mémoire pour sorties futures : toujours prévoir un beauf triathlonien avec le matériel.

tourbière, nous livrent littéralement en pâture aux moustiques. Le meilleur site, sur une île bien aérée et peu fréquentée par les insectes permettra de longues baignades entrecoupées de siestes.

Une fois au bivouac, on n'est vraiment pas au bout de ses peines. Il faut pomper et filtrer des litres et des litres d'eau en prévision du souper, du petit-déjeuner et des provisions du lendemain, monter les tentes, cuisiner, faire la vaisselle, suspendre la nourriture – certainement la corvée la plus désagréable, mais la plus essentielle pour éviter que les bêtes viennent voler ou gâter la nourriture.

Ma première nuit dans le parc Algonquin me convaincra qu'il est préférable de trouver une autre activité pour les amis du club de rando parisien. La faute est aux moustiques.

À cause de la canicule, les autorités du parc interdisent de faire des feux en raison de la sécheresse. Or, un bon feu de camp bien fumant est le seul moyen fiable de repousser les hordes de bestioles assoiffées. Avant même que le soleil soit couché, tout le monde va se réfugier dans sa tente.

Le jour, sur le bouclier canadien, il faut accepter de vivre avec les maringouins, mais aussi diverses variétés de frappe-à-bord, de mouches à chevreuil et de mouches à cheval. Ces bestioles – que les Français appellent des taons – sont des chasseurs sanguinaires capables de vous arracher un morceau d'épaule et d'aller se le manger sur la souche en vous regardant. La nuit, elle, appartient aux maringouins et aux mouches noires, une variété minuscule de brûlots. Alors que le maringouin vrille la peau pour se nourrir de votre sang, la mouche noire la découpe en petits bouts qu'elle déguste entre amis au bord du ruisseau en se payant une pinte de votre bon sang. Le problème est tel que nous avons même créé notre propre terme générique pour parler des moustiques : les *bibittes,* déformation de *bébêtes.*

Il y a tellement de moustiques que les ornithologues qui étudient le phénomène y vont au poids, de

5 à 45 kilos par hectare. À raison de mille moustiques au gramme, cela fait donc entre cinq et quarante-cinq millions de moustiques à l'hectare. Et comme, dans le parc Algonquin, les mammifères supérieurs à l'air libre sont relativement rares, c'est bar ouvert.

Sur le bord des autoroutes, vers la fin de l'été, on en aperçoit parfois des petits nuages tourbillonnants, véritables nuées dardantes. Certains historiens s'interrogent sur la sous-colonisation des Français en Nouvelle-France ; il ne faut pas chercher midi à quatorze heures, les moustiques constituaient un obstacle rédhibitoire[10]. Dans l'ouest du pays, au Manitoba et en Alberta, le problème atteint des proportions telles que les autorités municipales doivent asperger les villes d'insecticide. Si vous regardez des films sur la vie des Inuits, vous remarquerez que l'été, les pauvres sont habillés presque aussi épais que l'hiver – pour se protéger des nuages de moustiques.

À part la moustiquaire et les vêtements épais, il n'existe pas de solution. Même une guerre nucléaire n'en viendrait pas à bout, et il est acquis que l'empire des moustiques survivra à la race humaine plusieurs millions d'années. Les orignaux et caribous, qui sont une excellente source d'hémoglobine pour les maringouins, ont développé leur propre stratégie par sélection naturelle : affolés, ils courent sans arrêt et trouvent refuge en bordure des routes, où il y a moins de moustiques, mais plus de bagnoles, dans lesquelles ils viennent s'encastrer par douzaines. Le suicide est en effet une solution qui a du panache.

Comme c'est la canicule, la tente devient une véritable étuve. Je tenterai, le deuxième soir, de dormir à l'air libre en portant une veste spéciale. Il s'agit d'une veste kangourou dont les manches se prolongent par des gants et dont le chaperon est fermé par un filet. Ce n'est guère mieux. La veste est étouffante, et ces crapules de maringouins se sont passé le truc pour

---

10. Depuis le temps que j'essayais de le placer, ce mot-là. Je n'aurai pas appris où mettre le *h* pour rien.

piquer entre les mailles. J'en suis donc réduit à des incantations et invocations – comme cette chanson idiote de Joe Dassin : *No me moleste mosquito* (« Ne me tue pas, moustique »).

Je réussirai tout de même à oublier les moustiques en écoutant le chant magique des huards. Ce gros volatile noir et blanc, très joli, que l'on voit flotter et plonger devant nos canoës, accompagne nos journées. La nuit, elle, est remplie de son cri obsédant et changeant. En fait, il s'agit de quatre cris différents : le trémolo, le cri plaintif, le yodel et l'ululement.

Je me suis toujours demandé quelle mouche avait piqué les gars de la Monnaie canadienne de choisir un oiseau plongeur comme emblème monétaire. En anglais, le huard est un *loon* (de lunatique), ce qui n'est guère mieux. Vous allez me dire que le dollar canadien flotte comme un bouchon, comparé aux autres monnaies. Certes, mais c'est en fait parce que le huard est remonté respirer et faire son merveilleux chant. Attendez voir quand il va replonger !

Je ne sais d'ailleurs pas non plus ce qui a pris les gars du service des emblèmes d'avoir également adopté le castor – dont j'aurai amplement l'occasion d'observer les us et les coutumes et les barrages dans le parc Algonquin. Car ce rongeur charismatique pratique la cæcotrophie. En langage commun, le castor mange sa merde. Pas une fois de temps en temps, il ne mange que cela. Car voyez-vous, le castor est un ruminant raté. La vache, elle, a trois estomacs : elle broute des herbes indigestes, rumine et mâchouille son vomi, rerumine et remâche tout ça une dernière fois – miam miam. Ainsi font font font le bon steak et le bon lait, dit la chanson. Mais le pauvre castor, qui essaie de se nourrir d'écorces, n'a qu'un seul misérable estomac. Même l'écorce la plus tendre de la plus mince ramille de jeune saule, ça ne se digère pas en criant castor. Tant et si bien que notre pauvre mammifère termine sa première digestion par une belle selle qu'il lui faut remanger fraîche dès la sortie. Miam, le beau poto-poto ! Bon, il est sympa, le castor :

il fait ça en privé dans la noirceur de sa hutte, dont les seuls accès sont sous-marins, d'où le fait que personne n'est au courant et que ça ne sent pas trop. Le célèbre commandant Cousteau, alors qu'il était en visite au Canada et qu'il s'est avisé de partir en soucoupe plongeante explorer un barrage de castors de Saskatchewan, émergea un beau jour dans une hutte au moment de la collation. Il a pudiquement détourné son objectif avant de vomir son steak-frites dans son masque. Et notre sympathique rongeur lui a demandé de laisser le dessert sur place.

Je suis toujours étonné de constater à quel point la perception des emblèmes animaliers correspond si peu à la réalité. L'aigle, par exemple, est un charognard et un chapardeur – le terme technique est kleptoparasite. Le lion, lui, ne fout rien ; sa crinière trop chaude l'empêche de courir, si bien qu'il se laisse nourrir par la lionne – ou par les hyènes quand il est célibataire. Mais rien ne bat ici l'emblème floral du Québec, alors que cette plante n'existe pas à l'état naturel au Québec !

Certains soirs, mêlé au ululement des huards, je percevrai également les ricanements et les couinements de Jonah et de Mary la Baleine, qui folâtrent dans les fourrés épais. Car c'est bien vrai – hé hé hé ! –, les deux autres célibataires du groupe de zigotos se sont accouplés et ont eux-mêmes ajouté leur jalon à l'histoire glorieuse du Berton Challenge.

C'est un descendant de huguenots, Pierre Berton, qui écrivit un jour que seul un véritable Canadien sait faire l'amour dans un canoë. Depuis, on en parle comme du Berton Challenge, mais les concours passent rarement à la télé, ce qui est dommage. La difficulté vient de ce qu'il n'y a aucun intérêt à s'envoyer en l'air quand le canoë repose sur la berge. C'est bien meilleur en eaux libres – voire en rapides, pour ceux qui aiment l'aventure. Or, le canoë est une embarcation étroite, mais haute sur l'eau, ce qui lui confère beaucoup de manœuvrabilité, mais assez peu de stabilité. Cette fiche technique complique les ébats pour qui veut s'ébaudir au-delà du Grand Calumet Royal.

Selon les témoignages que j'ai recueillis auprès des experts, les débutants font presque tous l'erreur d'essayer la position dite du Jésuite-à-deux-dos, sous les travées, ce qui ne laisse que 10 centimètres de jeu : autant s'envoyer en l'air dans un scanneur. Quant à la position assise, dite des Délices inuites, elle comporte deux défauts. D'abord, comme tout le poids s'est déporté à une extrémité, la proue fait un grand plouf ! à chaque coup, ce qui manque de discrétion. Ensuite, cela rehausse le centre de gravité très au-dessus de la limite sécuritaire. Si bien que les Délices inuites finissent trop souvent en position du Grand Phoque en Alaska.

Or, pour faire l'amour dans un canoë sans se fatiguer, il y a un truc bien connu des initiés. Il s'agit d'y aller à l'indienne en plaçant madame par-dessus la barre de travée centrale. Cette position, dite de l'Algonquin coquin, a le mérite d'utiliser les propriétés du canoë sans aller à l'encontre de ses limites. L'Algonquin coquin se pratique également entre coureurs des bois, ne soyons pas sectaires. Il existe aussi des variantes intéressantes consistant à prendre appui sur les plats-bords et à jouer avec les avirons enduits de substances lubrifiantes. Je vous épargne les détails, mais les noms – l'Orignal original, le Castor bricoleur, les Ronrons du Huron, Agaguk met sa tuque, le Manitou manie tout, la Conversion des seins martyrs et surtout le Saut des rapides hurlants – sont suffisamment évocateurs pour vous inspirer quelques belles sorties de plein air, petits coquins que vous êtes.

Bien que notre expédition se compose principalement de couples légalement formés, nos deux célibataires sont apparemment les seuls à s'abandonner aux fantasmes canotiers ou simplement aux délices de la chose tout court. Je me serais attendu à davantage de libidos de la part des autres zigotos.

Or, chose qu'a omise Pierre Berton dans son dicton célèbre, le canoë est une grande épreuve dans la vie des couples canadiens. Il y en a toujours un ou une qui ne rame pas, ou qui pète, ou qui rote, ou qui veut aller à droite quand l'autre veut aller à gauche, qui a chaud quand l'autre a froid, ou qui veut se gratter le derrière au risque de chavirer, ou qui veut se dépêcher quand l'autre rumine des fantasmes. L'épreuve est d'ailleurs renforcée par les inconforts et la promiscuité du camping. D'autant plus qu'une bonne moitié de mes triathloniens veut faire des vacances compétitives – c'est à qui pagayera le plus vite et portera le plus de sacs et de canoës – alors que l'autre moitié du couple ne suit pas nécessairement.

Autre détail qui n'en est pas un : parmi notre petite flottille de sept canoës, trois sont la propriété de leur zigoto. Il s'agit de canoës très chers, ultralégers – deux en Kevlar et un autre en bois de cèdre –, à 2 000 dollars pièce. Comme les triathloniens sont très soucieux des apparences, ils ne tolèrent pas la moindre égratignure sur leur canoë de fantaisie. Cette attitude aura des répercussions toute la semaine. Car les propriétaires de canoë auront bien du mal avec leur sang-froid parce que mesdames n'ont pas aperçu la branche traîtresse, le récif bête ou le petit gravier douloureux raclant l'arête du canoë. Ce qui, convenons-en, risque fort d'arriver quand on canote en dehors d'une piscine. « Loué soit le canoë loué », disait la femme de Noé à Noé, à ses fils et aux femmes de ses fils.

Grâce aux vertus aphrodisiaques du canoë loué, et peut-être aussi sans doute parce qu'ils ont décidé qu'ils n'étaient pas triathloniens, Jonah et Mary sont la seule exception parmi les zigotos. Ça batifole et ça folâtre sur les lacs et dans les étangs, c'est absolument charmant. Ils se jettent à l'eau n'importe où, parfois même au milieu du lac, habillé ou à poil, de jour ou de nuit. Selon la chronique locale et comme le veut la chanson, ils se connaissent bibliquement depuis le premier jour – je pense qu'ils n'ont même pas attendu le bivouac. Je n'en suis pas absolument certain, car je ne me suis pas invité.

Chapitre 6

Tim Hortons en son terroir

Où l'auteur, ayant introduit le lecteur à sa belle-famille en son terroir timhortonesque, gagne un second prix catégorie Muffin-aux-pépites-de-chocolat-avec-pas-de-banane à la Foire agricole d'Ancaster, puis, ayant observé un derby de démolition, devise sur le fin du fin des fêtes des moissons, en particulier concernant celle du houblon.

Julie-ma-Julie, qui a grandi à une heure de voiture à l'ouest de Toronto, a vécu toute sa vie adulte loin ou très loin de sa famille. Mais depuis que nous sommes à Toronto, il ne se passe plus une semaine sans que nous voyions un parent, un frère, une sœur, une nièce, un oncle, une cousine, une grand-mère.

Son bled, c'est Ancaster, à côté de Hamilton – deux villes qui sont un peu les Laurel et Hardy de la scène municipale ontarienne. Écrasée au bas de l'escarpement du Niagara, Hamilton est grosse et populaire. Alors qu'Ancaster, perchée au sommet de l'escarpement, est petite et élitiste. Toute son enfance, Julie-ma-Julie a grandi en se faisant répéter qu'Ancaster est la ville la plus riche du Canada. À Ancaster, on n'aime pas beaucoup les pauvres : on y a longtemps interdit de louer un appartement et d'avoir des locataires. Car le locataire, c'est bien connu, est un minable qui ne peut pas se payer un triple garage ou un tracteur-tondeuse à air conditionné. À Ancaster, on est propriétaire ou l'on n'est pas. Alors vous vous imaginez quel drame ont vécu les Ancasteriens lorsque le gouvernement ontarien les a forcés à amalgamer leur ville riche et cossue avec Hamilton. Toujours aussi prétentieuse, Ancaster se veut désormais « le plus riche quartier de Hamilton au Canada » et on y a toujours peur du pauvre.

Ce qui a permis l'union politique de Hamilton et d'Ancaster est cette icône de l'unité canadienne d'un maire à l'autre : Tim Hortons. C'est en la ville de Hamilton que fut érigé le premier Tim Hortons, en 1961. L'initiative était celle du plus digne des fils de Hamilton, un défenseur des Maple Leafs de Toronto du nom de Tim Horton, qui joua pendant vingt ans au mépris de sa condition physique et sans jamais se soucier de la grammaire. Tim Horton est entré au Temple de la Renommée du hockey en 1977, mais qu'attend-on pour le hisser au firmament posthume des icônes nationales, entre Champlain et Sir Wilfrid Laurier ? Il ne fait aucun doute dans mon esprit que, dans vingt siècles, les archéologues kenyans, penchés sur une boîte de douze croquignoles au miel fossilisées dans les ruines de ce qui aura été la glorieuse citadelle de Toronto, concluront hardiment qu'ils sont en présence de ce qui aura constitué le pilier d'une culture florissante.

Pour autant, Ancaster n'est pas une petite ville uniforme. Il y a deux Ancaster : l'Ancaster banlieusarde totale avec ses immenses bungalows avec double garage et voisins gonflables. Et il y a l'Ancaster campagnarde, qui fleure bon le fumier, avec ses grands champs plats, ses vergers et ses volées d'outardes dans le brouillard d'automne.

C'est dans cette Ancaster-là qu'a grandi Julie-ma-Julie. Par réaction, Julie-ma-Julie est devenue urbanophile. Car Julie-ma-Julie n'aime pas la campagne ou la nature. De temps à autre, à dose homéopathique, deux ou trois jours de camping ou dans un chalet, ça va. Mais elle ne cultive aucune idée romantique par rapport à la campagne. Elle est du genre à dire à un enfant: « Si c'est naturel, n'y touche pas. » En tous les cas, elle croit sincèrement que la géologie, les sciences naturelles et l'environnement sont des disciplines scolaires et donc théoriques, et que les travaux pratiques ne présentent qu'un intérêt très limité.

Julie-ma-Julie est convaincue que la campagne ancasterienne est l'endroit le plus stupide qui soit pour élever des enfants. Juste assez proche de la ville et de ses tentations pour que les enfants veuillent toujours y aller, et juste assez loin pour ne pouvoir profiter d'aucun mode de transport public. Si bien que les parents passaient parfois leurs journées à faire le taxi pour emmener leurs quatre enfants très actifs au ski, au volley-ball, au hockey, à la piscine, au cinéma.

Les Barlow habitent un bungalow ordinaire au milieu des champs de maïs derrière une ligne à haute tension. Avec leurs quatre voisins, ils forment une espèce de petite colonie banlieusarde au milieu de la campagne. Leur maison est un de ces bungalows à demi-niveaux typiques des années 1960. C'est plutôt sympathique, mais on se demande comment ils ont pu faire pour y élever quatre enfants sans divorcer. Car en plus, les Barlow sont tous très grands. Pas aussi grands que leurs voisins, les Van Loon, qui font tous dans les deux mètres, mais grands tout de même, surtout les femmes. Des bonnes pièces.

Dans ma famille, tout le monde est assez petit, pour ne pas dire court. Ma mère fait à peine 1,50 mètre, et mon père, 1,60 mètre en le tenant par les cheveux dix bonnes minutes. Alors moi, avec mon 1,77 mètre, j'ai été élevé à croire que j'étais un géant. Jusqu'à ce que je fasse la connaissance de Julie-ma-Julie, qui fait exactement ma taille, mais qui était habituée à fréquenter des monstres. Et un jour, elle m'a dit: « Ce que j'aime de toi, c'est que tu es petit. » Ce qui m'a forcé à remettre en question ma vision de moi-même. Désormais, je me considère comme « plutôt grand pour ma taille ». Et les années passant, j'en suis aussi venu à me voir comme « plutôt mince pour mon poids ».

Le plus petit des Barlow est le père, dont le prénom est imprononçable et que je me suis résolu à appeler Beau-Père en français et en papillonnant des paupières, ce qui le fait bien rire, car *a beau*, en anglais, est un galant ou un petit ami, alors qu'il n'est ni l'un ni l'autre.

Beau-Père aurait eu le talent pour devenir artiste peintre, mais cela passait pour fifi dans l'Ontario rurale des années 1950, alors il a fait contremaître à l'entretien mécanique dans une grosse aciérie. Car comme bien des artistes, il avait la bosse de la matière – de l'ébénisterie et de la mécanique, en l'occurrence.

Beau-Père s'est construit un énorme garage à côté de la maison que nous avons baptisé le Fort tant il est énorme – il doit faire la moitié de la taille de la maison. C'est là qu'il a mis son atelier, qu'il fait sa mécanique, qu'il fabrique ses petits bonshommes de bois. Avant qu'il ne se scie tous les doigts de la main gauche, Beau-Père n'arrêtait pas de bricoler le bois pour faire des petits personnages ou des animaux très bien dessinés. Pour sa fille Tracy, grande sportive qui a eu des envies d'aviron, il a entièrement fabriqué un skiff de bois qui n'a jamais servi. Avant d'avoir son atelier, il avait même construit dans le sous-sol de la maison un voilier – qui ne passait pas dans la porte. Pas de problème pour Beau-Père : on te me vous descelle trois-quatre briques dans la fondation et le tour est joué. Maintenant qu'il a son garage à porte double, il n'est plus inquiété, mais il daigne de temps à autre revenir à la maison pour se prendre une bière ou écouter les nouvelles.

Belle-Mère est plus grande que son mari, ce qui est un véritable scandale. Elle est spécialisée dans le muffin-au-chocolat-banane et dans les courges. Si vous voulez manger un authentique repas de l'Ontario rurale (que vous ne trouverez bien sûr dans aucun restaurant, genre dinde avec courges), c'est à la table de la mère Barlow que vous le trouverez. Comme presque tout le monde dans le sud de l'Ontario, elle ne parle pas un mot de français, mais elle entretient un petit fantasme pour tout ce qui est « *so French* ». Moi-même, qui ne suis pas français pour un sou, je suis ce qu'elle a connu de plus « *French* », alors je me suis senti obligé d'apprendre à faire le coq au vin, histoire de faire *French*, et je lui sers du « Belle-Mère » tant qu'elle en veut.

Julie-ma-Julie a deux sœurs et un frère – elle est la troisième. Elle et sa sœur cadette étaient tellement proches, pendant leur enfance, qu'elles passaient parfois pour des jumelles. À tel point que lorsque Julie-ma-Julie est entrée à l'école, on s'est aperçu que Tracy savait à peine parler – c'est Julie-ma-Julie qui parlait pour elle. En fait, Julie-ma-Julie parlait tellement que lorsqu'un colporteur se pointait à la maison, Beau-Père s'en débarrassait en le laissant poireauter seul avec Julie-ma-Julie dans le salon pendant une vingtaine de minutes. Englouti de paroles, le pauvre s'enfuyait pour ne pas devenir fou.

Son enfance fut très active. Chez les Barlow, on patinait et on skiait dans les champs gelés l'hiver, le beau-père faisait de la motoneige, on faisait du cheval, on jouait avec le saint-bernard. Une bonne année, la sœur aînée, Cyndie, devait avoir dix ans et Julie-ma-Julie quatre, les grands-parents paternels – gros propriétaires terriens – ont offert un cheval à Cyndie comme cadeau de Noël. Le pauvre Beau-Père a été pris pour construire un enclos et une écurie en plein mois de janvier.

Je n'ai pas connu le grand-père, mais la grand-mère Ruth était un personnage qui a vécu seule dans sa maison de ferme jusqu'à quatre-vingt-dix ans révolus. À soixante-dix ans, Ruth grimpait encore dans son convoyeur à fumier pour aller peinturer la corniche de sa grange. À quatre-vingts ans, la petite vieille chassait encore les marmottes à la pelle ; avec sa pelle aiguisée, elle guettait sa victime à deux pas du trou, et dès que la marmotte se pointait… Poc ! Grandma Ruth vous la décapitait en moins de deux. Plaisirs campagnards.

L'autre grand-père, je ne l'ai vu qu'une fois – sur son lit de mort alors qu'il se mourait d'un cancer du foie. C'était le préféré de Julie-ma-Julie, car il était un des principaux organisateurs de la Foire agricole d'Ancaster – sommet de la vie ancasterienne et temps fort de l'enfance de Julie-ma-Julie.

La terre est riche dans le sud de l'Ontario, et le folklore agricole y est phénoménal. Ces foires agricoles sont très nombreuses dans les villes du sud de l'Ontario – même Toronto donne l'exemple, avec sa très grosse foire qui remonte à cent vingt-cinq ans. Mais celle d'Ancaster, encore plus ancienne, en est à sa 154e édition.

Ce qui distingue la foire d'Ancaster de toutes les autres que j'ai vues, c'est l'intensité de ses concours, auxquels sont soumis tous les aspects de la vie ancasterienne.

Les concours de la foire d'Ancaster mériteraient une véritable anthologie du meilleur et du pire dans le genre. Il y en a pour tous les goûts. Il y a le concours du plus beau boisseau de blé, du plus haut plant de maïs, du plus jaune, du plus coloré, du plus bel arrangement de légumes, des plus beaux œufs marinés, des plus beaux haricots, des plus beaux grains de blé, du plus bel épi de blé, de la plus grosse carotte, de la plus grosse patate, du plus beau zucchini, de la plus grosse vache, de la plus grosse vache laitière, du cochon qui pue le plus, de la plus grosse citrouille, du légume le plus grotesque (le gagnant cette année était une carotte à neuf têtes).

Vous n'êtes pas fermier ? Pas grave : il y a le concours de la meilleure photo de statue, de la meilleure photo de grand-mère, de la plus belle robe, du plus beau gâteau au fromage, de la plus belle gou-

goune en Phentex, de la plus belle boîte à souvenirs, de la plus belle décoration d'Halloween, de la plus belle décoration de Noël, de la plus belle décoration de Pâques, du meilleur vin, de la plus belle cochonnerie faite avec des patentes recyclées, de la plus belle fleur dans un bocal, de la plus belle fleur en pot, de la plus belle céramique catégorie 12 ans et plus, de la meilleure confiture de fraises, de la meilleure gelée à l'orange.

Dans le dépliant de la foire, j'ai recensé – tenez-vous bien – des concours pour 878 catégories. Et pour chacune, il y a six prix. Cela donne 5 268 prix, ce qui fait beaucoup pour une ville de vingt mille habitants. Et pour être certains de faire plaisir à tout le monde, les organisateurs ont introduit tout un tas de mesures protectionnistes destinées à exclure les étrangers des villes voisines, en particulier les pauvres de Hamilton, mais surtout les Torontois. Car pour entrer au concours de la foire d'Ancaster, il faut s'inscrire en personne, payer comptant et livrer soi-même l'objet du concours à l'heure prévue.

Pour faire plaisir à ma belle-mère, j'ai donc dû quitter mon Parkdale et surmonter toutes ces entraves protectionnistes pour m'inscrire au concours Classe 50, section 11 : celui du plus beau muffin aux pépites de chocolat (pas de banane, pas de moule en papier).

C'est un secret de famille, mais c'est Belle-Mère qui m'a enseigné l'art de faire de beaux muffins aux bananes, aux pépites de chocolat et même au fromage, qui connaissent toujours un franc succès les petits lendemains de veille. Un homme moderne, mesdames. Je me pointe donc chez les Barlow un jeudi soir avec ma farine et mes moules pour réaliser mon chef-d'œuvre. Après un troisième essai, j'accouche enfin de mon Opus Magnus, que je vais aussitôt mener au jury dans une assiette de carton munie d'une étiquette spéciale qui masque mon nom.

Et c'est ainsi que j'apprendrai, le lendemain midi, que votre humble serviteur est Lauréat

(Ruban Bleu) du deuxième prix de la catégorie Muffin-aux-pépites-de-chocolat-avec-pas-de-banane.

Quelques semaines après la Foire agricole d'Ancaster, je recevrai par la poste mon ruban bleu et un chèque de récompense de 3,52 dollars ! J'encadrerai d'abord ce chèque impérissable, qui restera sur mon mur jusqu'à la fin de décembre. En fait, jusqu'à ce que Belle-Mère m'appelle pour me demander de l'encaisser. Car un chèque de récompense non encaissé vient foutre en l'air toute la comptabilité de la Foire agricole d'Ancaster et est punissable de disqualification. Pour conserver mon titre et afin de ne pas jeter l'opprobre sur l'héritière de l'un des organisateurs historiques de la Foire agricole d'Ancaster, j'encaisserai donc le chèque de 3,52 dollars. Je m'en désole encore aujourd'hui, car la vraie récompense n'est pas le ruban bleu, ni la somme de trois dollars et cinquante-deux cents, mais bien le chèque lui-même.

C'est donc auréolé de Gloire et entouré de toute ma smala de Barlow qu'en ce 23 septembre de l'an de grâce 2001, moi, Jean-Benoît Ier, par la grâce de Dieu, ferai une entrée triomphale en la Foire agricole d'Ancaster pour aller admirer mon ruban bleu et passer en revue les autres catégories dans les deux halls emplis à ras bord des œuvres des concurrents.

Après avoir dîné de deux excellents hot-dogs stimés moutarde oignons, nous faisons une balade digestive en explorant la partie culturelle de la foire, à commencer par le stand à fudge, le musée mobile de la police, le centre d'information des pompiers, le stand du candidat conservateur, le stand du candidat libéral, le stand du candidat néo-démocrate et celui de la société biblique créationniste, qui offre un deux pour un sur le paradis terrestre.

Une foire agricole ne serait rien sans les halles aux bestiaux et leurs concours. Nous allons donc admirer veaux, vaches, cochons, poulets, dindons, pintades, porcs, chèvres, chiens, chats, bisons, émeus, autruches et autres spécimens du terroir ancasterien. En plus des curiosités, tels le dindon géant de Mr. McFarlane et la machine à écorcher le blé d'Inde de l'oncle Earl.

Le clou est cependant le grand concours du plus beau bestiau, présidé par la pauvre Duchesse de la foire, une fille de ferme à peine nubile qui s'emmerde comme c'est pas possible. C'est ainsi que, pendant deux heures, des filles de ferme en blanc défilent devant le jury en tenant des vaches qui leur pissent dessus. Au premier abord, il n'est pas du tout évident de savoir lesquelles des vaches ou des filles font l'objet du concours. Mais après une longue observation, j'en conclus qu'il s'agit des vaches. Puisque vous voulez tout savoir, la différence tient dans la manière dont les jurés leur manipulent le pis.

Après cette balade digestive, j'achète une barbe à papa à mes nièces et je les emmène s'amuser dans les manèges. Les filles raffolent évidemment des autos tamponneuses, du palais des glaces, de la maison hantée et de la grande roue. On ne rate aucun classique : la Fraise d'enfer, les sièges-sur-chaînes-avec-la-musique-à-tue-tête, le train-de-voitures-hurlantes-qui-tournent-en-rond-à-reculons, le manège-vide-poches, la tyrolienne-qui-traverse-le-terrain-de-foire, le truc-qui-tombe-qui-fait-crier-les-filles et la machine-à-faire-vomir-les-barbes-à-papa-sur-l'épaule-de-son-oncle-adoré.

Qui dit foire agricole dit aussi courses – de canards, de cochonnets, de chiens, de chevaux... Mais le point d'orgue de celle d'Ancaster est son traditionnel derby de démolition.

Le derby de démolition de la foire d'Ancaster est de loin l'événement qui attire la foule à 50 kilomètres à la ronde. Pour tout dire, même les gens de Hamilton y sont les bienvenus. Toute la journée, devant la maison des Barlow, défilent les convois de gros pickups traînant des remorques énormes sur lesquelles trônent un ou deux bolides aux couleurs vives et qui ont connu des jours meilleurs. Ce sont les tacots destinés au massacre. Après ce défilé, alors que le soleil couchant illumine l'horizon de tous ses feux, les centaines de curieux affluent vers les gradins du terrain de foire.

Tout derby de démolition suit un protocole immuable qui remonte à des temps immémoriaux où l'*Homo automobilis* cherchait encore à passer le permis. Mais il s'inspire aussi des combats de gladiateurs de la Rome antique. Le but du jeu est de faire faire aux voitures tout ce qu'on ne leur ferait pas faire normalement. Une vingtaine de bazous défilent lentement dans l'enceinte délimitée par de gros blocs de béton. Après l'Ô Canada, c'est le compte à rebours d'usage. Et *go*!

Et là, surprise, les voitures partent à reculons!

Car voyez-vous, l'idée générale est d'éperonner les autres bagnoles pour les rendre hors d'usage sans trop endommager sa propre auto – en particulier le moteur et la direction. Toute la stratégie consiste donc à manœuvrer pour frapper le moteur des autres avec son propre derrière. Le seul interdit: on ne frappe pas la portière du conducteur. Les derniers qui roulent encore passent en demi-finale, puis en finale.

Au bout de trois minutes, les tracteurs dépanneurs s'activent déjà pour retirer les carcasses des bêtes mortes. La raison pour laquelle ce spectacle se déroule de nuit devient tout de suite évidente: les moteurs crachent le feu par les tuyaux (il n'y a ni catalyseurs ni silencieux), il y a de la fumée de radiateur et de pneus brûlés et deux ou trois réservoirs en flammes. C'est beau comme un film de Burt Reynolds.

On est très conservateur, à Ancaster, où l'on se contente du derby de démolition de voitures. Mais allez à Milton et vous pourrez assister à un derby de démolition de moissonneuses-batteuses. Le spectacle est, paraît-il, dantesque. À ce que m'a raconté un fin connaisseur, l'objet n'est pas ici de déchiqueter le gladiateur avec les lames de la moissonneuse mais simplement de lui démolir la petite roue arrière, ce qui la met KO.

Dans la même veine, je m'étonne qu'on n'ait pas encore inventé le derby de démolition de semi-remorques ou d'autocars. Ce serait bien, ça, un derby de démolition d'autocars. Avec la mode des sports extrêmes et de la téléréalité, je suis certain qu'il se trouverait des spectateurs qui paieraient pour être aux premières loges, c'est-à-dire à bord. Cela ferait de très belles images.

Quelques semaines plus tard, je découvrirai un autre aspect fascinant du terroir sud-ontarien grâce aux zigotos du parc Algonquin. C'est que Rodrigo et Laura, qui habitent à Kitchener-Waterloo, ont invité tous nos triathloniens canoteurs pour une soirée de libations à la célèbre *Oktoberfest* de Waterloo, belle occasion pour échantillonner de nouveaux produits du terroir sud-ontarien.

C'est un peu un retour aux sources, pour moi, car j'avais découvert l'*Oktoberfest* de Waterloo pendant que j'y étudiais en génie civil, en des temps anciens, avant mon bref passage à l'École nationale de théâtre. Eh oui ! Avant d'être artiste, j'avais l'ambition d'être un ingénieur civil. Ah ! Dynamiter des montagnes ! Remblayer des marécages ! Harnacher les rivières ! Ouvrir des routes dans les profondeurs des jungles de Bornéo ! Visser des gazoducs à Maracaibo, des oléoducs à Ouarzazate, des aqueducs à Managua, des pissoducs à Kinshasa, des merdoducs à Mumbai ! Puis j'ai eu une révélation : je pouvais aussi écrire sur ceux qui dynamitent des montagnes, remblayent des marécages, harnachent des rivières et voir toutes ces belles choses sans être ingénieur.

Or, le hasard de l'immigration a voulu que cette ville universitaire devînt le siège de la plus grande communauté allemande en Amérique du Nord. La ville voisine s'appelait même Berlin jusqu'en 1916, lorsque ses citoyens se sont avisés de la rebaptiser Kitchener, en l'honneur d'un général anglais qui venait juste de sombrer dans les eaux glaciales de l'Atlantique Nord, torpillé par un U-boot allemand. Ils n'étaient pas les seuls à changer de nom, d'ailleurs, puisque l'année suivante, pour aider à convaincre les

Américains d'entrer en guerre, George Frederick de Saxe-Cobourg-Gotha changea son nom pour George Windsor, davantage conforme à l'idée que l'on se fait d'un roi d'Angleterre.

La jonction la plus étonnante de ce passé allemand et de la richesse agricole ontarienne est le bled de St. Jacobs, centre spirituel de la culture canadienne des mennonites, une secte protestante allemande qui a décidé que le progrès avait cessé en 1835. Ils s'habillent donc à l'ancienne, se promènent en charrette et n'utilisent pas l'électricité. Je ne sais pas ce qu'ils trouvent au fait de ne pas aimer le progrès, mais bon, ils font un excellent saucisson qui a égayé plusieurs de nos collations dans le parc Algonquin.

Outre le saucisson des mennonites, l'autre beau fleuron de cette communauté allemande est une *Oktoberfest* complètement délirante. L'*Oktoberfest*, c'est une manière de foire agricole allemande, mais très arrosée de bière, où l'être humain est ravalé au rang de barrique. Comme son nom l'indique, toute *Oktoberfest* qui se respecte a lieu fin septembre. Une *Oktoberfest* qui aurait lieu en octobre serait en fait une Novemberfest, mais ils ne le savent pas, en Ontario, où ils ont mis ça le week-end de l'Action de grâce, qui est notre version locale de la fête des moissons. C'est donc un ersatz d'*Oktoberfest*, mais un ersatz réussi.

Je n'avais pas remis les pieds à une *Oktoberfest* depuis quinze ans. Histoire de passer inaperçu dans cette ambiance bavaroise, j'enfilerai des *Lederhosen*. Comme le chante si bien Plume Latraverse, le Bavarois aurait été fier de moi. En préparation, je révise aussi mon allemand, une démarche qui s'avérera parfaitement inutile.

Le *Bierhall* est une gigantesque tente qui doit bien contenir près de deux mille soûlards – il y en a comme ça une bonne douzaine à Waterloo pour l'occasion. Et ça boit la bière à la chope. On peut aussi aller orbiter autour du bar pour les coups de schnaps : tout bon chapeau d'*Oktoberfest* est équipé d'un bandeau qui permet d'y accrocher les verres de schnaps vides (si vous commencez à y accrocher des verres de schnaps pleins, vous êtes tellement bourré que vous ne savez plus que vous présentez un sérieux risque d'incendie).

L'orchestre bavarois ajoute à l'ambiance avec force tubas et tuyères. Toutes les heures, il change de registre. À ce signal, chacun met sa main gauche entre les jambes et, de la droite, saisit la main gauche du premier quidam venu qui pend entre ses jambes, et là, tout le monde doit danser comme des éléphants en sautant d'une jambe à l'autre. Plus simple et plus fédératrice, il y a aussi la danse des canards, grand succès bavarois de création suisse qui inspira également Nathalie Simard en des jours meilleurs et qui exige que 2 000 adultes passablement beurrés fassent les gestes idoines. Par intervalles, il faut également entonner l'hymne de l'*Oktoberfest*:

Ein Prosit, ein Prosit, der Gemütlichkeit (bis)
Eins, zwei, drei g'suffa!
Zicke, zacke, zicke, zacke, hoi, hoi, hoi,
Zicke, zacke, zicke, zacke, hoi, hoi, hoi,
Prosit!

C'est très beau. Les plus intelligents boivent un verre d'eau de temps à autre ou vont se dégriser aux jeux forains – j'affectionne particulièrement le plantage de clou et le tir à l'arbalète. Les toilettes – il faut bien y aller, mais avec des gants, car je ne vous dis pas ce que ça fait, deux mille personnes qui ingurgitent ainsi des litres et des litres de liquides diurétiques à base de houblon. Pour le souper, vous avez le choix entre de pleines assiettées de choucroute garnie ou des bretzels. Étant d'un naturel prudent, je me borne aux bretzels.

Vers 2 heures du matin, la demi-douzaine de zigotos survivants quitte les lieux en autocar spécial – l'*Oktoberfest* Express, qui nous ramène à deux petits kilomètres de la piaule de Rodrigo et Laura, qui comptent parmi les braves. Nous nous frayons un chemin sans trop abîmer les haies et la lessive de Mme Schnitzel. Comme il est tard et que toute cette activité creuse, Rodrigo commande une pizza ou deux, que personne ne mange sauf lui et moi, et nous terminons la soirée en travaillant un fond de bouteille de *Jägermeister*, un excellent digestif allemand.

J'ai l'air de m'amuser, comme ça, mais je travaille.

Chapitre 7

Au pays des mangeurs de hot-dogs

*Où l'auteur, après quelques traumatismes gastronomiques survenus au restaurant, décrit certaines névroses alimentaires de l'*Homo nordamericanensis *avant de chanter une ode au plus canadien de tous les mets : le stimé moutarde relish oignons.*

Un soir, nous allons dîner avec des amis québécois, Liz et Laurent-Pierre, tous deux journalistes, dont nous avions fait la connaissance en France. Ils ont choisi un resto branché de la rue Queen – la bonne section, du côté du centre, pas la nôtre. L'endroit est plein à craquer, si bien que, avec un couple de leurs amis, nous attendons au bar une heure avant de pouvoir nous asseoir et commander à 20 h 30, ce qui est très tard pour Toronto.

La conversation va bon train, mais je remarque que la serveuse nous fait un drôle d'air quand nous commandons une deuxième bouteille de vin, puis une troisième. Mais c'est à 22 heures, quelque part entre la troisième bouteille et la quatrième, juste après le fromage, que je m'aperçois que le restaurant est vide et que le débarrasseur, après avoir débarrassé toutes les tables sauf la nôtre, est en train de mettre les chaises sur les tables. On se couche tôt, à Toronto.

Des anecdotes du genre, nous en vivrons plusieurs, car Julie-ma-Julie a trouvé le moyen de sortir pas cher en s'autoproclamant critique culinaire. Comme nous arrivions de Paris, elle n'a pas eu tellement de mal à convaincre la rédaction du *Toronto Life* de la bombarder critique de restaurant français.

Un restaurant français à Toronto est le point de rencontre de deux civilisations culinaires qui n'ont pratiquement aucun rapport. Je parle ici de ce que l'on trouve sur la table, mais aussi de la table elle-même et de tout l'emballage que l'on appelle un restaurant. En fait, les deux idées « resto français » et « Toronto » sont un bel exemple d'oxymoron à hisser au firmament de la rhétorique sur le même pied que « Little Big Man », « se hâter lentement » ou « courage, fuyons[11] ! ».

D'ailleurs, comme nous le constaterons, même les Français propriétaires de restaurants français à Toronto sont forcés de s'adapter s'ils veulent survivre. Un Torontois à qui on n'amène pas la note se considère comme mal servi alors que c'est une insulte au client, en France, que de lui apporter la note sans qu'il l'ait demandée. En fait, tant dans le choix des ingrédients que dans la manière de les apprêter et dans celle de présenter les plats, il n'y a presque rien qui colle.

Sur le plan du service, la cause fondamentale du problème est la gentillesse, qui atteint des sommets d'exubérance au restaurant alors qu'elle est absolument contraire à l'esprit français. Le gentil n'est pas le fonds de commerce des restaurants français.

On n'est pas sitôt assis que Bill, Ted ou Tammy vient nous voir pour nous dire qu'il s'appelle Bill, Ted ou Tammy, et qu'il sera notre serveur aujourd'hui et

---

11. Certains affirment même que le nom de la revue *Toronto Life* est un oxymoron, mais je trouve qu'ils exagèrent.

qu'il va faire tout ce qu'il peut pour nous donner un excellent service. Cela commence par remplir notre verre d'un mélange d'eau et de glace, et Bill, Ted ou Tammy va tenir le verre plein, au risque de noyer les convives. Après la commande, généralement très rapide, on se fait servir, et là, Bill, Ted ou Tammy vient nous demander si « tout est excellent » – une première fois. Oui, Bill, Ted ou Tammy. Et là, Bill, Ted ou Tammy nous remplit notre verre d'eau d'une main et nous verse du vin de l'autre. Puis Bill, Ted ou Tammy revient encore cinq minutes plus tard pour s'enquérir si tout est « excellent ». Comme la réponse est évidemment non, mais qu'on ne sait pas par où commencer, on répond que oui, tout est « excellent ». Et Bill, Ted ou Tammy se fend d'un sourire Colgate. Puis c'est au tour de l'hôtesse, Wendy, Geena ou Rowan, de venir nous voir pour nous demander si tout est « excellent ». Le patron est dans la place ? Lui aussi viendra se présenter – appelez-le Mike, Sandy ou Chuck – et nous demander si tout est « excellent ». Si par malheur le verre à eau est au quart vide (ou aux trois quarts plein) ou si la glace a eu le bonheur de fondre, il fera signe à Bill, Ted ou Tammy de corriger le problème immédiatement, après quoi Bill, Ted ou Tammy nous demandera si tout est « excellent ». Lorsque le patron passe à une autre table, l'hôtesse viendra nous redemander si tout est « excellent », histoire de montrer au patron qu'elle est gentille. Et naturellement, Bill, Ted ou Tammy fera de même pour les mêmes raisons, tout en nous remplaçant notre vieux verre à eau à la glace à moitié fondue par un nouveau verre de Cuvée Grands Lacs bien frappée rempli de cubes de glace bien clinquants.

Mais si jamais vous vous avisez de leur dire la vérité, c'est-à-dire que sa soupe est trop sucrée, que son steak est trop cuit, que ses légumes sont trop mi-cuits ou que Bill, Ted ou Tammy vous donne envie de vomir, c'est le drame. Là, vous êtes certain d'avoir le chef, le patron, l'hôtesse et bien sûr Bill, Ted ou Tammy qui viennent vous voir pour être sûrs que tout est en ordre, que tout va bien, et – surtout, surtout – que vous les aimez malgré tout.

Il y a le service, et il y a le contenu de l'assiette. Les Torontois, quand ils apprennent que j'écris sur les Français, ont deux réactions assez typiques : les uns n'en finissent plus de vanter la cuisine française. Les autres – les plus intéressants – reprochent aux Français d'avoir si peu de restaurants chinois ou indiens ou italiens. Il leur échappe pourtant l'essentiel : un Français mange d'abord français, comme d'ailleurs un Italien, un Chinois, un Indien ou un Libanais mangent d'abord italien, chinois, indien ou libanais.

Les Nord-Américains sont des déracinés alimentaires, qui n'ont aucune cuisine propre, fantasmée ou réelle. Il existe des îlots culinaires au Québec, en Louisiane, en Nouvelle-Angleterre et à Terre-Neuve où l'on peut parler de terroir. Et aussi dans le sud-ouest des États-Unis, sous l'influence de la culture mexicaine, qui est foncièrement paysanne. Ce n'est pas qu'ils ne mangent rien du terroir : ceux qui savent encore cuisiner, comme Belle-Mère, savent cuire la dinde, les courges, le maïs. Mais c'est une cuisine domestique qu'on ne retrouve sur aucune table de restaurant à Toronto, seulement parfois dans les restos ruraux ploucs.

La seule cuisine populaire que les Torontois valorisent est toujours étrangère. Car la cuisine thaïe, indonésienne, chinoise, indienne, italienne se base sur une forte tradition de cuisine populaire locale à bon prix. Sur l'avenue Roncesvalles, par exemple, où il y a beaucoup de Polonais malgré son nom espagnol, vous pouvez manger du bon polonais pour pas cher, à condition d'aimer les estomacs de veau retournés ou du vieux poisson de la Baltique mariné.

Au bout de l'avenue Cowan, sur Queen, j'ai découvert un restaurant fantastique, chez Bacchus, où je vais une fois par semaine et qui est mon exemple favori de cuisine populaire.

Bacchus fait dans la cuisine guyanaise et barbadienne. Sa spécialité est le *roti.* Le *roti* est une sorte de pain venu du Pakistan, qui s'est implanté à la Barbade grâce aux grandes vagues d'immigration de travailleurs indiens après la fin de l'esclavage. Dans les îles, ils se sont mis à les fourrer d'épinards, de pois chiches, de viande. Et comme les Antillais ont débarqué en masse dans Parkdale, ils y ont amené leur *roti,* et c'est très bon. Les Torontois sont très fiers de vous vanter leur cuisine thaïlandaise, indonésienne ou indienne, mais je crois sincèrement que le *roti* barbadien est la quintessence de l'ailleurisme culinaire torontois.

La plupart des Canadiens, comme la plupart des Nord-Américains, y compris bon nombre de Québécois, souffrent de névrose alimentaire grave. Cela se manifeste de plusieurs façons. D'abord, la nourriture est socialement segmentée : les riches mangent d'une certaine manière, très bonne, tandis que la cuisine populaire ou locale est très dévaluée socialement.

Les névroses alimentaires des Nord-Américains, et des Torontois en particulier, sont réglées en fait par deux niveaux de discours très typés, qui se superposent parfois : la mécanique et l'idéologie.

L'une des tantes de Julie-ma-Julie, par exemple, est purement mécaniste. Elle, elle parle de son alimentation comme de son *intake* (admission, comme dans l'admission du pétrole ou l'admission des gaz). Elle ne mange pas, elle ne se nourrit pas, cette tante : elle admet. C'est très fort. Donc, l'approche mécanique fait qu'on explique les ennuis de santé ou les désordres alimentaires comme le résultat d'une mauvaise chimie ou d'une admission impropre. « Doit y avoir du sucre dans le pétrole. » C'est « santé » si c'est *low fat* ou *low salt.* Mais à mon sens, l'expression parfaite de cette vision mécaniste se trouve dans les restaurants offrant des menus *low carb* – qui veut aussi bien dire faible en hydrocarbonates (le pain ou la pâte, mode mécaniste) et faible en charbon ou en hydrocarbures (ce sont tous des *carbs*). Selon la pensée mécaniste, la solution aux problèmes vasculaires ne consiste pas à prendre son temps, mais à se gaver d'oméga-3, de vin rouge, de chocolat noir, ou bien à ne manger – pardon : à n'admettre – que méditerranéen ou provençal ou Montignac. Voilà un terreau fertile pour les industriels de l'agroalimentaire ! Pendant tout le premier quart du premier siècle du troisième millénaire, c'est l'idéologie de l'alimentation et la lutte contre les pesticides qui tiendront une place centrale dans l'ensemble du discours sur la nourriture, jusqu'à faire le vide total. Hors du bio, point de salut !

L'idéologie se superpose bien souvent à la mécanique avec l'avantage additionnel de justifier n'importe quel caprice. Dans la famille de Julie-ma-Julie, par exemple, il n'y a que ses parents et Julie-ma-Julie qui *admettent* de la viande. Une nièce se veut végétarienne intégrale, mais accepte de manger du poulet, à l'instar de son père, qui fait aussi attention à son admission de sel. Un beau-frère se déclare carnivore mais n'admet pas de bœuf – il souffre aussi d'une hantise inexplicable à l'égard des spaghettis. Sa femme n'admet que du poulet blanc, mais pas de brun. Il n'y avait que le frère de Julie-ma-Julie qui était sain d'esprit jusqu'à ce qu'il développe la lubie que le lait est plein de pus, alors il n'en boit plus. Aucun n'a encore sombré dans le délire religieux, mais ce n'est qu'une question d'années.

La combinaison de la pensée mécaniste et de l'idéologie produit le syndrome des « alimentations particulières ». Car même pour ceux qui, comme nous, savent encore cuisiner, il est très difficile de recevoir plus de quatre personnes à manger sans devoir préparer deux repas distincts ou, au contraire, se rabattre sur le plus petit dénominateur commun – végétarien pour tous.

Les ravages de ces névroses alimentaires deviendront évidents à notre premier Noël en Ontario, dans la parenté de Julie-ma-Julie, où il est devenu manifeste que même une dinde ne fédère plus les familles. D'abord, on ne fera jamais une sauce pour accompagner la dinde, parce que ce genre d'admission cause le cholestérol. Le voudrait-elle qu'une belle-sœur taxerait la sauce de diabolique – car le gras, c'est le diable, voyez-vous. Résultat des courses : on réveillonne à la dinde sèche en espérant mourir en santé.

Forcément, brassés comme ils le sont entre toutes leurs névroses, les Torontois tombent en masse dans les modes du moment – c'est un autre aspect qui est fascinant. Quand j'ai connu Julie-ma-Julie, ils n'en avaient que pour la cuisine italienne et les biscuits President's Choice. Quinze ans et vingt-neuf modes plus tard, la vogue est à la bouffe thaïe et aux légumes mi-cuits : pas moyen de manger nulle part un légume cru ou bien cuit. Il faut que ce soit à moitié cuit – sans doute pour améliorer l'admission des nutriments. Et en 2014, il ne sera question que de bio et de pesticides.

Dans un tel climat, il est normal que les Nord-Américains se réfugient dans les marques. Tim Hortons, Starbucks, McDonald's et Second Cup sont des oasis rassurantes. On dit souvent que les Américains mangent mal parce qu'ils n'ont pas de culture, mais j'ai une autre théorie là-dessus. La culture américaine, bien avant la France, s'est lourdement industrialisée, ce qui a produit deux effets. D'abord, un changement de mode de vie, plus urbain, plus loin de la terre, qui a fait que les gens ont dû se tourner davantage vers des spécialistes pour se restaurer. Par ailleurs, un des effets de l'industrialisation d'une société est justement la mobilité extrême de la population. Un Américain vit seulement sept ans au même endroit, en moyenne : son véritable milieu culinaire devient donc les marques qui l'entourent.

MacDo, c'est votre maison loin de votre maison. Pareil pour Taco Bell, pareil pour Lone Star, pareil pour Burger King ou Tim Hortons. L'enseigne est foncièrement rassurante. Les grandes chaînes familiales, genre Olive Garden – rien de moins que six cents restaurants – ou Scores ont exactement la même fonction.

Même si j'arrive de France, je ne fantasme pas trop sur le terroir et je ne commencerai pas à vous sermonner tel José Bové avec sa besace, sa pipe et son « terroirisme ». Je ne suis pas un terroiriste : vous faites comme vous voulez. Les Français et les Italiens glorifient leur terroir dans la cuisine au même titre que les Chinois et les Thaïs – quitte d'ailleurs à s'inventer de la tradition, comme la tartiflette, un « mets traditionnel savoyard » populaire dans les stations de ski et inventé en 1982 par un syndicat de l'agroalimentaire pour relancer les ventes de reblochon.

Je ne suis pas non plus dans la tradition : d'ailleurs, les traditions changent constamment. Le couscous est devenu l'un des principaux plats nationaux des Français, tout comme le raviole à la crème et la choucroute. Les deux ingrédients de base de la cuisine italienne sont la tomate et le spaghetti, qui sont respectivement d'origine aztèque et chinoise. Quant à la bonne vieille frite belge, elle est d'abord péruvienne par la patate. La cuisine turque est grecque. Le croissant français est autrichien et le *roti* barbadais est pakistanais.

Alors on ne peut pas reprocher aux Torontois de manger thaï. Seulement – et c'est très frappant –, ils prétendent ne manger que ça. Remarquez bien que tout le monde va manger chez McDonald's ou à la roulotte à hot-dogs du coin, mais ils ne le diront pas, c'est en dehors du discours. Alors, ils se gavent de Big Mac-frites-coke à 1 357 calories, et ensuite ils disent à leur nutritionniste qu'ils ne savent pas pourquoi ils engraissent. Au fond, ils ne s'assument pas. Un Torontois qui vous confesse qu'il raffole des hamburgers, des hot-dogs ou du pâté chinois fait pratiquement un *coming out*. Cela fait partie de la segmentation culinaire. Il existe ici des plats populaires qui sont très répandus, quoique très dévalorisés socialement.

En France, toute conversation avec des expatriés québécois, canadiens ou américains nord-américains nous amenait sur le terrain des goûts intimes, presque toujours industriels ou hyper-peuple. J'ai un ami, Jean-François, pour qui c'est le Kraft Dinner. Quand il revient du Canada, il en rapporte une valise. J'en connais d'autres pour qui c'est le *grilled cheese*, la tourtière, le pâté chinois, qui se transportent mal, ou le bagel, qui se transporte plus aisément. Je connais même un vice-président de Bell Canada qui, lorsqu'il vivait à Paris, importait deux ou trois pots de beurre de pinottes chaque fois qu'il revenait d'outre-Atlantique.

Personnellement, je revendique le hot-dog-de-nos-mères. Durant les premiers mois à Toronto, chaque fois que je me déplacerai au centre-ville, je ne raterai pas l'occasion d'arrêter à une de ces cantines roulantes pour me manger un bon hot-dog. C'est vous dire combien le hot-dog authentique m'a manqué.

À Paris, on ne trouvait les ingrédients que chez Marks & Spencer, et encore, il s'agissait des ingrédients du hot-dog *british*, qui n'est pas *le* hot-dog. La variété française du hot-dog – une saucisse fourrée dans une baguette – est un ersatz, d'ailleurs appelé une mitraillette.

Pour réussir le vrai bon hot-dog-de-nos-mères, il faut, outre la saucisse, une sorte de petit pain de mie industriel rectangulaire fendu sur le long à vocation unique (appelé fort justement « pain à hot-dog »). Il faut aussi de la moutarde anglaise jaune fluo (appelée « moutarde à hot-dog ») et une marinade de cornichons marinés sucrés et hachés dite relish (ou « relish à hot-dog »). Certains y mettent aussi du ketchup, des oignons émincés, des morceaux de tomate et parfois un peu de fromage. Ça, c'est du hot-dog, madame ! Mais le hot-dog fondamental, c'est moutarde-relish-ketchup-oignon.

On ne sait rien des origines de l'humble hot-dog ; même son nom est mystérieux. Son lieu de naissance le plus probable serait le New York de 1852, alors que des immigrants allemands y vendaient des sandwichs chauds appelés *hot dachshund* (« teckels chauds »), qui se prononce très mal. Pour ne plus entendre les

Américains martyriser le nom de ce mets promis à un si bel avenir, les commerçants l'auraient vite adapté en *hot dog*.

Les Français associent à tort la cuisine nord-américaine au hamburger, mais c'est le hot-dog qui est notre truc fondamental. Chaque ville nord-américaine a sa manière d'apprêter et de manger le hot-dog, qui varie considérablement. Dans ma ville natale, on le servait « stimé » (chauffé à la vapeur). Toronto a une manière particulière de servir le hot-dog, soit ces centaines de petits BBQ ambulants qui nourrissent quelques dizaines de milliers de Torontois chaque midi. C'est tout à fait exotique. Il existe aussi une variante texane, le *corn dog*, aussi appelé *corny dog*, ou pogo au Canada ; il s'agit d'une saucisse empalée sur un bâton et enrobée d'une pâte de maïs cuite à la friture.

On dénigre beaucoup le hot-dog dans les cercles intellectuels. Une célèbre insulte du premier ministre du Canada envers son vis-à-vis du Québec avait été de le traiter de « mangeur de hot-dogs ». C'est un déni de soi, à mon avis, car le hot-dog fait partie de l'éducation fondamentale de tout Nord-Américain qui se respecte.

Quand j'étais petit, que ce soit en vacances, à la colonie ou avec les éclaireurs, nous avions droit à nos deux hot-dogs statutaires pour au moins un repas. Le hot-dog est d'ailleurs le mets idéal pour une patrouille de six scouts ou une tente de douze campeurs puisqu'il vient en paquet de douze. J'ai l'intime conviction que dans les colonies de vacances, nous étions douze par tente parce que cela faisait exactement deux paquets de saucisses.

Je me rappelle entre autres une sortie funeste où nos chefs scouts avaient voulu utiliser le repas du midi pour nous enseigner à monter et à allumer un feu de camp. Ils avaient remis à chaque chef de patrouille son paquet statutaire de douze saucisses et le paquet de pains idoines, une poignée de sachets de moutarde, de ketchup et de relish et… trois allumettes.

Le but était, bien évidemment, d'allumer un feu afin de manger chaud. Mais ce qui devait arriver arriva, et nous n'avons jamais pu allumer notre feu avec nos trois allumettes, si bien que j'ai dû manger mes deux hot-dogs froids. Je les ai encore de travers. J'avais dix ans, mais je m'en souviens comme si c'était hier. Et le poing levé, je m'étais juré, telle Scarlett O'Hara dans *Autant en emporte le vent* au crépuscule dans son champ de carottes, que plus jamais je ne mangerais mes hot-dogs froids.

Le hot-dog est fondamental.

Chapitre 8

La tête ailleurs

Où l'auteur, ayant vécu son « Onze septembre » à Toronto, assène quelques vérités sur les clones de Marshall McLuhan pour ensuite philosopher sur la nature du oumph et révéler au lecteur combien il faut de Torontois pour dévisser une ampoule.

Pour les gens de ma génération, le 11 septembre, c'est comme l'assassinat de Kennedy pour la génération de nos parents. Tout le monde se rappelle ce qu'il faisait au moment de l'assassinat de Kennedy. Pareil pour le 11 septembre. « Et Neil Armstrong ? » demandent les petits brillants, au fond. « Ce n'était pas *big*, ça, Neil Armstrong ? » C'est vrai que la conquête de la Lune, c'était plus gros que l'assassinat de Kennedy. Mais il n'y avait pas de surprise là : cela faisait dix ans qu'on l'annonçait.

« Où étiez-vous le soir où Neil Armstrong a marché sur la Lune ?

— Ben, je regardais la télé en attendant que Neil Armstrong marche sur la Lune. »

Ceux qui l'ont manqué étaient dans la lune.

Donc, en ce beau matin du 11 septembre 2001, je commençais tout juste à réviser l'opus 1 de mon œuvre – page 12 – quand la belle Allemande du rez-de-chaussée, Christine, vient frapper à la porte, tout excitée, pour m'annoncer qu'un avion venait d'emboutir le World Trade Center.

Sur le coup, cela ne m'a pas énervé. Quand je travaille, je n'aime pas particulièrement être dérangé pour un accident à 800 kilomètres de chez moi le mardi matin. D'ailleurs, les plus hauts immeubles de New York sont sujets à ce genre de collision – dont un B25 embouti dans l'Empire State Building en 1945. Et même encore un écrasement sur Brooklyn deux mois après le 11 septembre. Il y en a comme ça un par décennie environ, ce qui est peu quand on songe qu'il y a deux aéroports internationaux dans la ville.

Vingt minutes plus tard, ma mère m'appelle tout énervée pour me dire que c'est-y-donc-effrayant-as-tu-vu-ça-deux-avions-qui-ont-crashé-dans-le-weux-tré-senteux (elle a toujours eu un peu de mal avec l'anglais). Deux? Ça fait beaucoup.

Je sortais de mon bureau pour aller jeter un œil à la télé (ce que je ne fais jamais) lorsque Christine entre sans frapper (ce qu'elle ne fait jamais) et déboule dans le corridor.

« As-tu vu ça?

— Ma mère vient de m'appeler, deux avions, c'est bizarre…

— C'est pas ça: une des deux tours vient de tomber.

— Tu niaises, là. »

On allume la télé pour voir les reprises et ensuite voir la *seconde* tour qui s'effondre en direct. Nous passerons, Julie-ma-Julie, Christine et moi, le reste de la journée devant la télé à manger de la pizza.

La tragédie du « Onze septembre » a durablement marqué les esprits, mais ce qui m'a le plus fasciné, vu de Toronto, c'est finalement comment les Torontois l'ont vécue – sans aucun détachement. Cela va très au-delà de la sympathie que nous avons tous éprouvée, même les Français.

Les Torontois, eux, se sont presque complètement identifiés aux Américains. Pendant plus d'une semaine, une espèce de surenchère morbide s'est emparée de la ville. La Terre a cessé de tourner et les journaux n'ont parlé que de ça. Pas la moitié des journaux ou les trois quarts : la totalité, sur toutes les pages, tous les jours, pendant une semaine. L'identification était telle que les médias torontois se sont mis à s'inquiéter quant à savoir si des terroristes ne détourneraient pas des avions pour les emboutir dans la tour du CN ou des gratte-ciel du centre-ville. Pour les plus remontés, le centre-ville de Toronto était carrément condamné.

Cette identification très forte aux Américains est révélatrice de l'idéologie centrale des Torontois : leur « ailleurisme ». Toronto se vit ailleurs. Elle est ailleurs. Les Torontois se vivent d'abord aux yeux des autres.

Ils savent faire, remarquez. Prenez le Festival international du film de Toronto : c'est un cas extraordinaire d'une ville qui a réussi à monter un grand festival international en n'ayant aucune production locale digne de ce nom (à part celles d'Atom Egoyan ou de David Cronenberg) et où le cinéma local n'a jamais pu capter plus de 1 % de l'ensemble des billets vendus. Les petits malins diront que James Cameron est canadien. C'est vrai, de la même manière que Jim Carrey, Michael J. Fox et John Goodman : cela fait très longtemps qu'ils ne le sont plus. Habituellement, les foires internationales s'appuient sur une grosse production nationale et sur une grosse consommation locale. Prenez Cannes, prenez la foire du livre de Francfort – le cinéma français et l'édition allemande sont considérables. À Toronto, où il ne se produit que des films hollywoodiens en sous-traitance, ils se sont monté un festival international de groupies : les grandes vedettes de Hollywood passent, tout le monde s'invite pour des partouzes dans les grandes maisons de Rosedale, il n'y a rien de public, tout est dans des salles et c'est tout.

Un journaliste montréalais, Brendan Kelly, a tenté un jour de comprendre comment il se faisait que le Québec ait une production culturelle si riche alors que celle Toronto, qui a mille fois plus de moyens, manque tellement d'envergure. La réponse est très simple : les Québécois aiment se voir et s'entendre. Pas les Torontois.

La fameuse épidémie de SRAS qui frappera l'Ontario au début de l'été 2002 sera un autre révélateur intéressant de cet ailleurisme. En soi, cette épidémie d'origine asiatique n'avait rien d'étonnant pour une ville si fière de son aéroport international, qu'elle veut comme une plaque tournante de l'Amérique du Nord. Mais ce qui a fait le plus mal aux Torontois, ce n'est ni la quarantaine de morts, ni l'espèce de syncope économique que cette « crisette » a provoquée pendant deux mois. Ce qui a fait vraiment mal, c'est que l'OMS a dit au public d'éviter Toronto. Là, ce fut le drame. Mais le plus révélateur sera la catharsis ; après la fin de l'épidémie, les Torontois s'organiseront un mégaconcert, évidemment global, des Rolling Stones, et ils claironneront : « Voyez, le SRAS est fini, regardez, les Stones sont venus. »

Depuis la fusion de Toronto avec ses cinq rivales de banlieue, la devise de Toronto est *Diversity Our Strength* (« La diversité est notre force »). C'est assez mal choisi, selon moi, car cela aurait dû être : « Ailleurs est ici. »

Je vous ai parlé de mes balades quotidiennes sur le bord du lac Ontario. La faune abondante d'oiseaux aquatiques m'a beaucoup distrait, mais j'ai mis des mois à comprendre que les drôles d'oiseaux les plus fascinants étaient de loin les Torontois qui peuplent les rives du lac – en particulier les amateurs d'aviron et de bateau-dragon. Ces deux activités sont très révélatrices de l'ailleurisme torontois, marqué par l'empreinte indélébile – quoiqu'un peu débile – du Grand Empire Britannique *Dei Gratia Regina.*

Les amateurs d'aviron sont de grands sportifs qui rament en solitaire, en duo ou jusqu'en équipe de huit, dès les lueurs de l'aube alors que l'eau est très calme. Sport bizarre que l'aviron, qui se pratique à reculons. Je n'ai jamais compris l'intérêt de s'arracher le dos pour ne pas voir où l'on va. Mais ce qui m'épate le plus, c'est le flegme. Ce n'est d'ailleurs pas un hasard si ce sont surtout des British ou des coloniaux qui remportent les médailles d'or olympiques de cette discipline. Pendant l'année, je n'observerai ni chavirage, ni éperonnement, ni engueulade, ce qui est en soi un tour de force. Imaginez, ils sont quatre, six, huit types qui rament dans une yole étroite, et que ça pète ou que ça rote à qui mieux mieux, il y en a forcément un qui veut aller à droite quand les autres veulent aller à gauche, et il y en a un autre, c'est obligé, qui ne rame pas autant, qui se laisse tirer. Et en plus, il y a le barreur. Lui, il ne fout rien et passe son temps à dire aux autres quoi faire. Grâce à la technologie, il ne crie plus : il a un petit micro qui lui permet d'invectiver doucement les avironneurs l'air de rien. De temps à autre, les avironneurs s'énervent : on appelle ça une course. Là, ça grouille de partout, flouche, flouche, les instructeurs dans leur chaloupe à moteur les suivent en beuglant des commentaires désobligeants du genre « Ne mange plus de haricots, tu déranges tes copains » ou « On pète par vent de travers ! ». Et encore là, ça ne se termine jamais à coups de rame sur le caquet. Parfaitement *british.*

C'est un exploit insensé que de pouvoir faire de l'aviron en bordure du lac Ontario, une petite mer intérieure constamment agitée par des vents et des vagues terribles. Pour y parvenir et éviter que les frêles yoles soient submergées, les Torontois ont construit un très vaste système de digues sur presque une dizaine de kilomètres entre les îles de Toronto et l'embouchure de la rivière Humber. Ces constructions en béton à 100 mètres de la rive brisent les lames et créent un havre paisible le long du rivage. Cette digue suscite la prolifération de coliformes gros comme le bras et permet aux amateurs d'aviron de pouvoir se faire aller sur des kilomètres beau temps mauvais temps. Il est d'ailleurs parfaitement surréaliste de les regarder aller, qui font de l'aviron tranquillement, alors que la tempête agite le lac et que les vagues battent les digues. Mais ils sont là, qui avironnent pout pout l'air de rien, comme les cygnes, finalement.

J'ai pour théorie que les Canadiens anglais sont beaucoup plus anglais que les Canadiens français, dont les Québécois, n'ont jamais été français. Outre le Québec, toutes les provinces ont un drapeau où figure l'Union Jack, le lion héraldique anglais, la croix anglaise ou celle de l'Écosse. Le gouvernement canadien a adopté un véritable drapeau national vingt ans après le Québec – parce qu'il était alors gouverné par des Québécois. Dans la ville natale de Julie-ma-Julie, Hamilton, on s'y rend par une autoroute baptisée Queen Elizabeth's Way (en l'honneur de la *mère* de la reine régnante). Et le premier point d'intérêt, quand on entre dans la ville, est le Royal Botanical Gardens – les Jardins botaniques royaux. Il y a là-dedans une bonne dose de fétichisme impérial, et la preuve en est que l'un des rares congés de l'année est le jour de la Reine, le 20 mai, qui commémore l'anniversaire de la reine Victoria, morte en 1901 et arrière-arrière-grand-mère de la souveraine actuelle. Les quatre rois et la reine qui lui ont succédé, dont la dernière, qui règne depuis plus de soixante ans, n'ont pas effacé le panache de Victoria. Plus impérialiste que ça, tu meurs !

Ce fétichisme impérial trouve son expression à travers l'autre catégorie de drôles d'oiseaux qu'on observe sur les rives du lac Ontario : les adeptes de bateau-dragon, un sport qui arrive de Hong Kong par l'intercession du Saint Empire Britannique *Dei Gratia Regina.*

Il s'agit de longues barques à fond plat, qui sont décorées d'une tête et d'une queue de dragon les jours où l'on fête. Ils sont vingt-deux à bord, dont un barreur et un batteur – plus un joueur de gong, quand ils ont la pêche. Pour les entraînements, c'est le barreur qui fait aussi batteur, mais comme il a les deux mains occupées avec la gouverne, il passe son temps à hurler des *one-two, one-two* à tue-tête. Je ne sais trop quel plaisir on peut tirer à se faire crier dessus comme ça. Heureusement, on ne les voit jamais que l'été, seulement en soirée, et ils font deux longueurs puis vont se reposer. Cela fatigue, le bateau-dragon.

Je félicite les organisateurs de la ligue internationale des compètes de bateau-dragon. Mais en même temps, il existe un équivalent canadien local, beaucoup plus rapide, qui est le canoë rabaska. C'est parfaitement canadien, cela ne marche qu'à quinze rameurs, il n'y a qu'un barreur derrière et personne qui crie. C'est aussi plus rapide parce qu'on est mieux assis – en fait, on est à genoux. Toronto fut même fondée pour permettre le portage le plus simple de ces grandes embarcations. Mais les Torontois veulent que ce soit chinois parce que c'est d'ailleurs.

Pendant tout notre séjour, je lisais deux ou trois journaux par jour et j'ai noté une question qui revenait un peu partout comme un mantra : « Comment Toronto peut-elle devenir Chicago ou New York ? Comment ne pas être Buffalo ? »

Cet esprit marque même leur urbanisme. Toronto, ils l'ont imaginée comme une ville américaine. Ils ne voulaient pas être Buffalo, ils y ont réussi. Et maintenant, ils cherchent à tout prix la recette de Chicago et de New York, alors que la réponse est évidente : ce sont des villes qui ont d'abord été elles-mêmes. Toronto se veut autre.

L'été de notre arrivée, la presse a fait une véritable obsession du virus du Nil, qui avait touché New York l'année précédente et qui devait forcément toucher Toronto – en tous les cas, les Torontois y tenaient beaucoup. Davantage de Torontois sont victimes d'infections liées aux immenses piles de rebuts ménagers qu'ils ne collectent que tous les quinze jours, ce qui est parfaitement répugnant. Mais voilà, on préfère se préoccuper des piqûres de moustiques égarés dans de très lointaines banlieues – parce que cela a affecté New York l'année précédente. Sans penser que New York, malgré son urbanité, doit composer avec un climat continental humide. Elle se trouve proche de la limite nord du climat subtropical, ce qui n'est pas du tout le cas de Toronto, qui se pense ailleurs.

Un autre symptôme de cet ailleurisme est l'absence presque complète de véritables héros nationaux ou de symboles forts. Un peuple normalement constitué aurait dû adopter un grand carnassier comme le loup ou l'ours polaire comme emblème national, plutôt que le huard ou le castor – symbole canadien-français récupéré par manque d'imagination. Au Canada, ce sont les groupes minoritaires comme les francophones, les métis et les aborigènes qui ont des héros – les autres Canadiens, à commencer par les Torontois, ont des héros empruntés. Sur le plan symbolique, les Canadiens français et les Acadiens se sont dotés d'emblèmes nationaux très longtemps avant leurs compatriotes anglais, qui allaient se faire tuer en Europe en chantant le *God Save The Queen*.

Le très grand succès de Toronto aura été de dissimuler son ailleurisme sous un épais vernis idéologique appelé le *globalism*. C'est là le sens des références qu'on lit constamment sur la mondialisation : Toronto se veut une ville « globale », de mentalité « globale ». Si d'aventure les Torontois réalisent quelque chose d'original, une des premières mesures du succès est que cela trouve écho dans la presse américaine – ou britannique, à la rigueur. Ça, c'est le globe. Le reste, c'est de la périphérie.

C'est d'ailleurs un Torontois, Marshall McLuhan, qui a pratiquement inventé le « global ». C'est lui qui, le premier, a formulé cette idée de « village global » en 1962. Il faut dire que le « globalisme » va comme un gant à cette ville à cheval entre le Saint Empire Britannique et le Saint Empire Américain, de même langue et de même culture. Ce qui est le plus frappant aujourd'hui, c'est que le mot « global » a pris cette valeur de brillance que l'on attribuait il y a deux siècles au « génie », qui était français. Toronto se veut « globale » parce que son centre est ailleurs.

Je me suis même inventé une blague qui résume tout sur le modèle classique.

Combien faut-il de Torontois pour dévisser une ampoule* ?

*Il en faut quatre, évidemment : un qui s'occupe de l'ampoule et trois pour se demander comment ils font à New York, Chicago et Londres.

Cette obsession qu'ont les Torontois de toujours se comparer et leur envie de jet set « globale » reviennent si souvent que c'en est comique. Forcément, quand le Canadien Tyler Brûlé, ce grand homo surdoué, éditeur et fondateur de *Wallpaper* et de *Monocle*, a ouvert des bureaux à Londres, New York et Tokyo, mais pas à Toronto, les Torontois se sont offusqués : « Pourquoi pas Toronto ? » Réponse de Brûlé : « Parce que Toronto, ce n'est pas New York, tout simplement. » Ils sont tombés des nues.

En fait, une des clés de la mentalité torontoise est un élément propre à la culture américaine et canadienne : le *boosterism*, qui vient de *boost*, pris au sens ici de « promotion, publicité ». Le *boosterism*, c'est la publicité outrancière pour vendre un territoire ou une ville. Cela s'est développé à l'époque de la marche vers l'ouest, alors qu'il fallait convaincre des millions de naïfs de venir s'établir sur des terres insipides ou juste sans intérêt – pour vendre du terrain. Pour que le *boosterism* fonctionne, il faut pouvoir mentir sans scrupules tout en y croyant absolument, ce qui n'est possible que dans une culture où « tout le monde il est beau, tout le monde il est gentil ». Le clergé québécois a essayé de faire ça avec l'Abitibi et ce ne fut pas un succès. Cela fait belle lurette que les Torontois n'essaient plus de vendre des terres à l'ouest, mais il en est resté un besoin viscéral de vendre et de se vendre, ce dans quoi ils excellent collectivement. Si bien qu'ils sont tout de suite mal à l'aise quand quelqu'un comme Tyler Brûlé n'achète pas leur idée d'eux-mêmes.

Autant le dire crûment : ma greffe torontoise ne prendra pas, et Julie-ma-Julie et moi reviendrons à Montréal au bout d'un an sans avoir réussi à aimer Toronto. J'admets que c'est en partie ma faute si je ne l'ai pas aimée. Ma perception de Toronto a souffert de mes activités littéraires. Après tout, ce n'était pas brillant de partir de Paris pour aller dans cette petite métropole provinciale tout en écrivant deux livres sur la France – cela produit une certaine distance. Remarquez que, en soi, c'était parfaitement torontois comme attitude : tant qu'à être à Toronto, autant être ailleurs.

Pour un Québécois, la publication de deux livres sur la France ne manque pas de piquant. Surtout quand ce Québécois écrit de Toronto un livre sur les Français pour un éditeur parisien et un autre livre en anglais sur les Français pour un éditeur américain. Ma vie torontoise aura donc été ponctuée par la ponte quotidienne de chapitres glorieux – d'abord *Les Français aussi ont un accent*, pour Payot, jusqu'en septembre. Puis, d'octobre à janvier, *Sixty Million Frenchmen Can't Be Wrong* pour un éditeur américain, Sourcebooks, qui prendra le titre *Pas si fous, ces Français*, dans son édition en langue française.

Heureusement, mes deux livres sur les Français, eux, n'ont pas du tout souffert de Toronto. En fait, Toronto est le meilleur endroit pour écrire sur les Français. D'abord, ça n'a aucun rapport, si bien que cela me laisse toute ma quiétude pour méditer sur les impressions recueillies. Et puis, les Torontois ont un petit côté reposant. Contrairement aux Parisiens, qui ont une opinion sur tout à tout prix, les Torontois n'ont d'opinion sur rien, sauf sur les prix et le Québec. Soyons justes : ils ont des opinions, mais ils les gardent pour eux-mêmes – sauf bien sûr les professionnels de l'opinion, dont c'est le travail d'en régurgiter sur une base quotidienne. Bref, ce silence repose.

Il y a une vieille blague sur Toronto. Elle est un peu méchante parce qu'un peu vraie. Il s'agit d'un concours dont le second prix est une semaine à Toronto. Ah oui! Et le premier prix? Un week-end à Toronto…

C'est une chose curieuse que Toronto. Une fois qu'on s'est habitué aux tramways, aux ratons laveurs, aux voisins envahissants, à la vie sans cholestérol, aux épiceries sans alcool, aux Beer Stores, aux Tim Hortons, il y a encore le problème de Toronto, une ville qui présente la caractéristique d'être moins que la somme de ses parties.

Toronto n'a pas de gestalt. Elle comporte des parties intéressantes, mais quand on additionne 2+2, ça ne donne pas quatre, ça ne donne que 2+2. C'est très curieux. Toronto est orgueilleuse, puissante, bourdonnante, mais pas vibrante. Si dynamique et si plate, si WASP et si immigrante en même temps. Finalement, « pas pire » mais pas mieux non plus.

C'est bizarre parce que Toronto a tout pour elle. Locomotive économique du pays, sa conurbation figure parmi la demi-douzaine de grands centres urbains du continent. Son aéroport accueille autant de passagers que tous les autres aéroports canadiens réunis. Son université est de loin la plus grande au pays. Les immigrants y affluent. On y chôme moins que partout au pays. On y vit presque aussi cher qu'à Paris. La « Hollywood du Nord » est aussi l'un des centres littéraires les plus importants du monde anglophone, avec New York et Londres, et ses musées et galeries sont à couper le souffle.

Prenez encore sur le plan architectural : ils y sont allés. Il y a l'ancien hôtel de ville, de style néo-richardsonien[12], le plancher de verre de la tour du CN ou encore le nouveau Musée royal de l'Ontario, avec son gigantesque cube de verre qui a l'air d'une verrue de la planète Krypton. Mais même le nouvel hôtel de ville, avec ses airs de science-fiction qui fait un peu *The Jetsons*, est tout à fait intéressant, avec sa patinoire l'hiver – peut-être un des plus beaux sites

12. Avec une amie architecte, j'avais fait le pari que je serais capable de placer ce mot-là dans un livre. Pari tenu, Marie-Josée.

de patinoire urbaine pour une population presque totalement hivernophobe.

Montréal n'a pas le quart de ce que Toronto possède, mais Montréal a du oumph, et pas Toronto. Cela va bien au-delà de la mentalité de boutiquier dévot des méthodistes protestants. Ils sont instruits, ils aiment les belles choses, mais ils manquent de oumph.

Le oumph, c'est le punch, l'élan, une certaine dose de je-m'en-foutisme qui fait qu'on y va même si ça va faire mal. Ils ont tout, à Toronto, de bonnes tables, de beaux musées, de grands journaux, mais ils se couchent tôt. Ils revendiquent des droits qu'ils n'exercent pas, ils remboursent leur hypothèque et ils se lèvent de bonne heure pour voir si le *New York Times* dit du bien d'eux.

Il y a quelque chose de révélateur dans les surnoms que l'on donne à Toronto. Le premier est TO, prononcé ti-o, qui n'est qu'une abréviation de « Toronto, Ontario ». L'autre est Toronto-the-Good, qui se traduit par Toronto la Bonne, ou Toronto la Bien-pensante ou Toronto la Vertueuse. Il y a des sens au mot *good* qui sont presque des défauts.

Je n'ai jamais eu une pensée linéaire et j'ai toujours vu que chaque qualité poussée à l'excès peut devenir un défaut, et un défaut perçu est souvent l'envers d'une qualité qu'on ne voit pas. Et c'est exactement le cas des Torontois : on ne peut pas les blâmer d'être ce qu'ils sont – vertueux, industrieux, tolérants, accueillants. Sauf que leur manque d'insouciance, de frivolité, de légèreté, de je-m'en-foutisme me tombe sur les nerfs.

Toronto fait bien ce qu'elle doit faire, mais elle ne fait rien pour elle-même. Elle a tout pour réussir : belle, instruite, première de classe, mais c'est une beauté de concours de beauté qui excelle dans l'art de marquer des points, mais pas du tout dans l'art d'être elle-même. Cela aurait fait une belle devise, très shakespearienne : « Être et ne pas être. »

Chapitre 9

La langanglaise

Où l'auteur, acclimaté à l'anglais tel qu'il se parle à Toronto, en conclut que l'anglais est une langue qu'il est facile de mal parler et se permet quelques rapprochements osés entre le dictionnaire et la variété des prénoms dans sa belle-famille.

Je vous ai parlé de Timmy, mon déménageur, celui qui s'exprimait sans faire usage de voyelles. Sur le coup, j'avais cru à une bizarrerie, mais quelques jours après le déménagement, Julie-ma-Julie et moi allons manger au restaurant The Gate, au coin de King et Dufferin. La serveuse arrive et ouvre la bouche:

« *Hi H'n', wh' w'll't b'f'you now ?* »

Sur le coup, j'ai pensé qu'elle était la sœur de l'autre, à cause aussi des tatouages, mais elle avait tout de même eu recours à trois voyelles, ce qui excluait tout lien de parenté.

J'ai deviné plus que je n'ai compris, dans le contexte, que la serveuse me disait: « *Hi Honey, what will it be for you now ?* » Autrement dit : « Salut mon chou, qu'est-ce que ce sera pour toi maintenant ? »

Cette scène se répétera plusieurs fois au cours des semaines qui suivront, jusqu'à ce que je m'ajuste. Je dois admettre que mon incompréhension m'a un peu choqué, l'espace d'un instant. Mon anglais est plus que potable, mais il m'arrive encore de trébucher sur des accents et des idiomes particuliers, surtout dans le registre populaire.

Mais après mon long séjour parisien, j'ai dû faire un autre type d'ajustement, car l'attitude des anglophones par rapport à leur langue est diamétralement opposée à celle des francophones, en particulier des Français. La langue, c'est une évidence : l'anglais est l'élément déterminant du paysage humain de Toronto. Mais ce qui me frappe, c'est ce qu'il y a dessous, c'est-à-dire la culture de la langue, ce qui n'est pas du tout la même chose.

On se méprend beaucoup sur l'apparente simplicité de la langue anglaise. C'est au contraire une langue archicomplexe, dont l'orthographe est encore plus mêlée que celle de la langue française. La simplicité présumée de ses règles masque une série d'exceptions dictées par l'usage et dont aucun dictionnaire ou précis grammatical ne rend compte clairement. On peut apprendre le français avec un dictionnaire et une grammaire. Pas l'anglais.

Cette simplicité apparente de l'anglais vient du fait que les anglophones pratiquent leur langue *simplement*. Cette tautologie est essentielle pour comprendre la culture des anglophones. C'est le point de divergence le moins bien compris, mais le plus fondamental, entre les anglophones et les francophones. La langue anglaise se veut une pantoufle alors que la langue française se veut un corset. Ce qui paraît confortable ou normal aux uns est une indignité pour les autres.

Winston Churchill remarquait avec esprit que l'anglais est une langue qu'il est facile de mal parler. C'est tout à fait cela. La clé ici est dans le mot « facile », qui doit être compris au sens sociologique. On peut tout aussi aisément mal parler le français que l'anglais. La différence est que les anglophones tolèrent que l'on parle mal leur langue alors que les francophones sont plus rigides en la matière. (Les Québécois forment ici une classe à part sur ce point.) En d'autres termes, la simplicité langagière des anglophones n'est pas inhérente à leur langue, elle la détermine – pas plus que le purisme n'est propre au français : il l'influence, c'est tout.

Chaque matin, au départ de ma balade sur les rives du lac Ontario, je passe devant un joli cottage déglingué, coin Cowan et Springhurst. C'est « chez Carl ». Je ne connais pas Carl, mais je sais qu'il s'appelle Carl et qu'il vit « chez Carl » par son affiche, plantée sur la pelouse.

CARL'S REPAIRS
No job is too big or small.
All work will be done in a
workmanlike way.

Ce qui se traduit par « Réparations Carl. Aucun boulot n'est trop gros ou trop petit. Travail soigné. »

L'anglais de Carl n'est pas impeccable, loin de là, mais il n'y a personne qui le reprend parce que tout le monde comprend. C'est ça, l'anglais. On peut donc parler ou écrire simplement dans une langue impossible, en faisant le moins d'erreurs possible, mais sans faire une obsession de la faute.

Quand on arrive de Paris, c'est ce qu'il y a de plus frappant : l'absence presque totale de prescription et de correction. Personne ne me corrige. Ce qui n'est pas sans inconvénients, puisqu'il n'est pas rare d'être conduit par des chauffeurs de taxi qui ont toutes les peines du monde à s'exprimer en anglais. De même au restaurant. Tout passe, finalement.

Dans un tel contexte, c'est l'oralité qui prime. Comme Carl, on tend à écrire comme on parle plutôt que le contraire. Ce qui fait que beaucoup d'expressions orales comme *didn't, wouldn't, isn't, aren't, I'm, it's* tendent à remplacer à l'écrit la forme correcte: *did not, would not, is not, are not, I am, it is.* Ils vivent tellement bien avec la faute que certains noms de très grandes marques sont basés sur une faute. Le plus bel exemple étant Google, dont les fondateurs n'ont pas fait une, mais deux fautes en essayant d'écrire un mot de six lettres. Le terme « googol » est en effet un concept mathématique qui représente 10 à la puissance 100 ou 10^{100}. Ce n'est pas le seul exemple, puisqu'un très grand nombre de noms de marques, à commencer par Lay-Z-Boy, viennent d'une très grande liberté langagière qu'on ne se permet plus en français depuis Rabelais. Même le mot anglais le plus mondialement célèbre, « OK », est en fait issu de deux fautes d'orthographe sur deux mots: vers 1830, aux États-Unis, quelqu'un a écrit « orl correct » au lieu de « all correct », et on n'a jamais pu en revenir!

Puisque tant de choses se ramènent à Tim Hortons, mentionnons également que le nom même de cette bannière comporte un bel exemple de faute, moins spectaculaire, mais plus révélatrice. Car normalement, Tim Hortons aurait dû s'écrire Tim Horton's. Certes, Tim Horton, en bon défenseur des Maple Leafs, était fâché avec la grammaire et les apostrophes. Mais le phénomène est si courant que les grammairiens anglophones l'appellent *greengrocer's apostrophe* (l'apostrophe du marchand de légumes). D'où d'ailleurs la coutume d'ajouter un *s* à tous les noms de bannières d'épicerie comme Loblaws et Sobeys.

Comme Carl avec son intraduisible *workmanlike*, les anglophones raffolent de néologie et d'agglutination. Quelque part à mi-chemin entre ma maison et « chez Carl », il y a un petit square entre les avenues Cowan et Spencer qui s'appelle le Spencer-Cowan Parkette. En anglais de Toronto, un *parkette* est un petit parc. Tant pis d'ailleurs si le suffixe *-ette* est féminin en français. Ils vont coller ça à toutes sortes de concepts, à leur manière.

Et re-tant pis si c'est un emprunt bâtard. Toutes les langues font des emprunts lexicaux, mais il arrive aussi qu'elles fassent des emprunts de type sémantique. En français, c'est le *-ing* anglais qui est devenu porteur de sens, même pour créer des mots de faux anglais comme le pressing, le walking, le footing, le caravaning. Le *-ing* fait branché. Il fait dans le coup.

En anglais, il y a plein de ce genre d'emprunts sémantiques, comme les mots en *-o* pour faire faux espagnol ou les mots en *-ette* pour faire pseudo-français. Cela donne *diskette, kitchenette, laundrette* ou *luncheonette.* Il en découle de drôles d'usages comme *roomette* (une petite pièce), *sermonette* (un petit sermon) et *parasolette* (un petit parasol). D'autres dérivés sont franchement tordants, comme la *farmerette* (la femme du fermier), la *bachelorette* (une femme célibataire) ou le *crapette* – lequel n'est pas, comme son nom semble l'indiquer, une forme de « grosse commission » allégée, mais un simple jeu de cartes.

Comme je suis à Toronto alors que j'écris un livre sur la France pour une maison d'édition américaine, je serai amené à lire quelques contrats d'édition en langue anglaise. Ils ont tous pour caractéristique d'être écrits dans un anglais obscur. Car le vocabulaire du droit en anglais est confondant. Cela est d'autant plus étonnant que les anglophones, quand ils écrivent, font habituellement l'effort d'être clairs. Sauf en droit. J'ai trouvé dans ce contrat la première occurrence d'une phrase de trois cents mots. Le vocabulaire légal est franchement bizarre, composé qu'il est de *heretofore, herewith, whereby* intraduisibles. On y note un grand nombre d'expressions figées du genre « Represents, undertakes and warrants », laquelle signifie tout simplement « s'engage à ».

En fait, le point commun entre la désinvolture langagière généralisée et le langage ampoulé des contrats se situe au cœur même de leur culture, dans leur conception du droit, la Common Law, dont la traduction exacte devrait être « Droit coutumier anglais ».

J'ai d'ailleurs observé de très près que l'anglais, comme l'espagnol et le français, a une structure qui est le reflet exact de la culture du droit. Les Français ont besoin d'une grammaire faite de règles et de principes qui est l'image même de leur droit codifié et de leur souhait d'avoir une constitution claire – quitte à la refaire quand le contexte change. Les Britanniques sont tout le contraire : pas de constitution, une grammaire fondée sur des usages, tout comme leur droit essentiellement basé sur la coutume.

Dans le droit coutumier anglais, il n'y a pas de principes exprimés. Si un *writ* du XIIe siècle dit qu'on n'a pas le droit de voler une carotte à son voisin, le juge du XXIe siècle qui doit juger une cause de vol de voiture en pleine rue va devoir se demander si une voiture peut être assimilée à une carotte et si la rue est un voisin. Pour trancher, il va se référer à la jurisprudence, c'est-à-dire la somme des décisions en la matière. (Et ils ne vont se résoudre à tout codifier, pour faire un Code de la route, par exemple, que quand ce droit coutumier devient tellement désuet qu'il ne s'applique plus.)

Le droit coutumier anglais a la particularité d'être en fait un collage de trois droits, le droit normand, le droit canonique et le droit anglo-saxon, si bien que, afin de coller à la coutume, on défile le mot latin (*represents*), le mot anglais (*undertakes*) et le mot normand (*warrants*) en une formule – *represents, undertakes and warrants* – pour être certain que l'on transmette bien le sens selon les trois droits et que les juges pourront l'interpréter correctement selon les trois droits.

Or, la langue anglaise – comme le droit coutumier anglais – est elle-même un collage de français, de latin et d'anglais, 50 % du vocabulaire anglais de base étant issu du français. Des mots comme *chase, catch, budget, pedigree, war, pledge, challenge, acquaintance, castle, debt, parliament, squire, bacon, toast* sont tous d'origine française *vintage*, pour reprendre une autre expression dérivée du français.

Ce côté « collage » de la culture anglaise est mis en évidence dans les choix de prénoms. En un mois en Ontario, j'entendrai une plus grande variété de prénoms qu'en deux ans et demi en France ou toute une vie au Québec. En France comme au Québec, tout le monde s'appelle du nom d'un saint, d'un personnage biblique ou d'une divinité grecque ou romaine. Jusqu'à il y a une génération, c'était la norme, à laquelle s'ajoutaient les modes régionalistes comme les prénoms bretons. Mais même si l'état civil a beaucoup relaxé ses critères de goût, la population suit moins vite. À la rigueur, on accepte les sources littéraires – on trouve quelques Cosette, Obi-Wan, Gandalf et autres prénoms improbables. Le directeur de l'état civil, gardien du bon goût, peut rejeter un prénom s'il est néfaste pour l'enfant – du genre Spatule ou Adulterin. Mais le bassin de noms, historiquement, était finalement assez pauvre. Ce n'est d'ailleurs pas exclusif au Québec, ni aux catholiques, car les musulmans sont encore plus restrictifs. Et les Danois, eux, jouent tous avec les mêmes vingt-quatre prénoms. Les Français, qui vivent avec des langues régionales encore vivaces, puisent également dans leurs vieux fonds breton ou occitan, mais jamais dans la proportion des anglophones.

Les Canadiens anglais, eux, puisent à tire-larigot dans le fonds judéo-chrétien, le fonds amérindien, le fonds celte, le fonds littéraire, la culture populaire… et ils emmêlent tout ça à qui mieux mieux, avec les fautes d'orthographe voulues ou involontaires. C'est particulièrement comique quand ils donnent à leurs enfants des noms conceptuels du genre Honor ou Trinity, qui sont neutres en anglais. Trinity est souvent attribué aux garçons alors que c'est féminin en français et en espagnol ; et inversement pour Honor, qui est un prénom de fille. Tout passe. Les diminutifs deviennent des prénoms, puis se font recouper.

La sœur de Julie-ma-Julie, Cyndie, a pour prénom le diminutif Cynthia – qui devient parfois aussi Cindy. William devient Bill, qui devient Billy. Alexandra devient Alex ou Lexa, ou Sandra ou Sandy. Madeleine donne Madge. Et si d'aventure il vous prenait la fantaisie de nommer votre douzième enfant du nom d'Etcétéra, vos imitateurs y iraient d'un Ett, d'un Chett ou d'un Tera.

Cette liberté de faire n'importe quoi est encore évidente dans le sexe des prénoms. Je n'ai pas besoin de chercher midi à quatorze heures. Prenez mon petit beau-frère, Terry, qui est le deuxième de la famille Barlow et le seul garçon. Terry est né en 1966, la dernière année où le prénom Terry était un prénom de garçon. Car dans l'année de sa naissance, il s'est mis à y avoir des filles Terry – en anglais, on répertorie environ cent vingt prénoms unisexes.

L'aînée des sœurs de Julie-ma-Julie, Cyndie, a vécu un gros fantasme celtique en donnant à ses deux filles les prénoms de Brannagh et Oonagh. Brannagh – ça se prononce « Brânn naaa » –, c'est du gallois pour « belle aux cheveux noir corbeau » (elle est rousse). Pour Oonagh, il faut se déboîter la mâchoire et prononcer Ouuu-nâ. Il paraît que ça veut dire « agneau » en gaélique. Le plus drôle de l'affaire est que Cyndie se croyait bien originale en y allant de ces prénoms, jusqu'à ce que Brannagh et Oonagh arrivent à l'école parmi onze Brannagh et dix-neuf Oonagh – écrits au son de six manières différentes.

Quant à la cadette, Tracy, elle est allée nommer ses trois enfants Alyssa, Tayanita et Parker Smith. Tracy doit avoir idée de créer un orchestre jazz. Alyssa serait, paraît-il, la vieille orthographe anglaise d'Alicia. Quant à Tayanita, cela signifie « petit castor » en cherokee, tribu indienne qui n'a strictement aucun rapport avec les parents. Pour ce qui est de Parker Smith, ils en aimaient le son.

C'est toute la culture de l'anglais qui est comme ça : ça marche au son.

La plupart des Français trouvaient normal que je sois très bilingue, étant québécois. Mais en cela ils se trompaient puisque je n'entendais rien à l'anglais avant l'âge de seize ans. Bien sûr, nous avons la télé en anglais et il n'y avait pas beaucoup de différence entre regarder *Bugs Bunny* sur les chaînes du Vermont et sur les chaînes locales. J'avais donc un bagage assez mince d'expressions du genre « *Great!* » que je pouvais prononcer correctement – souvent sans savoir ce que cela voulait dire. À l'école, comme j'étais bon en classe, j'avais de bonnes notes en anglais, mais j'ânonnais comme tout le monde. Mon premier contact avec la culture anglophone est survenu à douze ans lors d'un échange scolaire avec une école d'Ottawa. Je me rappelle très nettement être à table avec les membres de ma famille d'accueil à demander le sel. Et ils ne comprenaient pas, même quand je parlais plus fort.

Puis à seize ans, à la suite d'un long voyage aux États-Unis sans mes parents et avec un groupe de jeunes, j'ai résolu que je devais absolument maîtriser l'anglais. Mais là où j'ai commencé à faire des pas de géant, c'est quand j'ai compris, vers dix-sept ans, qu'on ne peut pas apprendre l'anglais en se le faisant enseigner, puisque cette langue sans structure n'est pas enseignable.

L'anglais, ça s'attrape. Pas comme un rhume, remarquez. Il s'attrape plutôt comme on apprend à marcher, avec beaucoup de pratique, après en avoir pris plein la gueule plusieurs fois. Les mots, le système de prononciation, c'est comme autant de balles qu'il faut attraper et renvoyer. Il n'y a pas d'école pour apprendre à lancer ou à attraper une balle. Mais comme il s'agit d'une langue plutôt que du baseball, cela vient en s'y frottant beaucoup.

Bien sûr, il s'est développé une industrie phénoménale d'enseignement de l'anglais, ce qui est le racket du siècle, puisque l'anglais fait partie des langues qui ne sont pas enseignables. C'est d'ailleurs pourquoi les Français ont tant de mal avec l'anglais : la « culture de la langue anglaise » est diamétralement opposée à la leur.

Chapitre 10

Marilyn, le Niagara et moi

Où l'auteur, marchant dans les traces de Chateaubriand, Dickens, Twain, Wilde et Eco, explore la symbolique de cette grande icône canadienne et surnaturelle que sont les chutes du Niagara et, faisant quelques rapprochements osés, dévoile le sexe du Niagara avant de faire rimer vignoble avec ignoble.

Un des nombreux avantages d'être marié à une fille d'Ancaster, c'est qu'Ancaster est située sur l'escarpement du Niagara, le même qui sert de point d'appui aux chutes du même nom, à moins de 80 kilomètres de là.

Julie-ma-Julie n'y voit aucun intérêt, elle qui a grandi si près et qui a dû se taper, chaque année, une excursion scolaire aux chutes. Mais moi, j'ai un faible pour les merveilles de la nature comme le Grand Canyon, le geyser de Yellowstone ou Monument Valley. Ce n'est d'ailleurs pas pour imiter les Français, qui m'ont parlé mille fois des chutes du Niagara pendant notre séjour parisien. J'ai toujours raffolé des chutes. Durant mon année torontoise, je profiterai de tous les prétextes possibles pour y retourner plusieurs fois.

La première occasion se présente en juillet, au retour d'un déplacement à Buffalo. Le jour est nuageux et le Niagara roule des eaux lourdes et boueuses. Il y avait un monde fou. De ma bagnole, je ne vois pas la chute. Je vois les embruns. Je vois le trou. Je vois surtout le monde. C'est noir de monde en bordure du trou. Ne me demandez pas comment, mais je parviens à m'approcher de la chute par le meilleur angle, la rue Murray, qui descend droit à travers un parc boisé. Entre les branches, j'aperçois le Niagara : des millions de tonnes d'eaux brunes et lourdes s'écoulant à toute vitesse entre les petits îlots de verdure et se jetant en un gigantesque rideau, devant les minuscules fourmis humaines se pressant pour les admirer de haut, de côté, d'en bas, de dessous et par-derrière. Cette impression de puissance me convainc que les chutes sont vraiment une des merveilles du monde.

Sur le coup, je me dis : « NiagaRhââ *Lovely*[13] », *il faut que je revienne.* Car si on regarde au-delà de la mocheté sans nom des sept parcs à thème, des trente-deux golfs, des deux funiculaires, des trois tours d'observation et des trois casinos, le Niagara est un phénomène naturel inouï. Finalement, pendant l'année, j'y reviendrai une bonne demi-douzaine de fois, pour le plaisir, pour un reportage, pour y randonner ou pour emmener mes nièces manger au Rainforest Café au milieu d'une forêt tropicale en plastique peuplée d'animaux en peluche secoués par un orage tropical programmé toutes les quarante-cinq minutes.

Toutes les chutes m'attirent et j'ignore d'où je tiens cette fascination. Quand j'étais petit, mon père emmenait régulièrement la famille à une cascade située à quelques kilomètres de chez nous. Certains dimanches, il pouvait y avoir quelques centaines de personnes qui y pique-niquaient. Depuis, le site de cette petite chute est devenu un camp de nudistes. Il y a peut-être là,

13. Subtile allusion gotlibienne.

dans cette jonction entre le camp de nudistes et la chute, l'explication fondamentale de la symbolique de la chute, jaillissement de la vie, flot continu d'écume blanche vers la faille. C'est freudien : c'est Marilyn Monroe posant devant les chutes. Les mystiques disent que la chute représente l'exubérance et le flot d'énergie créative. Pour d'autres, dont Julie-ma-Julie, cela évoque un gros rinçage du côlon au Coca-Cola.

En tous les cas, je ne suis pas le seul. Nous sommes quinze millions de tatas – la moitié du tourisme au Canada – à visiter les chutes chaque année. C'est même notre plus grande icône canadienne. Dans l'imaginaire collectif, c'est aussi gros que les Rocheuses, même si cela ne mesure que 1,5 kilomètre de large. Dickens, Twain, Chateaubriand, ils l'ont tous chanté. Quoique Oscar Wilde semble s'y être ennuyé ferme : « Il serait bien plus intéressant, écrit-il, si la chute coulait en sens inverse. »

Je suis convaincu que c'est d'ailleurs la symbolique de puissance qui explique que Niagara Falls soit devenue la capitale canadienne des lunes de miel. La première lune de miel remonte à 1801. Deux patriciens de la bonne société new-yorkaise sont venus jouer à Pocahontas et au capitaine Smith. Depuis, la Commission des parcs du Niagara émet treize mille certificats de lune de miel par an. On estime qu'environ le quart de la population canadienne a été conçue à moins de 2 kilomètres des chutes, probablement dans un lit d'eau ou un jacuzzi en forme de cœur. Oscar Wilde, qui n'en ratait pas une, écrivait : « Le spectacle de ces chutes fantastiques doit être la première, voire la plus cruelle, des déceptions de la vie conjugale américaine. »

Je dois admettre qu'après cette première vision fortuite, ma deuxième visite aux chutes du Niagara a plus tenu du coït interrompu. C'est la faute au débit : la première fois, il était franchement inouï, pour ne pas dire terrifiant. La deuxième fois, il est minable – un pipi de vache, en comparaison.

Comme je suis un petit rusé, je trouverai le moyen de me faire assigner un long reportage sur le Niagara, et c'est ainsi que je découvrirai l'explication des différences de débit.

Cela tient du fait qu'en français on dise *le* Niagara plutôt que *la* Niagara. Rien à voir avec la puissance virile du flot écumant. C'est que, voyez-vous, malgré les apparences, le Niagara n'est pas une rivière : il s'agit d'un détroit qui agit comme déversoir entre ces deux masses d'eau que sont les lacs Érié et Ontario. Il ne draine rien d'autre. D'où *le* Niagara. Bref, le flot du Niagara dépend de son genre grammatical[14].

La chose avait échappé à Oscar Wilde, mais le Niagara suscite une curieuse inversion du complexe d'infériorité des Canadiens à l'égard des États-Unis. Le Niagara est la frontière entre le Canada et les États-Unis, mais pour une fois c'est le côté canadien qui est *the biggest* et *the most beautiful.* Indéniablement, d'ailleurs, puisque Marilyn Monroe se faisait photographier côté canadien. Ce que les Étatsuniens n'ont jamais pardonné aux Canadiens.

Esthétiquement, la chute canadienne correspond à l'idée que l'on se fait d'une belle chute : après un long rapide, l'eau choit en un magnifique rideau et tombe de 52 mètres dans un profond bassin qui fait beaucoup de bouillonnement et d'embruns. Côté américain, où il y a moins d'eau, la chute tombe de 25 mètres puis déboule dans un talus qui fait tache. Dans les années 1950, les Américains ont envisagé d'éliminer ce talus pour faire une plus belle chute. Ils ont même dévié l'eau six mois pour permettre aux ingénieurs de l'armée de procéder à des sondages à sec. Après cinq ans d'étude, les ingénieurs américains ont conclu qu'il fallait le laisser là, car c'est le talus qui tient la falaise. Si on nettoie le talus, la falaise cherra[15] et la chute américaine sera transformée en gros rapide – une horreur. (Je m'étonne seulement

14. Et après ça, il y en a qui vont dire que la grammaire ne sert à rien !

15. Tentative ultime pour ressusciter le futur de l'indicatif du verbe *choir,* jusque-là réservé à la mère-grand du Petit Chaperon rouge, dans une certaine expression concernant une certaine bobinette censée choir après que l'on eut tiré une certaine chevillette.

qu'un entreprenant publiciste américain n'ait pas récupéré l'anecdote pour une pub de soutien-gorge.) Par dépit, les Américains ont rouvert les digues et se sont rabattus sur la conquête spatiale, catapultant dix-huit gugusses en paquets de trois sur la Lune, ce qui n'est pas mal non plus.

Le ressentiment des Américains s'aggrave du fait que le lit du Niagara est incliné vers le Canada, si bien que c'est le côté canadien qui récolte 90 % de la flotte. Ce qui veut dire que les jours de bas débit, la chute américaine dégoûte comme un vieux prostatique pissant dans une cuvette. Pour calmer les Américains, les Canadiens ont dû bâtir un imposant système de dérivation des eaux – une série de dix-huit vannes qui dirigent une partie du flot du côté américain. Dans les années 1950, ils sont allés jusqu'à assécher la rivière par sections pour enlever les débris et égaliser le fond afin que l'eau s'écoule en un beau rideau égal. Bref, tout a été entrepris pour que les chutes du Niagara soient aussi belles que la photo.

Ce qui fit dire à Umberto Eco, qui y est passé plusieurs fois, que la chute du Niagara est l'incarnation du kitsch. Car le touriste ne vient pas à Niagara pour voir une chute, ou la chute : ils sont des millions de touristes qui passent pour voir que la chute du Niagara a bien l'air de la chute du Niagara et qu'elle est belle comme sur sa carte postale ! Du kitsch au quétaine, il n'y a qu'un pas, vite franchi.

Les merveilles naturelles, cela est bien joli, mais on fait quoi, là ? C'est leur défaut : il n'y a pas grand-chose à y faire. Mis à part regarder les chutes depuis la corniche de Table Rock, on peut également marcher sous les chutes ou faire une balade en ti-bateau au pied de la chute. Et c'est tout.

Pour ma part, j'ai pourtant repéré une activité authentique et intéressante, quoique peu connue : la randonnée dans la gorge du Niagara. Il existe en effet un véritable sentier de randonnée, le sentier du *Glen* (val), qui permet de faire une balade de 4 kilomètres dans la gorge du Niagara, en aval des chutes. Ici, la vedette n'est pas la chute, mais la gorge, sa flore, sa faune et sa géologie. C'est très joli en automne, avec les feuilles et tout. Entendons-nous bien : ce n'est pas la grande aventure, certes, mais ce n'est pas non plus un sentier pour fauteuils roulants. Le sentier, entre la falaise et le violent rapide au fond de la gorge, suit une succession de trois terrasses boisées large de 500 mètres par endroits. Ce sont les restes d'une ancienne île qui remonte à sept mille ans. Un régal pour le géologue amateur : il y a des marmites et des fossiles à profusion. Ici et là, le sentier passe au ras de l'eau. J'y ai vu de très gros saumons et d'immenses vagues stationnaires où viennent bondir des *jet-boats* remplis de connards.

C'est humain : on ne peut pas demander à quinze millions de personnes de venir voir une beauté naturelle sans les occuper.

Il y a un très beau mot québécois – quétaine – qui décrit à merveille la ville de Niagara Falls, avec son mélange unique de kitsch et de mauvais goût ambiant. La quétainerie est implantée dans les gènes de Niagara depuis très longtemps : c'est son choix fondamental.

Niagara Falls se veut donc depuis ses origines comme une grosse foire d'Ancaster permanente. Toute visite à Niagara suppose un passage par Clifton Hill et l'avenue Victoria, avec leur musée du crime et leur Burger King décoré d'un immense buste de Frankenstein. On y dénombre pas moins de quatre musées de cire (dont un musée de cire du crime, un musée de cire interactif et un musée de cire des vedettes ciné et télé). Parmi les minigolfs, vous avez le choix entre le minigolf dinosaurien, le minigolf galactique et le minigolf safari – entre autres. Et pour ce qui est des maisons hantées, là, ça arrache : outre la Maison hantée classique, il y a aussi la Maison de Frankenstein et cette ancienne manufacture de cercueils devenue la Fabrique des cauchemars terrifiants (Nightmare's Fear Factory). Quant aux parcs forains intérieurs et extérieurs, on ne les compte plus : les

Superarcades vidéo, les Labyrinthes mystérieux et les Maisons du fun, en plus des parcs d'attractions à thèmes aquatique, jurassique ou superhéroïque. Il y a aussi deux inclassables, la Ville Lego et le Musée du bizarre Ripley, avec ses femmes à trois seins et ses veaux à deux têtes. Sur une note plus culturelle, il ne faut pas manquer le Musée de la moto Classic Iron et le Musée des casse-cous.

Je ne sais pas pour vous, mais moi, je trouve les casse-cous du Niagara particulièrement attendrissants. Peut-être parce qu'ils ont risqué leur vie pour tenter l'union symbolique du phénomène naturel et de la quétainerie environnante. Qui en barrique, qui en kayak, qui en veste de plongée, ils sont trois ou quatre douzaines à avoir tenté l'exploit depuis un siècle. Mon favori : ce type du Michigan, Kirk Jones, qui en 2003 a plongé dans la chute sans ceinture ni combinaison étanche – ses amis, qui avaient trop bu, n'ont jamais pu faire fonctionner la vidéo. C'est une autre chose qui avait échappé à Oscar Wilde, puisqu'il est mort un an avant le premier saut en barrique, en 1901. Je ne doute d'ailleurs pas qu'Oscar Wilde aurait vu les choses tout autrement s'il avait pu vivre à l'époque de ces Evel Knievel du dimanche.

C'est sans doute au Tim Hortons de Clifton Hill qu'Oscar Wilde, décidément inspiré par Niagara, imagina ce dicton célèbre : « L'optimiste voit le beigne, le pessimiste voit le trou. »

Dans la vie de couple, il faut savoir faire des compromis. Si Julie-ma-Julie accepte que je la traîne à Niagara, c'est parce que j'ai accepté sa condition : que je la suive dans les vignobles. Car malheureusement, l'escarpement du Niagara, point d'appui des chutes du même nom, suscite un microclimat viticole qui est le point d'appui d'une industrie ontarienne du vin.

On ne peut pas vivre en Ontario si on ne boit pas de vin ontarien, et il faut apprendre à sourire et à dire qu'il est bon même quand il ne l'est pas. Entendons-nous : il y en a de très bons, surtout dans les blancs et les vins de glace. La production a beaucoup évolué depuis l'infâme Baby Duck, un picrate capable de donner la gueule de bois à une souche. Mais ils ont encore du chemin à faire. Le problème est que les Torontois croient en leur vin comme les Montréalais croient en leur équipe de hockey : elle est bonne de temps à autre, et pourrie le reste du temps.

Remarquez, si j'étais agriculteur ontarien, j'aurais fait pareil : outre la vigne, il n'y a que le café, la marijuana et le pavot qui produisent de tels rendements à l'hectare ! Mais ce n'est pas parce que c'est payant que c'est bon.

Les viticulteurs ontariens réussissent à faire du bon vin comme Lassonde fait du bon jus : ils mélangent les bouquets et obtiennent toujours le même vin, prévisible, pas une bouteille qui dépasse. Ça manque d'acidité ? Pas de problème, Chuck, on va aller acheter une canette de jus plus acide et on va te brasser ça. Bon, c'est le contraire des Appellations d'origine contrôlée, et ça marche. D'ailleurs, je lève mon chapeau à la LCBO (équivalent ontarien de la SAQ), qui a fortement soutenu ses producteurs locaux, même au temps où ils ne produisaient que de la piquette dont l'usage premier était de produire du vinaigre industriel.

Le problème du vin ontarien est que les Ontariens eux-mêmes n'ont pas de culture du vin et qu'il leur faudra environ mille ans pour en développer une bien à eux. Remarquez qu'il est possible d'avoir une culture du vin sans avoir une production. Les Québécois connaissent mille fois mieux le vin que les Ontariens, alors que la production québécoise est encore plus anecdotique que celle des Niagariens.

Les patriotes parmi vous s'indignent : « *Wo*, Chose ! Comment peux-tu manquer à ce point de patriotisme et dire ça de nos bons vins du Québec et de l'Ontario ? » C'est parce que… les chiffres.

La production ontarienne de 22 millions de litres est *25 fois* supérieure à celle du Québec. Quant à la France, elle produit 250 fois plus que l'Ontario. Et

6 250 fois plus que le Québec. Dit autrement, c'est 625 000 % de plus. Bref, la production québécoise équivaut à 1/25e de la production ontarienne et à 1/6 250e de la production française. Prenez-le de toutes les manières que vous le voulez, la production québécoise ou ontarienne de vin était anecdotique à la fin du deuxième millénaire et elle le restera pendant une bonne partie du troisième. En fait, sa seule chance est un bouleversement climatique de dimension biblique.

Comme les Ontariens n'ont pas de culture du vin à eux, ils essaient de faire français ou italien – ils ne sont pas trop sûrs. Ce qui détonne. Combien de fois m'a-t-on servi un syrah avec des mets thaïs ? Je soupçonne aussi un vieux fond de puritanisme qui leur fait préférer des vins râpeux et hyperboisés qui vous plantent quasiment des échardes dans la langue rien que d'y goûter. Tant qu'à pécher, autant s'assurer que ça nous donne une gueule de bois expiatoire !

Et puis, après m'être familiarisé en profondeur avec le système d'appellation français basé sur la région et le terroir, je ne comprends rien à leur classification par cépage : merlot, pinot noir, cabernet et Vidal, cela ne me dit rien. Enfin presque : j'ai tout de même appris à fuir la syrah qui produit une sorte de vin que j'appelle le *cirage*.

Bien que j'aime le vin, je déteste cordialement la coutume des dégustations de vin – je préfère boire la bouteille que de goûter. Comme j'ai quelques réserves sur le vin ontarien, j'en ai encore plus sur la sous-industrie de la dégustation.

J'ai fait des dégustations de vin à Niagara, à Napa, à Dunham, en Champagne, dans le Beaujolais et dans le Bordelais, et j'ai chaque fois la même réaction de dégoût, mais c'est pire en Ontario.

Car là où je trouve les vignobles franchement ignobles, c'est au chapitre des tours de dégustation, qui ont tous un côté « parc d'attractions à thème » imbuvable – clairement l'influence de Clifton Hill.

Invariablement, quand vous arrivez chez n'importe quel producteur ontarien, ils vous dirigent vers la « cave » ou la « salle de dégustation », toujours le même décor de carton-pâte montrant de la fausse brique, des barriques (personne ne fait de vin en barriques, mais dans de gigantesques réservoirs métalliques en forme de canettes où l'on obtient le petit goût boisé en y versant quelques pelletées de sciure de bois), des tire-bouchons en bois d'olivier (ontarien) et des fausses grappes de raisin en plastique.

Chaque fois, vous découvrez trop tard que cette « cave » ou cette « salle de dégustation » est en fait un vulgaire magasin ou, pire, un laboratoire. Certains produits sont très bons, mais comme ils apprennent encore à faire du vin, la plupart ne sont pas bons du tout, et le client n'est qu'un pauvre cobaye pour leurs expérimentations non réglementées.

Ce qui n'aide en rien, c'est la personne qu'ils mettent derrière le comptoir. Soit le propriétaire du vignoble qui a bien d'autres chats à fouetter, soit l'oncle alcoolique du propriétaire du vignoble, soit la nièce du propriétaire dans le rôle de l'étudiante niaiseuse qui ne sait dire que *Can-I-help-you, I-don't-know* ou *I'm-so-sorry*. Et le pire, c'est qu'ils vendent leur dégustation – 10 dollars pour quatre bouteilles. Faites le calcul, à 30 millilitres par gorgée, cela revient à 100 dollars le litron – un gros profit sur la piquette, même en tenant compte du salaire de l'imbuvable employé et des raisins en plastique. Et comme on est là pour « déguster », alors ils testent sur nous cinquante-six trucs quasiment impropres à la consommation. En toute logique, ce sont eux qui devraient vous payer – au moins, les compagnies pharmaceutiques, elles, paient leurs cobayes…

Je reviendrai presque chaque fois de Niagara avec un mal de tête, mais ce sont là les contraintes d'une vie de couple heureuse. Qu'est-ce qu'on déguste, à Niagara !

Chapitre 11

Le calvaire de la 401

Où l'auteur, parcourant la véritable épine dorsale autoroutière du Canada, nous explique pourquoi le continent est ferroviairement sous-développé, révélant par là le mécanisme des prophéties autoréalisantes et le Paradoxe de Saint-Polycarpe.

Ce serait vous mentir que de prétendre que je n'ai pas eu de contacts avec le Québec pendant mon séjour torontois. L'autoroute 401, nous la parcourons presque tous les mois, car, comme bien des Montréalais exilés, nous revenons souvent à Montréal. Prolongement ontarien de l'autoroute 20, la 401 relie Montréal, Toronto et Windsor. Son importance pour les Ontariens tient du fait qu'elle structure toute leur province, qui compte finalement assez peu d'autoroutes outre celle-ci.

Ayant marié une fille du centre de l'Ontario dont la famille demeure toujours dans le centre de l'Ontario, je me suis beaucoup familiarisé avec la 401. À raison d'une moyenne de trois voyages par année, j'ai donc roulé 44 000 kilomètres sur la 401, soit un peu plus que la circonférence de la Terre. Si je me fiais seulement à mon expérience de la 401, je pourrais même en déduire que la Terre est plate. Je dirais même très plate.

Je connais la 401 mieux que la 20. Québec, j'y suis allé très souvent en autocar, ce qui me permet de travailler et donc de ne pas voir la 20. Je me sens donc autorisé à vous dire que la 401 est aussi plate que la 20, mais elle est plate beaucoup plus longtemps.

Le long de la 401, il n'y a ni dinosaures de l'ex-hôtel Madrid, ni buttes montérégiennes, ni chutes de la Chaudière, ni pont de Québec, ni fabricant de minibus à Drummondville, ni même de St-Hubert.

La seule distraction se trouve du côté québécois, sortie 6, à cause des noms de saints à coucher dehors: Saint-Zotique, Saint-Télesphore et Saint-Polycarpe. Ce sont les *monster saints* de la sortie 6.

La 401, je l'ai faite par tous les temps. J'y ai subi le verglas, la neige, la foudre, les bouchons de 75 kilomètres, mes premières pannes routières, ma première collision.

Ayant traversé l'Amérique dans tous les sens plusieurs fois, je sais que la 401 n'est pas le sommet – ou le creux – de la monotonie. La morne plaine de l'Arkansas à 80 km/h, c'est long. Au moins, sur la 401, on peut rouler à 120-130 ! Mais ce n'est pas encore assez vite…

Le seul point d'intérêt géographique de la 401 se trouve entre Toronto et Kitchener, à Milton. Ici, l'escarpement du Niagara tombe en falaise à pic et fait un coude juste devant l'autoroute en un lieu appelé Rattlesnake Point – la pointe du Serpent à sonnette. C'est très joli et cela passe en deux minutes. Une autre très jolie perspective survient aux abords de Kingston, lorsque l'autoroute passe près du marais, à l'extrémité du lac Ontario. Encore là, ç'est très joli, et cela passe vite.

Puis à l'ouest, la 401 se déroule sur une platitude rectiligne sans nom jusqu'à Windsor. La partie ouest de la 401 est tellement ennuyeuse que même la section de l'est a l'air d'une rigolade en comparaison.

Ayant davantage fréquenté la moitié est de la 401 que sa partie ouest, je connais le moindre roseau du gigantesque marais entre Montréal et Kingston. L'automne, en novembre, par un ciel gris, il n'y a que les mornes volées d'outardes pour se distraire. La nuit, c'est pire : pas une lumière ne vient éclairer l'obscurité hallucinante. On se surprend même, la nuit, à espérer une envie de pisser, histoire de rompre l'ennui.

Puis il y a Kingston ! Mais je devrais dire : « Puis il y a KINGSTON ! » Il y a une quinzaine d'années, les Kingstoniens ont planté à 30 kilomètres de la ville d'orgueilleuses pancartes qui disaient *WELCOME TO THE GREATER KINGSTON AREA*. Sauf que c'était au beau milieu d'un marais où il n'y avait rien, même pas de lumière la nuit. Alors, ils ont fait rire d'eux et ont fini par enlever l'orgueilleuse pancarte du GREATER KINGSTON AREA.

Pour ajouter à l'ennui général, les Ontariens ont développé un système efficace de relais routiers où l'on peut se ravitailler ou pissoter tranquille dans le *no man's land* autoroutier sans risquer de se perdre dans les bleds locaux. On y mange toujours le même vieux hambergueux, la même vieille frite et le même vieux timbit au chocolat. Heureusement, ils viennent d'introduire le Perrier, ce qui est un progrès prodigieux. Ça désennuie.

La seule autre attraction est le Big Apple à Belleville. L'établissement se présente sous la forme d'une gigantesque construction rouge visible de la route en forme de – tiens, tiens – grosse pomme. Inutile de vous dire que ce n'est pas New York. Il s'agit d'un verger commercial devenu une usine à tartes. On peut y manger des tartes ou regarder les grosses madames qui actionnent les grosses machines à faire les grosses tartes. Il y a aussi un petit zoo looser de lamas tarés. On peut également y pisser gratis. Je m'y suis arrêté pour pisser une fois ou deux : on y pisse très bien. Ce serait encore mieux s'ils nous faisaient pisser sur leurs tartes.

La seule distraction de la 401 qui soit digne de mention, c'est l'abondance des stations de radio américaine – saupoudrées depuis l'autre côté du fleuve et du lac Ontario – qui nous distillent leur sirop de gros rock industriel, de country, ou de sermons religieux (*The World Tomorrow, according to Yesterday!*). Dans un rayon de 60 kilomètres autour de KINGSTON, on peut également capter *BOB FM Whatever*, dont la philosophie musicale consiste à faire jouer n'importe quoi dans n'importe quel genre, du moment que c'est bon – *Bob*, ici, n'est pas le nom du patron, comme on pourrait le croire, mais l'abréviation de *The Best of the Best*.

La 401 est indissociable de notre relation de couple, à Julie-ma-Julie et à moi. Même qu'à l'été 2001, on s'est dit qu'on devrait y mettre un peu de zeste. Alors au lieu de prendre la 401, on a décidé de rouler sur la vieille route 2, en parallèle. Et là, on a découvert des villes intéressantes comme Belleville, Cobourg et même Cornwall, à la rigueur. Même le Vieux KINGSTON est pas mal. Sauf que ça nous a pris douze heures, au lieu de cinq, pour faire Toronto-Montréal.

Bref, ce n'est pas que l'Ontario n'ait rien à montrer, mais plutôt que les Ontariens aient choisi de contourner très large ce qui aurait pu présenter un intérêt quelconque.

Remarquez que je suis un peu injuste. Une autoroute doit être plate, par définition. Quand on part pour six ou sept heures de route, on ne veut pas d'aventure. Sauf que les Ontariens ont réellement trouvé la formule magique pour créer une autoroute qui est un prodige de platitude.

La 401 devient presque intéressante entre KINGSTON et Trenton. Le paysage prend de la rondeur. J'y ai même observé un coyote, une fois. Ça a l'air excitant, dit comme ça: un coyote. Mais ce n'est pas grand-chose en vingt-trois ans de vie autoroutière. Ça fait cher pour voir un coyote.

« Mais Toronto ? » dites-vous. Eh bien, la 401 se déroule tellement loin de là qu'on ne voit même pas la tour du CN. Que ses autoroutes à seize voies, des échangeurs délirants et des automobilistes torontois qui vous coupent la route en ayant l'air de ne pas en avoir l'air. La 401 autour de Toronto est d'ailleurs à voir absolument au moins une fois, quoique c'est meilleur en photo que d'y être, si vous voulez mon avis.

Un mythe ontarien veut que la 401 soit l'une des autoroutes les plus occupées d'Amérique. Ayant fait le périphérique parisien plusieurs fois et parcouru environ 40 000 kilomètres de routes et d'autoroutes aux États-Unis, je n'y crois pas du tout. Mais il est vrai que la circulation peut y être intense, surtout autour de Toronto.

Il n'y a pas là de grand mystère : la 401 est la seule autoroute en bien des endroits et, en l'absence de transport ferroviaire structuré, elle est le seul lien terrestre structuré. J'exagère quand je dis qu'il n'y a pas de service ferroviaire, mais ce qui existe s'apparente davantage à du teuf-teuf et à du tortillard qu'à ce qu'on appelle un train quand on a vécu en Europe.

Ayant goûté les plaisirs du service ferroviaire à l'européenne, je ne pouvais pas revenir au Canada sans faire l'expérience de nos Chemins de Fer Nationaux. Entre Toronto et Montréal, nous prendrons le teuf-teuf une fois, Julie-ma-Julie et moi, histoire de pimenter notre relation autoroutière. Il nous faudra huit heures au lieu des quatre prévues, tout simplement parce que notre train express est pris derrière un train de marchandises.

C'est un peu comme ça, les trains, au Canada. On sait quand on part, mais jamais quand on arrive. En France, j'avais rencontré une Lyonnaise qui avait voulu faire New York-Winnipeg en train, ce qui est plein de bon sens – sauf qu'elle est arrivée avec douze heures de retard et personne ne s'est vraiment excusé.

Je reprendrai le train Toronto-Montréal une autre fois, en avril, cette fois à l'invitation de Via Rail, qui veut montrer à la presse en délire la qualité de son nouveau service de train de nuit. Couchez-vous à Toronto et levez-vous à Montréal le lendemain matin (ou vice versa). L'idée n'est pas sans attrait. En tant que journaliste, je reçois souvent de telles offres, que j'accepte rarement – sauf dans ce cas particulier où, justement, je dois aller à Montréal pour affaires.

Le déplacement de Toronto à Montréal, que je ferai de jour, se passe sans histoires. Même que j'arrive à l'heure, ce qui est franchement étonnant. C'est au retour par le train de nuit que ça se gâte.

Rien à redire sur la qualité de la voiture-lit. Couchette ultramoderne, cafetière intégrée, chiotte à succion, lit confortable, quoiqu'un peu étroit, et une belle doudoune. Nettement mieux que le train de nuit que j'avais pris en France avec six personnes par cabine. Il y a aussi un bar, un resto et tout. Mais le bar, on ne sait pas trop à quoi il sert: le train part à 23 h 30 et le service de bar s'arrête à minuit! Mais bon, on est au pays des Beer Stores et des LCBO, alors plus rien ne m'étonne, côté bibine.

Rien à redire, donc, sur la voiture-lit... C'est tout le reste qui cloche.

L'arrivée à Toronto est prévue pour 8 h 20. C'est à se demander pourquoi ils indiquent des minutes sur les heures d'arrivée des trains au Canada, quand ils ne sont pas trop certains de l'heure.

À 7 h 15, après une nuit sans histoires, on me réveille comme prévu, je m'habille et convertis la couchette en banquette. Je regarde dehors. Mmh! Ça ne ressemble pas à Toronto, ça. C'est un champ. Pas une maison, pas une route en vue. Je vais au resto, où le déjeuner n'est pas servi. Le serveur m'explique: « Ne vous inquiétez pas: nous allons recevoir les brioches à KINGSTON. »

Le serveur, qui est tout à ses brioches, n'a pas l'air de comprendre que le problème n'est pas l'absence de brioches, mais KINGSTON, la ville à mi-chemin entre Montréal et Toronto, alors que nous devrions être à Toronto !

Ayant mis huit heures pour faire la moitié du chemin prévu, notre train est donc immobilisé dans une tourbière. Une demi-heure plus tard, nous avançons enfin… sur 30 mètres. Un quart d'heure plus tard, le train recule… sur 60 mètres. Il y a un cheminot sur la voie avec des outils… Ça va être long.

Finalement, nous entrons en gare de KINGSTON à 8 h 30. On ne voit pas la ville, car sa gare est au beau milieu d'un champ. C'est la logique ferroviaire continentale : le train doit passer là où il n'y a personne, pour ne pas déranger – pour être bien certain que personne ne voudra s'en servir.

Je suis inquiet, car je m'étais muni d'un bon roman de 350 pages que j'ai presque terminé. J'en serai bientôt réduit à lire – puis à relire – la revue de bord de Via Rail, où il y a un article fascinant sur Via Rail qui s'intitule *The People Moving People* (« Les gens qui déplacent les gens »).

Sauf que dans la philosophie ferroviaire nord-américaine, les gens – que ce soit de simples gens ou les « gens qui déplacent les gens » – passent en second. Car la priorité revient aux trains de marchandises. La cause principale de notre retard – en fait de presque tous –, c'est que le train de passagers doit se garer pour laisser passer des trains de marchandises.

Le chef de train prend le micro pour nous expliquer que nous sommes à KINGSTON et que nous aurons un crédit de 50 % du prix du billet sur notre prochain voyage. Cela me donne vraiment envie d'en acheter, des billets ! Il nous remercie aussi pour notre compréhension, sauf que je ne comprends pas au juste ce que je suis censé avoir compris.

À Cobourg, je constate que nous ne roulons plus depuis un petit moment. Je dis Cobourg, mais c'est un pâturage – ce qui nous change des tourbières. À Cobourg, les vaches ne regardent pas les trains passer : ce sont les passagers qui regardent les vaches. Mauvais signe : il y a encore un cheminot en salopette avec un walkie-talkie sur les rails. Je sens qu'on va repartir à reculons… Et ça repart à reculons.

À ma cinquième lecture de la revue *Via*, je n'y tiens plus et je vais me désennuyer en allant voir le chef de train. Il travaille dans une espèce de petite cabine de contrôle devant une espèce de tableau de bord truffé de voyants bleus, verts, mauves, rouges et jaunes. Son travail est de peser sur jaune quand ça devient vert et de peser sur bleu quand ça devient rouge. Les mauves, il ne sait pas à quoi ils servent.

Il daigne enfin m'expliquer que le train a maintenant pris tellement de retard que nous laissons désormais passer non seulement les trains de marchandises, mais les autres trains de passagers qui sont à l'heure.

« J'espère que vous n'êtes pas pressé, avec des rendez-vous et tout.

— Non, je n'ai que ça à faire, prendre le train, alors j'aime ça quand vous n'arrivez pas. »

Puis le train bouge, dans le bon sens cette fois. À Port Hope, l'espoir revient : on voit enfin le lac. À Whitby, à 40 kilomètres de Toronto, je commence à y croire. Nous ne sommes plus qu'à une heure de Toronto. Finalement, nous arriverons à 13 heures, pour une vitesse moyenne (j'ai fait le calcul) de 39 km/h.

Le sous-développement ferroviaire est une indignité nationale, pour ne pas dire continentale, car le désamour envers le train est réel au Canada comme aux États-Unis, alors que ce moyen de transport a joué un rôle fondateur primordial pour ces deux pays.

L'explication profonde ne tient pas des distances ou de l'étalement de la population. Même aux États-Unis, dans le corridor Boston-New York-Washington, dont la densité se compare pourtant à celle de la Belgique, le train le plus rapide fait une moyenne de 100 kilomètres avec une pointe à 160 km/h pendant douze minutes. *Wow!* Dans le corridor Québec-Windsor, il n'y a aucune raison non plus de ne pas avoir de train rapide. Et il existe plusieurs zones comme ça, en Floride, en Californie, autour de Chicago et même au Texas.

Même le transport en commun sur courte distance est extraordinairement médiocre. Cas extrême : à l'aéroport de Houston, au Texas, il y a une espèce de navette ferroviaire entre les terminaux – ils appellent ça un « train », mais c'est en fait un autobus automatisé qui circule dans une sorte de gouttière en béton. Comme la gouttière n'est pas adaptée à la taille du bus et que la gouttière n'est pas régulière, les Texans ont mis des pneus sur le côté du bus pour réduire les chocs. Si bien que les pauvres passagers se font brasser comme de la crème dans une baratte à beurre, à tel point qu'on a muni les sièges de petits sacs à vomi comme dans les avions. Comme le disait si bien Tom Hanks, dans *Apollo 13* : « *Hello, Houston, we have a problem.* »

La situation me paraît d'autant plus aberrante que j'arrive de France, où l'on déplace les passagers à 350 km/h par paquets de mille dans des trains à grande vitesse de deux étages. Entre Lyon et Paris, il en circule un toutes les quatre minutes. On peut se demander comment un peuple qui peut catapulter des gugusses en orbite lunaire peut avoir tant de mal avec ses voies ferrées.

Certes, l'Amérique est un continent relativement riche en énergie, qui a structuré ses transports autour du gaspillage énergétique, on y privilégie les moyens de transport énergivores comme la voiture, l'avion et le camion au détriment de l'autocar, du train et de la péniche – tout le contraire de l'Europe, qui est pauvre en énergie et qui a structuré ses transports autour des plus efficaces.

Ce qui vient renforcer cet illogisme monstrueux est une logique sociale. En effet, les transports sont socialement stratifiés, en Amérique du Nord. Bref, c'est une affaire de classe. Le train et l'autocar, voire l'autobus, c'est pour les pauvres cons, tous ceux qui n'ont pas les moyens de se payer une voiture ou de prendre l'avion. Les Européens, chez qui les classes sociales sont pourtant très imbriquées, ne raisonnent pas comme cela en matière de transport. Riches comme pauvres, ils prennent le train, et les trains sont structurés pour transporter des gens d'un centre à l'autre. Mais les Nord-Américains attribuent des valeurs de classe à leurs moyens de transport, ce qui teinte toutes les décisions logistiques et crée des dysfonctionnements épouvantables là où, en toute logique, il ne devrait pas y en avoir.

Les Québécois, sur ce point, raisonnent presque comme les Ontariens et comme tous les Nord-Américains – la stratification des transports y est fondamentale. Cela touche même le taxi : vous rencontrerez des gens qui vont refuser de prendre l'autocar ou le taxi contre toute logique. Un jour que je discutais de la chose, un type m'a fait la remarque que lui au moins avait « les moyens de ne pas prendre le taxi ». Dans son esprit, donc, un taxi est un pis-aller pour le pauvre qui n'a pas les moyens de se payer une auto. Et il n'était absolument pas question qu'il s'abaisse à cela, sauf en cas de force majeure. S'il accepte de prendre le taxi quand il voyage à l'étranger, c'est parce qu'il n'a pas les moyens de mettre son auto sur l'avion et parce que personne ne le connaît sur place pour rire de lui.

Le sommet de l'ascension sociale est bien évidemment l'avion, que les gens empruntent parfois au détriment du bon sens – il n'y a aucune bonne raison de prendre l'avion quand la distance entre deux points est de moins de 600 kilomètres. De porte à porte, c'est moins rapide que les transports terrestres.

Quelques années plus tard, alors que je serai invité à donner une série de conférences aux États-Unis, mon itinéraire m'amènera à parcourir la Virginie, les deux Carolines, la Géorgie et le Tennessee. Entre chacune des capitales, de 300 à 500 kilomètres. Exactement la configuration idéale pour un service de trains ou d'autocars performants. En l'absence de trains, il aurait été sensé de me faire prendre l'autocar pour tous ces trajets. Mais l'autocar, cela ne se fait pas, avec un invité de marque. Car l'autocar, c'est pour les paumés et les pauvres types. Alors on me déplaçait en avion. L'ennui était qu'il n'y avait pas de vols directs entre ces capitales et qu'il fallait prendre chaque fois une correspondance à Atlanta, ce qui augmentait indûment mon temps de transit, surtout en cas de mauvais temps – parfois jusqu'à dix heures pour un trajet qui en aurait pris seulement trois en autocar.

Le plus fascinant, c'est que personne ne voit le problème. Tout le monde se plaint, en Amérique du Nord, de l'enfer des aéroports ou de l'enfer autoroutier, mais personne ne réalise que le principal problème du système aéroportuaire et du système routier est l'absence du train – ou de transports en commun terrestres structurés.

Le raisonnement est très simple, mais cela heurte tellement les valeurs que même ceux qui voient le problème ne peuvent pas le confronter. Les trains ne marchent pas parce que les Nord-Américains ne veulent pas qu'ils marchent.

D'où la 401.

La 401 est aussi le symbole de la très brutale concurrence que Toronto a livrée à Montréal et dont elle est sortie largement victorieuse. Car c'est par la 401 que les Torontois ont peu à peu vidé Montréal de ses sièges sociaux, de son argent, de ses entreprises puis d'une partie de sa population. Quand il s'est agi de désosser Montréal, la capacité d'organisation fantastique des Torontois s'est manifestée avec le plus grand brio. C'était d'ailleurs la seule raison d'installer une autoroute comme la 401 entre Kingston et Montréal, puisqu'il n'y a rien. D'ailleurs, il n'y a même pas d'autoroute directe entre Toronto et Ottawa, puisqu'il n'y avait rien à vider.

Jusqu'en 1945, Montréal était encore la véritable métropole économique et financière du Canada, mais cela faisait déjà près de cinquante ans que les Torontois avaient entrepris de la vider sans vergogne. La montée du nationalisme québécois a été le prétexte en or pour terminer le travail de sape.

L'ensemble de leurs journaux, de leur classe d'affaires et de leur élite intellectuelle s'y est appliqué avec méthode, sans aucune hésitation ni scrupule, en faisant flèche de tout bois. Le parallèle avec la position toujours caricaturale des médias britanniques à l'égard de la France est tout à fait étonnant.

Le secret de la prospérité de Toronto est d'avoir brillamment vidé Montréal d'une partie de sa population, de ses sièges sociaux et de ses secteurs financiers. Ils ont tiré sur l'ambulance tant qu'ils ont pu. Il n'est d'ailleurs pas exagéré d'affirmer que la raison secrète du grand succès économique de Toronto aura été Montréal – ou plutôt sa complaisance à se laisser manger la laine sur le dos, pour ne pas dire « vampiriser », pendant presque cinquante ans, jusqu'à ce que les Québécois commencent à prendre la mesure du problème, au début des années 1970, quand le mal était fait et presque irréversible.

Même si Toronto avait l'heur de parler la même langue, ce serait encore deux villes opposées dans une concurrence très violente. À l'inverse, si le Québec était un pays, cela ne changerait strictement rien – je pense même que le fait que ces deux villes soient dans le même pays en inhibe certains. C'est peu dire.

La 401 est également le siège de quelques belles manifestations d'orangisme. Ainsi, pendant certains travaux, non loin de la frontière québécoise, on pouvait lire ce panneau à la sortie 814, à 13 kilomètres de la frontière québécoise : « Dernier plein d'essence avant le Québec. » Qu'est-ce qu'elle a, l'essence québécoise ? Elle ne goûte pas bon ? Il y a du sucre dedans ? Elle est légèrement plus chère, c'est tout. Depuis 2001, la différence entre deux pleins est environ le prix d'un beigne. Je veux bien que des commerçants ontariens vantent leurs prix au détriment de la concurrence, mais l'affiche sur l'autoroute est une fonction gouvernementale, pas publicitaire. On aurait pu s'attendre à une formulation plus neutre, du genre : « Dernier plein d'essence en Ontario. » Mais non, il faut qu'ils insistent.

Une autre affiche, tout aussi fascinante, exagère sciemment la distance pour atteindre Montréal. Juste avant la frontière interprovinciale, côté ontarien, un panneau annonce « Montreal : 80 km ». Juste après la ligne de démarcation, un nouveau panneau, côté québécois, annonce « Montréal : 65 km ». Bref, quelque part dans la morne plaine de Saint-Zotique-Saint-Télesphore-et-Saint-Polycarpe, il y a 15 kilomètres qui se font sucer dans le terroir. Ce trou spatiotemporel – qui fait partie intégrante du folklore quatre-cent-unesque –, Julie-ma-Julie et moi l'avons baptisé le Paradoxe de Saint-Polycarpe. Connaissant le passé orangiste de l'Ontario, je suis toujours surpris que les panneaux indiquant la distance vers Québec soient verts plutôt qu'orange.

Mais le Paradoxe de Saint-Polycarpe ne nous empêchera pas de quitter Toronto, fin juin, pour revenir au bercail.

SECONDE PARTIE

*

Le retour au bercail

CHAPITRE 12

Toinette *forever*

Où l'auteur, s'étant égaré dans les limbes torontois, est puissamment ramené dans son Québec intime par le décès de sa grand-mère et nous explique le sens de Toinette, la poésie de Toinette et la métaphysique de Toinette.

« Fais du feu dans la cheminée je reviens chez nous », nasillait Jean-Pierre Ferland. Dans mon cas, il aura fallu un an pour que je revienne vraiment chez nous après notre départ de Paris, au printemps 2001. Mais le vrai retour mental dans mon Québec intime s'est opéré au décès de ma grand-mère, Antoinette Bélanger, en avril 2002, à l'âge vénérable de quatre-vingt-huit ans et des poussières. On peut dire que c'est l'Antoinette qui m'a remis mon feu dans ma cheminée.

Toinette, Toinette… Par où commencer?

D'abord, il importe que vous sachiez qu'elle était folle – ma vieille mère n'aime pas que j'en parle ainsi, mais n'ayons pas peur des mots. Pas un peu folle ni fofolle, non. Schizophrène paranoïde, ou paranoïaque schizoïde. La psychiatrie est loin d'être une science exacte, et la nuance entre les deux tiendrait du fait que certains psys aiment les trémas alors que d'autres les aiment moins.

Toinette fut donc une sorte d'OVNI psychiatrique, qui a passé les vingt-cinq dernières années de sa vie enfermée dans sa tête. Vingt-cinq ans à se bercer, oscillant entre les épisodes de lucidité et ses visions.

Malgré sa folie, qui la confinait dans sa maison, Grand-Maman était très propre et toujours bien mise. Elle était même aussi coquette que son poids le lui permettait. Mon frère Flavien, avec son sens de la formule légendaire, l'avait même surnommée la Duchesse de Winslow (ancien nom du comté du village de Saint-Romain, où elle habitait). Tous les matins, la Duchesse de Winslow se peignait à sa table de salle à manger devant son miroir-à-maquillage-à-trois-pans-portatif-brun-cerclé-de-petites-lumières-avec-des-petits-tiroirs-à-cosmétiques[16]. Elle était très fière. Dans les années 1940, son mari avait dépensé une fortune – 300 dollars – pour offrir à Toinette un manteau de fourrure, qui disparut malheureusement dans l'incendie de la maison en 1953. Dans les dernières années de sa vie, au foyer pour vieillards, rien ne lui faisait plus plaisir que de recevoir à Noël une breloque, par exemple un petit jeu de peigne et de brosse en faux argent. Une année, j'avais offert à la Duchesse de Winslow un livre sur la famille royale britannique, et elle avait passé deux heures à étudier chaque photo – un fait assez curieux en soi, car il était rare que nous puissions la retenir dans notre monde plus de cinq minutes sans qu'elle retombe dans le sien.

C'était un univers d'une immense poésie que celui de Toinette. Quand elle nous parlait depuis son monde, en utilisant une espèce de voix rauque très différente de la sienne, ses filles n'étaient plus

---

16. Je paie le champagne au premier lecteur qui me trouve le nom de cet objet.

mariées (elles le sont toutes) et ses fils étaient médecins (en réalité : aucun) sauf le troisième, qu'elle voyait en marchand de fourrures (il est prof de math). Un jour, elle nous disait qu'elle avait vu le premier ministre Pierre Elliott Trudeau sur la rue Principale. Le lendemain, elle déclarait que René Lévesque était un agent du pape. Une autre fois, elle nous interdisait de boire autre chose que de l'eau bouillie, parce qu'il y avait « une planète qu'est tombée à côté ». Ou encore, on ne trouvait plus une fourchette ni une assiette dans la maison, car tout le contenu des tiroirs, des armoires et des placards avait été empaqueté dans des valises ou des cartons ficelés.

Car Toinette vivait dans un état d'alerte quasi permanent, guettant l'imminence d'une catastrophe qui forcerait une évacuation immédiate. C'est ainsi qu'elle entendait de l'eau qui coulait sous la maison et des explosions constantes provoquées par ceux – qui ? – qui minaient sa maison. Toutes les heures, elle se levait pour aller vérifier si sa porte arrière était bien verrouillée.

De temps à autre, elle nous ouvrait une fenêtre sur son univers intérieur. Cela m'est arrivé un soir de veille de Noël, vers la fin de sa vie, alors que mon père et moi étions allés la cueillir au foyer pour vieillards. Ce jour-là, elle avait reçu la visite de son frère Philippe, dont elle avait été très proche. Nous venions de quitter le foyer quand ma grand-mère nous annonce :

« Ben ouin, tchiens ! J'ai vu Philippe avec sa femme. »

(Le niveau de langue de Grand-Maman n'a jamais collé avec son statut imaginaire de Duchesse de Winslow.)

« Sa femme aussi ? demande mon père en levant le sourcil et en me regardant dans le rétroviseur.

— Ben ouin, tchiens ! J'y ai parlé.

— Mais la femme de Philippe est morte depuis quinze ans !

— Ben tchiens ! Y reviennent, eux autres. »
Eux autres, évidemment. Toujours eux autres…

Si Toinette n'avait été que dérangée, l'histoire s'arrêterait là. Mais malgré son enfermement mental, Toinette a toujours été pour moi l'incarnation de la multitude. Ma famille immédiate se compose d'un frère, d'un père et d'une mère, un fait en apparence banal mais qui l'est moins à une époque où la moitié des familles sont décomposées ou recomposées et constituées d'un demi-frère, de deux demi-sœurs, de trois pères à temps partiel et de quatre mères. C'est par Toinette que j'ai vécu dans une grosse famille, elle-même partie d'une constellation de grosses familles organisées en une sorte de nébuleuse appelée le Québec.

Vous voulez des chiffres ? Antoinette Bélanger avait pour nom de jeune fille Hallée. Elle était la quatrième de quatorze. Son mari, Joseph Bélanger, issu d'une famille de dix enfants, était à la fois le cinquième et le sixième, étant jumeau. Joseph a fait à Toinette dix beaux enfants, dont neuf ont marié des Richard, des Rodrigue, des Nadeau, des Bouchard, des Couture et des Mercier, des Blais, des Rothe, des Leduc, qui venaient presque tous en nombres prodigieux. Ma tante Agathe, par exemple, avait marié un Rosaire Bouchard qui était le quatrième de quinze (survivants). La famille de mon père, avec six enfants, était presque chenue, en comparaison. Comme on le dit si bien au Québec, « ça fait du monde à la messe », ce que j'aurai amplement le temps de vérifier aux funérailles de Toinette.

Toinette a vécu presque toute sa vie à Saint-Romain, son village natal. Et c'est là qu'auront lieu ses funérailles. Saint-Romain – anciennement Winslow Nord – est un petit village de huit cents habitants à 250 kilomètres plein est de Montréal, 800 kilomètres plein est de Toronto. Sauf les dix dernières années passées au foyer pour vieillards, Toinette a vécu toute sa vie dans ce petit village de pionniers découpé dans la forêt en

1865, dans une région montagneuse où la terre rêche était peu généreuse et où l'été est un bon mois plus court qu'à Montréal. Mon père, qui était son gendre, disait souvent à la blague que les vaches de Saint-Romain ont le museau pointu pour pouvoir brouter entre les pierres. Bien des spéculations existent sur les origines de la maladie de Toinette, mais Julie-ma-Julie est d'opinion que c'est Saint-Romain qui a rendu ma grand-mère folle. Elle exagère, mais c'est un fait que Toinette y a vécu malgré elle, car Toinette avait toujours rêvé de vivre à la ville.

Dans les petits villages, les enterrements et les mariages figurent en tête des principaux événements sociaux, et les funérailles de Toinette à Saint-Romain ne feront pas exception. Un salon funéraire, c'est forcément lugubre, mais pour ma grand-mère, l'ambiance est à la fois lugubre et plutôt « pas triste ». À dire vrai, l'atmosphère est davantage celle de retrouvailles que d'un enterrement, et tout le monde a l'air de bonne humeur, en général, sauf Toinette, qui n'était plus elle-même depuis vingt-cinq ans de toute manière et qui n'avait jamais été une bonne vivante de son vivant.

Le cérémonial funèbre veut que le corps soit exposé en trois séances : d'abord l'après-midi, puis le soir et le matin des funérailles. Selon le protocole, la famille éplorée doit se disposer en rang d'oignons afin de recevoir les condoléances de chaque visiteur. Il y a donc sur cette ligne les neuf frères et sœurs, leurs conjoints, leurs enfants et les conjoints de leurs enfants – quand tout le monde est là, cela fait environ quarante-cinq personnes.

Cela paraît long jusqu'à l'absurde, mais nous ne serons pas de trop pour accueillir l'invraisemblable torrent de visiteurs qui déferlera pendant ces trois séances. Car en plus des gigantesques familles de ma grand-mère et de son défunt mari, mes oncles et presque toutes mes tantes se sont mariés dans de grosses familles. Pour se présenter, on se met à prendre des raccourcis, sur le modèle consacré ti-Paul à Paul à grand-Paul.

C'est aussi une belle occasion de redécouvrir l'accent local, très particulier. Par exemple, adieux, cercueil et corbillard se prononcent *adjieux, certcheuil* et *corbidjard*. En dehors du vocabulaire funéraire, il y a madrier, marier ou poulailler, qui se prononcent *madridjier, mardjier* ou *pouladjier*. Guillaume devient *Djidjaume*. Et quelqu'un qui se fait mal ne crie pas « Ayoye ! » comme tous les autres Québécois, mais un « *Adjoye !* » sonore du plus bel effet.

Il y a aussi une manière particulière de prononcer le *j* comme la jota espagnole : Jean-Georges devient dès lors *Hean-Horhes*. En fait, comme les voyelles nasales sont puissantes, *Hean* devient *Hein* et on ne se comprend plus sur la ligne de réception.

« Lui, c'est mon fils Jean.

— Hein ?

— Non, *Hein* !

— Ah ! *Hein* ! Salut *Hein* ! »

Les funérailles sont censées être un événement attristant, mais dans le cas de celles de Toinette, ce fut bien davantage une libération. Car la mort de Toinette clôt un chapitre long et douloureux dans la vie de la famille. C'était leur mère, mais une mère schizophrène paranoïde confirmée depuis vingt-cinq ans et trois fois mourante dans les trois dernières années. Le deuil était donc amorcé depuis belle lurette. Les regrets qui s'expriment sont d'ordre médical : si seulement sa fêlure avait été détectée plus tôt. On regrette aussi de voir Toinette emporter dans la tombe sa célèbre recette de saucisses.

Toinette repose dans un cercueil en acier brun au fini bois. Comme elle avait de son vivant le teint cireux d'une vieille qui n'est jamais sortie en vingt-cinq ans, elle a plutôt l'air vivante pour une morte. Un peu renfrognée aussi, l'air de dire : « Ils l'ont eu, finalement, eux autres ! »

Eux autres... On ne peut pas comprendre la maladie de Toinette si on ne saisit pas bien l'immensité de cet univers mental peuplé par « eux autres ». Tout le monde imagine des choses, mais c'est le propre d'un esprit sain que de faire la part des choses. Vous et moi, quand nous nous baladons, imaginons sans cesse des scénarios : ce que j'aurais dû répondre à Chose ; comment j'arrêterais mon auto si les freins venaient à manquer ; comment je sortirais de ma bagnole si je tombais dans la rivière… Les psychiatres expliquent que cette forme de visualisation de scénarios est une manière d'autodéfense ou d'auto-entraînement. Toinette ne faisait aucun distinguo entre le réel et le cinéma qu'elle se faisait. Lorsqu'on s'adressait à elle, elle était tout à fait normale et parlait de façon posée. Mais dès que la conversation allait dans une autre direction, Toinette se repliait presque immédiatement dans son monde et se mettait à « leur » parler – à « eux autres » – avec une espèce de voix rauque et très basse, toujours la même, dont on percevait parfois des bribes du genre : « On sait bien, il a même pas les moyens de se payer un Coke » ou « C'est rien qu'un vendeur de fourrures », ou encore « Bon, il a fini par l'avoir ! » Une autre de ses exclamations mystérieuses, « Pierre est content ! », deviendra même une expression usuelle dans ma famille. Facteur aggravant : depuis les années 1960, elle refusait tout examen médical. Sa vision et son ouïe déformées devaient avoir un effet quasi psychédélique sur son cerveau halluciné. Vers la fin de sa vie, alors que son caractère s'était adouci mais que sa prise sur le réel s'avérait considérablement amoindrie, elle pouvait osciller entre son univers et le nôtre trois fois dans une même phrase, en changeant de voix pour leur parler, à « eux autres ».

Je me rappelle le jour où sa maladie s'est déclarée. C'était le 24 décembre 1975 et j'avais onze ans. Comme d'habitude, nous allions célébrer Noël chez elle, et la maison était remplie d'oncles, de tantes et de cousins bruyants. La fête totale. On se gavait de Coke et de chips jusqu'à quatre heures du matin en déballant un monceau de cadeaux. Mes oncles jouaient aux cartes en buvant du gin, mes tantes tempêtaient après mes oncles en buvant du gin. Je me rappelle mon oncle Rosaire habillé en père Noël et de mes envies de pisser pendant le *Minuit, chrétiens.*

Toujours est-il que c'est à mon onzième Noël que ma grand-mère a perdu prise sur le réel. Cela s'est manifesté curieusement. En arrivant, dans la soirée de la veille de Noël, ma mère s'est aperçue que Grand-Maman n'avait sorti aucune décoration, ni non plus préparé dinde, ragoût, tourtières.

« Ben ouin, tchiens, c'est la Saint-Joseph ! expliqua-t-elle en se berçant, l'air mauvais.

— Voyons, Maman, on n'est pas le 19 mars, mais le 24 décembre.

— Ouin, ben c'est le 19, tchiens. »

Après cette réforme radicale du calendrier, il s'avéra que tous les jours étaient le 19 mars. Comme Toinette en était rendue à ne plus rien payer et qu'elle refusait même de sortir faire son épicerie, un juge a nommé mon père tuteur de sa belle-mère. Mon père était le choix évident, car mes oncles et tantes se fâchaient ou se peinaient du délire de leur mère – à l'exception de ma tante Louisette, une travailleuse sociale, qui a joué un rôle très utile pour pénétrer l'univers de sa mère. En plus de lui organiser ses épiceries, de payer ses factures, de la vêtir et d'entretenir la maison, mon père devait également coordonner un réseau de voisins et de parents pour jeter un œil sur elle et la surveiller.

Ce réseau s'avéra particulièrement utile trois ou quatre ans après la réforme calendaire, lorsqu'un voisin avisa mon père, un soir de janvier, que la lumière était allumée en permanence chez Toinette et que Grand-Maman se promenait dans la maison avec un fanal. Après une heure de voiture dans la nuit noire et frigide, mon père et moi sommes donc arrivés chez elle. Toinette se berçait tranquillement devant son fanal, dans sa maison glaciale et humide.

« Ben tchiens, ouin ! T'obligée de m'chauffer de même comme une poule dans le pouladjier ! »

Mon père et moi avons réglé le problème avec quelques calorifères empruntés aux voisins, tout en écoutant ma grand-mère, qui nous regardait brancher les appareils avec un air dépité, en égrenant son habituel chapelet de « Ben ouin tchiens » et de « On sait ben, eux autres » prononcés sur tous les tons.

Le lendemain, Papa a appris que, deux semaines auparavant, Toinette avait repoussé le livreur de mazout à coups de balai en lui criant qu'« ils ne l'auraient jamais, eux autres ». Le brave livreur, croyant à raison être en présence d'une folle, s'en était retourné sans demander son reste. Cet après-midi-là, j'ai donc dû escorter le livreur tandis que papa envoyait Grand-Maman vérifier pour l'énième fois le verrou de la porte arrière de sa maison – habilement sabotée pour faire diversion tandis que le livreur de mazout remplissait le réservoir.

Tout cet épisode est entré dans la chronique familiale sous le nom de l'Affaire du fanal.

Les premières années, j'ai vécu la maladie mentale de Toinette comme un affront personnel. Il faut dire que sa folie s'est déclarée au début de ma puberté, qui inaugure cette très longue maladie mentale communément appelée « adolescence ». Avec l'égoïsme typique des mutants de mon âge, je jugeais qu'elle agissait ainsi pour attirer l'attention ou pour nous faire perdre notre temps. Vers dix-sept ans, j'ai commencé à prendre conscience des pressions sociales, morales et personnelles qu'elle avait subies.

Ce n'est que plus tard que j'ai compris qu'une maladie mentale n'est pas affaire de volonté, mais la maladie d'un organe qui s'appelle le cerveau et dont personne ne devrait avoir honte. De la même façon qu'une maladie du foie provoque des crises de foie, une maladie du cerveau déforme les perceptions de façon extrême jusqu'aux hallucinations. Bien des années plus tard, le métier de journaliste m'a enseigné que toute notre réalité est affaire de perception, et qu'il est très rare que deux personnes ayant observé le même fait objectif le perçoivent de la même façon. Ce qui fait de nous tous des fous en puissance.

Ma grand-mère avait cette particularité de percevoir le réel en suivant plusieurs canaux en même temps et de tout ramener sur le même plan – un peu comme si vous écoutiez en parallèle sur trois télés le *Télé-Journal, Star Académie* et *Le Déclin de l'empire américain*, en essayant de fusionner les trois trames. (D'ailleurs, j'ai pour hypothèse que tous les adeptes des théories du complot souffrent précisément d'une espèce de folie collective qui consiste à essayer de fusionner des trames qui n'ont pas de rapport entre elles, un peu comme le faisait ma grand-mère. À la différence que ma grand-mère faisait cela parce qu'elle était malade, alors qu'eux se rendent fous à force d'essayer de le faire.)

Ma vision de Toinette a donc évolué constamment, pendant ces vingt-cinq ans, à tel point que je me suis parfois demandé ce qu'était sa maladie.

Toutes les grosses familles québécoises avaient jadis leur prêtre. Ils étaient tellement nombreux qu'il en reste encore quelques-uns qui ont survécu à la grande vague de défrocages des années 1960 et à la désertion des paroisses. Dans ma grande famille, il en reste deux, et le cérémonial funèbre au salon funéraire et à l'église me permettra de revoir Georges-Henri, le plus jeune frère de Toinette. J'ai toujours aimé Georges-Henri, dont j'ai longtemps cru que le prénom était Georgenri – ou plutôt Horenri avec l'accent. Georges-Henri n'était pas un intime de Toinette – il est le n° 15 des Hallée et Toinette était la n° 3, née d'une mère différente. En fait, il est tellement le dernier qu'il est six mois plus jeune que ma mère, sa nièce.

Ce sera la première fois que j'assisterai à des funérailles où le prêtre connaît personnellement le défunt et la famille éplorée. En fait, pour être exact, Georges-Henri connaît beaucoup mieux les enfants de sa sœur que la défunte elle-même, aussi ne sera-t-il pas gêné de parler ouvertement de sa maladie, de son « grand silence » et de sa pénible fin de vie. Cette aisance est déjà évidente au salon funéraire.

Pour un mécréant comme moi, le moment le plus pénible du cérémonial funèbre est celui où quelqu'un entame une série de Je vous salue Marie ou de Notre Père – ou, pire, le rosaire au complet, auquel cas tout le monde se tourne vers le corps et prie ou marmonne à voix haute. Or, Georges-Henri en profite pour préparer le terrain. Au lieu des insipides Je vous salue Marie, il nous lance une page des Proverbes où il est question de la « femme parfaite ».

Sur le coup, cela m'a paru drôle, car j'ai connu Toinette dans toute sa délirante imperfection. Mais à la réflexion, c'est une excellente description de ce qui lui est arrivé. Toinette a trop voulu être la femme parfaite : stricte, autoritaire, disciplinée, qui accepte toutes les décisions de son mari. Du temps où elle était saine d'esprit, personne ne l'a jamais entendue se plaindre. Il semblerait que sa seule vraie crise se soit produite à cinq ans lorsque son père, veuf, s'est remarié avec la sœur de sa défunte femme – crise pour laquelle elle a sans doute reçu une raclée terrible.

Toinette n'a été heureuse qu'une seule fois dans sa vie, lors de sa première année de mariage, quand elle a quitté la campagne avec son mari, Joseph, qui l'emmena à Rouyn, une petite ville de pionniers dans le lointain Nord abitibien d'avant Richard Desjardins, où Joseph était barman. C'était l'exode rural et ni Joseph ni Antoinette ne voulaient finir dans leur bled. Mais c'était compter sans Flavien Bélanger, le père de Joseph, qui avait décidé que ce serait Joseph qui reprendrait la ferme alors qu'il avait pourtant plusieurs autres fils bien plus intéressés que lui, dont l'aîné, Flavianus. Joseph était trop bonne pâte pour dire non, et Toinette est devenue une femme de fermier, à son corps défendant.

Grand-Maman a eu douze enfants, dont deux mortnés. Pendant cette période mouvementée, elle a vécu avec son beau-père sous son toit, accueillant tous les frères et sœurs de son mari, qui débarquaient chez elle comme s'ils étaient chez eux, en plus d'entretenir ses beaux-parents. Elle devait aussi supporter l'habitude de ce bon vivant de Joseph, qui tenait l'écurie du village, d'inviter à sa table quiconque était de passage. Toinette n'a jamais rien dit, ni jamais crié, pas même en 1953 quand une conflagration a détruit la maison familiale (et quatre autres maisons du village). Joseph était vraiment le bon gars. Quand il a vu ses taxes doubler, il n'a rien dit au maire, qui était pourtant son beau-père, « pour ne pas le déranger avec cette histoire ». Alors Joseph continuait de ramer. Et rame, mon Joseph.

Le coup fatal est venu en 1960 lorsque Benoît, le deuxième fils de la famille, est mort sur la table d'opération pendant une intervention délicate. Grand-Papa ne s'en est jamais remis, et il s'est suicidé deux ans plus tard en se pendant dans la grange – ce qui a évidemment traumatisé tout le monde autour de lui. La mort de Benoît et le suicide de son mari ont sans doute vaincu les dernières résistances de Grand-Maman. Quelque temps plus tard, on s'est avisé que Toinette marmonnait. Toinette avait toujours eu un certain penchant autoritaire, mais là, le climat est devenu irrespirable dans la maison et les enfants sont tous partis très rapidement – aucun n'a jamais repris cette terre que leurs parents avaient haïe dignement. À tel point que mes oncles et tantes ont comploté, en 1968, pour sortir la cadette, Martine, des griffes de sa mère – elle est venue vivre chez nous.

Toinette fut en fait un mystère pour tous ceux qui l'ont connue. Elle avait peut-être une fêlure d'origine, mais c'est son époque qui l'a cassée. Dans mon esprit, Toinette est l'incarnation d'un mode de vie archaïque lardé de traditions religieuses et cléricales qui avait fort peu à envier aux talibans. Car ce mode de vie traditionnel, pour ne pas dire traditionaliste, était très étouffant pour les femmes.

Toinette a finalement dû quitter sa maison de Saint-Romain en 1992. Cet épisode est entré dans notre folklore familial sous le nom de La Grande Évacuation.

Quelques semaines auparavant, Maman avait remarqué que Toinette était moins soucieuse de son apparence et avait perdu son appétit, qui était formidable – elle consommait encore sa livre de beurre par semaine. À l'évidence, la constitution de fer de Toinette avait trouvé plus fort qu'elle.

« Ben ouin, tchiens ! J'ai des mammifères en d'dans », avait-elle expliqué.

Mes parents sont donc revenus quelques jours plus tard avec un médecin et ma tante Louisette, la travailleuse sociale. Bien évidemment, ma grand-mère a refusé de se faire examiner. Mais le médecin, ayant tout de même constaté le souffle court de Grand-Maman et l'absence de fièvre, soupçonnait un diabète et conseillait de la faire hospitaliser. Toinette, comme de raison, refusait de sortir de chez elle avec la dernière énergie. C'est Louisette qui a proposé une solution habile : « Peut-être qu'elle accepterait si on entrait dans son monde. »

L'idée de Louisette : jouer une comédie à sa mère en utilisant ses lubies. Subrepticement, Louisette est donc allée glisser le tuyau d'arrosage à l'intérieur de la remise attenante à la maison et a ouvert l'eau. Puis elle est allée cacher mon père chez le voisin avec instruction de ne pas bouger avant qu'elle lui fasse signe. Louisette est ensuite retournée voir sa mère, guettant l'occasion.

Bien sûr, au bout d'une demi-heure, Toinette se lève pour aller vérifier – encore une fois – le verrou de la porte arrière, qui donne sur la remise. Ce n'est pas parce qu'elle a ses mammifères en dedans qu'elle va négliger ce détail ! Louisette la suit. Au moment où sa mère touche à la porte, elle dit : « Maman, entendez-vous… L'eau monte… »

Toinette écoute les flots abyssaux de son imaginaire, puis elle ouvre la porte de la remise. Voyant l'eau gicler (mais pas le tuyau), elle ferme la porte et ordonne à Louisette :

« Ben ouin, tchiens ! Appelle-les !

— Qui ça?

— Eux autres, tchiens! »

Louisette prend le téléphone et *les* appelle tous, « eux autres », pour les prévenir que l'eau monte. Puis elle sort sur le balcon et, avec force gestes aux voitures qui passent, alerte le voisinage. (Mon père attendait ce signal pour mettre en branle les voisins dans leur rôle de figurants.) Pendant ce temps, ma grand-mère vérifie à la fenêtre la progression du Déluge. Saint-Romain, qui est situé sur une butte à 150 mètres au-dessus d'un lac, est très à l'abri du Déluge, mais Grand-Maman est tout à fait dans son monde, et son esprit ne s'arrête pas à ce détail.

« Y faut partir, Maman.

— Ouin, c'est vrai, je vais aller mettre mon corset.

— Pas le temps. Y faut partir! L'eau monte! »

Alors pendant que ma mère aide Grand-Maman à s'habiller (et à le lui mettre, finalement, son corset), Louisette recule sa voiture sur la pelouse. Comme une démente, elle se met à vider le coffre de tout ce qui l'encombrait: roue de secours, outils, tapis – même le siège finit sur la pelouse –, pour remplir la bagnole du maximum de paquets. Car rappelez-vous: depuis au moins dix ans, tout était déjà empaqueté et ficelé en prévision, justement, d'une évacuation précipitée. Dès que la Duchesse de Winslow se pointe dehors, les voisins sur les balcons se mettent à se lamenter:

« L'eau monte!

— Pire qu'en 1953!

— C'est pas drôle, ça, hein, madame Bélanger? »

Louisette embraye, et c'est ainsi que Toinette quitte Saint-Romain. Tout en conduisant, Louisette continue d'entretenir l'illusion: quand la chaussée est raboteuse, c'est que « l'eau est passée ». Une clôture renversée? « L'eau, encore. » Soudain, Louisette dit à sa mère:

« Maman, est-ce que ça vous arrive, vous, d'entendre des voix?

— Toé'si? Qu'est-ce qu'y disent?

— Y disent “Continue”.

— Bon ben continue. »

À 500 mètres de l'hôpital, Louisette tombe en panne d'essence. Heureusement, mes parents arrivent sur ces entrefaites. Louisette sort, va cacher mon père dans le fossé et transfère la Duchesse de Winslow dans son nouveau carrosse – elle ne verra d'ailleurs rien d'étrange à ce que ma mère se soit soudain matérialisée près d'elle, sur la banquette arrière.

Finalement, à l'urgence de l'hôpital, tout s'est très bien passé. La Duchesse de Winslow a accepté tous les traitements, y compris le thermomètre rectal. Les médecins l'ont guérie de ses « mammifères ». Et c'est ainsi qu'elle a vécu les dix dernières années dans un foyer de vieux, en avalant chaque jour à son insu sa dose de psychotropes diluée dans son verre de jus de tomate.

« Pierre est content. »

Le lendemain de son hospitalisation, Toinette a demandé à ma mère ce qu'il était advenu de la maison, et ma mère a simplement répondu que mon père s'occupait des assurances. Et c'est ainsi que la Grande Évacuation de 1992 a mis fin à la proclamation du 19 mars. Encore que, ayant sorti la Duchesse de son Winslow, nous avons pu vérifier pendant dix ans que jamais Winslow ne sortirait complètement de la Duchesse et que, même au foyer, elle serait toujours en compagnie d'« eux autres ».

Chapitre 13

Les étés Montréal

Où l'auteur, ayant fait rimer Montréal avec festival, renoue avec la bohème montréalaise et ses Drames urbains, dévoilant au passage les origines étranges de la migration saisonnière des Montréalais vers un appartement nouveau, pour finir par s'interroger sur le côté « bar ouvert » de Montréal, livrant au lecteur impatient le truc pour retrouver à la fois le vélo et le voleur.

Je retenais mon souffle depuis l'enterrement de Toinette, mais nous sommes enfin de retour à Montréal. Attendez un peu de voir notre nouvel appartement : dix pièces, tout en boiseries de chêne, plancher de bois, vieux radiateurs en bronze, 3 mètres de plafond, trois balcons, cuisinière, frigo, lave-vaisselle, sécheuse, laveuse, plus un espace de rangement dans la cave. Tout cela pour 1 200 dollars par mois, le tiers de moins qu'à Toronto, pour deux fois plus grand, dix fois plus confortable, dans une ville cent fois mieux que Toronto.

À la première occasion, Julie-ma-Julie et moi abandonnons le déballage pour aller nous balader sur notre cher vieux mont Royal.

Nous habitons coin Jeanne-Mance et Saint-Joseph, à un pâté de maisons de l'avenue du Parc. C'est la première fois depuis mes études que nous vivrons aussi près du mont Royal, qui représente pour moi le sommet de ce que la ville de Montréal a de mieux à offrir.

Il s'agit d'un très vaste parc monté sur la colline qui a donné son nom à Montréal. Les Montréalais l'appellent « la montagne », mais le mont Royal est davantage une butte qui présente une très belle falaise côté centre-ville. En apparence, on dirait de la nature, mais il s'agit d'un environnement fabriqué au même titre que les chutes du Niagara – mais sans le côté Clifton Hill. Son architecte, Frederick Law Olmsted, est le même qui a conçu Central Park à New York. Outre l'absence de chutes, la différence avec le Niagara en est une d'esprit : le parc du mont Royal est d'abord conçu pour les Montréalais alors que tout à Niagara est voulu pour les autres. Cela résume d'ailleurs très bien la différence entre Montréal et Toronto : les Torontois se sont donné une ville pour les autres alors que les Montréalais s'en foutent un peu. Pour mettre les Torontois à l'aise, ils font semblant de tenir compte de l'opinion des autres, mais quand ils sont entre eux, ils s'en balancent mont-royalement.

Sur le mont Royal, on reconnaît tout de suite les touristes européens ou asiatiques. Ils sont les seuls à photographier les écureuils. C'est d'ailleurs selon le degré d'intérêt qu'ils portent aux écureuils que l'on distingue le touriste de l'immigrant installé, qui ne les remarque plus. Et là, ils se mettent à s'intéresser aux marmottes urbaines. Puis aux ratons laveurs urbains. Les meilleurs vont apercevoir le renard du mont Royal.

Pendant les deux années où nous vivrons à cette adresse, j'enfilerai chaque matin à l'aube mes chaussures de marche (et mes crampons l'hiver) pour aller me taper cinquante minutes de balade sportive sur le mont Royal. Dès le premier week-end, je me monte un petit itinéraire que j'appelle mon « circuit alpin ».

Cela consiste à attaquer direct dans la falaise vers le belvédère Nord, puis à longer toute la falaise par un sentier en observant le lever de soleil, ensuite je redescends par le grand escalier, je reviens par le chemin Olmsted, je passe près de la statue de George-Étienne Cartier, je saute des clôtures dans le parc Jeanne-Mance et me revoici à la maison. Cinquante minutes top chrono, comme on dit en France.

Une fois ou deux, j'ai essayé ce parcours dans l'autre sens, mais c'est nettement moins intéressant. Ça n'a pas vraiment de sens de grimper face à la falaise par le grand escalier et de tourner le dos à la vue, qui est spectaculaire à cet endroit. Chaque fois que je grimpe le grand escalier, je cherche à observer la vue sans regarder où je vais et je trébuche. De même, la vue de la falaise quand on est tourné vers le nord et l'est est tout simplement moins intéressante.

Montréal est une ville assez laide, mais qui a du charisme. Elle a très peu de complexes, comme ces grosses bonnes femmes atroces qui se font bronzer en bikini et dont la joie de vivre et l'allant sont si communicatifs qu'on en oublie la mocheté et les bourrelets. C'est un peu ça, Montréal : une ville construite un peu n'importe comment, sans plan précis, conglomérat de villages anciens au travers desquels on a mis des autoroutes et des feux de circulation « pour faire moderne » et des chantiers de voirie « pour montrer qu'on est capable ».

Du haut de la falaise, on voit assez bien les contrastes entre les quatre Montréal qui font Montréal : le centre-ville à l'américaine avec ses gratte-ciel, les lointains faubourgs banlieusardoïdes, sa vieille ville anglaise et ses quartiers de duplex-à-escaliers-en-fer.

Les trois quartiers qui bordent notre appartement – le Plateau Mont-Royal, le Mile-End et Outremont – forment à mon avis l'échantillon le plus intéressant de ce Montréal hétéroclite.

Le Plateau Mont-Royal s'appelle ainsi parce qu'il est construit sur un plateau de la colline, autour de l'avenue du Mont-Royal, qui relie la montagne et le

Stade olympique. Le Plateau est constitué de maisons ouvrières en rangées assez mal construites – sans sous-sol, avec des escaliers extérieurs en métal. Depuis 1995, le quartier vit un boum immobilier sans précédent. Il est surtout sociologiquement très distinct du reste de la ville et du Québec : très branché, très urbain, le paradis du bourgeois bohème. Un habitant sur cinq y est travailleur indépendant. On ne compte plus les journalistes, graphistes, scénographes, artistes, programmeurs qui y travaillent à la maison en indépendants. C'est cette urbanité très libertaire qui fait que l'on parle de la République du Plateau, car c'est une entité sociologique très distincte du reste du Québec avec sa propre télé et sa propre radio, Radio-Canada, qui répand la bonne nouvelle du Plateau dans tout le Québec.

Le Mile-End fait une sorte de triangle coincé par la voie ferrée et l'avenue du Parc. Techniquement, le Mile-End fait partie du Plateau Mont-Royal, mais il en est sociologiquement très distinct à cause de l'empreinte des immigrants. Le Mile-End a été le premier quartier d'immigrants à Montréal, accueillant Juifs, Grecs et Italiens dans une joyeuse ribambelle de bagels, de keftas et de spanakopitas. Outre deux ou trois fabriques de bagels qui sont des institutions dans le quartier, un des cafés les plus populaires est l'Olimpico, rue Saint-Viateur, mieux connu sous le nom bancal de « Open Da Night » du fait que ses propriétaires italiens ne se sont pas encore donné la peine de remplacer quelques lettres qui sont tombées de la vitrine, si bien qu'« Open Day & Night » est devenu « Open Da Night ».

L'autre quartier, juste à l'ouest, est Outremont. En fait, jusqu'en 2003, il s'agira d'une ville dans la ville, tout en arbres. Il y a en fait trois Outremont : l'Outremont Pas Cher (près de chez nous), l'Outremont Ma Chère (très cossu) et l'Outremont Cachère, car bizarrement une forte communauté de juifs hassidiques, environ cinq mille, s'y est installée et chevauche le Mile-End. Outremont est aussi la colonie française de Montréal : c'est ici que se trouvent la maison du Consul général de France et le Collège Stanislas, qui dispense le même enseignement qu'en France, et on y trouve les journaux français jusque dans les dépanneurs.

Le fait est que Montréal est une fusion. C'est, avec Miami, l'une des rares villes biculturelles du continent. Des villes bilingues, il y en a plusieurs, mais pas des villes biculturelles. Toronto, qui se veut multiculturelle, est en fait une monoculture anglophone vaguement transgénique. Montréal n'est rien : elle n'a même pas le statut de capitale provinciale, mais c'est la capitale spirituelle du Canada. La seule vraie ville canadienne, si on veut. En fait, c'est moins une ville qu'un phénomène. Ce qui explique, selon moi, sa relation difficile avec le ROC (Rest of Canada) et le ROQ (Rest of Quebec).

Montréal a été fondée par des religieux français, mais ce sont d'abord les Anglais qui l'ont structurée pour lui donner sa forme actuelle. Le Vieux-Montréal, qui se situe dans l'ancienne Ville-Marie, fait davantage penser à la City de Londres qu'à une ville française. Les principaux hôpitaux sont dans l'ouest de l'île, comme l'aéroport, les grands musées, la première université... Très tôt, cette Montréal anglaise fut envahie de paysans canadiens-français qui fuyaient leurs campagnes, puis par des immigrants. Ses banques sont aussi le résultat de cette fusion : il y a les banques francophones comme la Laurentienne et la Banque Nationale, mais aussi la Banque Royale du Canada (avec son gros lion rugissant), la Banque canadienne impériale de commerce et la Banque de Montréal. Les autres grandes institutions bancaires du pays, Desjardins, la Toronto Dominion et la Scotia, sont des émanations de Québec, Toronto et Halifax.

Julie-ma-Julie et moi avons été absents de Montréal presque quatre ans et Montréal a repris du poil de la bête dans cet intervalle – un changement si soudain que tout le monde a été pris par surprise. Depuis les années 1960, Montréal était affligée par une espèce de crise économique permanente sur fond de restructuration économique. Avant 1960, Montréal se caractérisait par des industries lourdes – aciéries, fonderies, pétrochimie – qui ont toutes périclité progressivement. Des quartiers entiers sont devenus chômeurs. À cela s'est ajouté la montée du nationalisme québécois, qui a provoqué un exode des anglophones, qui constituaient non seulement la partie riche de la société, mais surtout les cadres techniques. Les plus intelligents, ceux qui étaient capables d'apprendre à parler le français, sont heureusement restés. Cela ne s'est pas fait sans heurts ni douleurs, mais deux référendums plus tard, les anglophones du Québec ne sont plus exactement étrangers à l'autre moitié de la société montréalaise.

Donc, une restructuration qui aurait dû prendre vingt ans en a pris presque cinquante, mais au début des années 2000, il est clair que Montréal s'en sort. Les vieux terrains vagues que l'on observait partout dans la ville sont en construction, le prix des maisons monte, les locataires achètent leurs logements. On ne peut pas tellement parler d'embourgeoisement ; c'est plutôt une remise à niveau générale.

L'autre trait distinct de Montréal, parmi les villes nord-américaines, c'est le mélange assez intéressant de rues résidentielles, commerçantes et industrielles. Tout l'urbanisme nord-américain s'est pensé autour d'une idéologie conçue dans l'Angleterre du milieu du XIXe siècle selon laquelle la ville idéale devait compter cinquante mille habitants et où les fonctions résidentielles, commerçantes et industrielles devaient être séparées. Ce qui a engendré le concept de villes-dortoirs ou de quartiers-dortoirs. Avec pour résultats que des sections entières de villes, voire des villes entières, sont à peu près mortes pendant une large part de la journée et certains jours de la semaine. C'est d'ailleurs ce qu'il y a de plus choquant dans cette abomination que l'on appelle le quartier Angus, à l'est du Plateau Mont-Royal, construit sur les terrains vagues jadis situés entre les *shops* Angus et Rosemont :

ce quartier lunaire où l'on ne trouve *aucun* commerce de proximité est une sorte de colonie banlieusarde au sein même de la ville. L'un des principaux attraits de Montréal découle du fait que son cœur a échappé à cette monstruosité. C'est particulièrement vrai à la jonction d'Outremont, du Plateau et du Mile-End, si bien que l'on y trouve tous les commerces et les banques que l'on peut imaginer. C'est très pratique. À l'échelle nord-américaine, il n'y a réellement que New York et San Francisco qui ont ce genre de personnalité mélangée. Toronto s'y essaie par endroits et y réussit presque, et c'est tout.

Nos deux proprios, celui de Toronto et celui de Montréal, ont trouvé fort étrange que nous déménagions au milieu du mois de juin. C'est que Julie-ma-Julie et moi tenions absolument à profiter de l'été montréalais et à ne pas souffrir du « 1er juillet ».

Montréal a des coutumes assez particulières, dont la plus remarquable est l'étrange besoin de migration qui s'empare des Montréalais autour du 1er juillet, date à laquelle près du tiers des baux de la ville arrivent à échéance. Et comme Montréal compte jusqu'à 60 % de locataires, c'est donc près de cent mille ménages qui déménagent le même jour ! Un vrai bordel, car les entreprises de location de véhicules doivent réquisitionner les camions jusqu'à 1 500 kilomètres à la ronde, et il n'est pas rare de voir des ménages entiers sur le trottoir parce qu'une famille attend le camion qui n'arrive pas alors qu'une autre famille doit emménager. Pendant des jours, des caravanes entières de beaux-frères dans leurs *pickups* traînant une remorque convergent vers la ville pour la soumettre à un invraisemblable cortège qui évoque l'exode de masse des Français fuyant l'invasion allemande.

Cette étrange coutume s'explique par le fait que, traditionnellement, les baux ne se terminent plus le 1er mai depuis 1975. Cette année-là, le gouvernement québécois s'est avisé qu'il était imbécile de voir 10 % de la population déménager en pleine année scolaire, le 1er mai, ce qui provoquait toutes sortes de difficultés dans l'administration scolaire. Tant et si bien qu'en 1975 le gouvernement a reconduit tous les baux du 1er mai au 1er juillet…

Ce qui n'explique en rien pourquoi les baux étaient tous échus, jadis, au 1er mai ! Il y a deux théories qui circulent. La première est qu'en 1750 l'intendant Bigot a décrété par ordonnance que les gens déménageraient le 1er mai. Il semblerait aussi que les Écossais, qui figuraient parmi les grands propriétaires d'immeubles montréalais, avaient pour coutume de faire leurs baux au 1er mai, comme cela se faisait en Écosse. Dans les pays celtiques, il semblerait que le *May Day*, une ancienne fête païenne, ait évolué en un congé accordé aux laboureurs après les semailles.

Cette grande migration saisonnière, aussi prévisible que les volées d'outardes à l'automne, est surnommée le « Festival du déménagement », par allusion à l'espèce de festivalite aiguë qui s'empare de Montréal chaque été.

Tout, à Montréal, est un festival. Cela commence toujours avec le Tour de l'île de Montréal et le défilé de la Saint-Jean, en juin, et c'est un feu roulant jusqu'à la fin de septembre : le Festival international de jazz, le Festival Juste pour Rire, les Francofolies de Montréal, le Grand Prix de Formule 1, la Fierté Gaie, le Festival de musique de chambre, le Festival BD de Montréal, le Festival de théâtre TransAmériques, le Festival de la poésie, le Festival de musique électronique Mutek, le Fringe, le Suoni per Il Popolo, le Festival Montréal-Baroque, la Carifête, le Festival international Nuits d'Afrique, le Festival de film de genre Fantasia, le Festival de musique urbaine MEG, Présence autochtone, le Festiblues, le Festival des films du monde, le Festival interdisciplinaire Les Escales improbables, le Festival international de la littérature, le Festival international de musique POP Montréal, le Festival musique et arts Osheaga, le festival Orgue et Couleurs et cela continue comme ça jusqu'en octobre. Il y a aussi quelques événements extraordinaires comme les défilés de la Coupe Stanley, devenus rarissimes, le retour des défilés de la Coupe Grey, sans compter l'agitation qui prend les Montréalais pendant la Coupe du Monde. On note aussi l'émergence d'une formule nouvelle, l'émeute sportive, qui gagne en fréquence et qui permet aux fans de célébrer tout à la fois une défaite ou une victoire en cassant des vitrines sans trop se casser la tête.

Montréal est à son mieux l'été, sa saison la plus euphorique. Cela débute avec les beaux jours, entre la mi-mai et la mi-juin, et cela se termine quelque part en octobre, à la fin des beaux jours. Les terrasses des cafés et des restos ne dérougissent déjà plus depuis la fonte des neiges, et cela fait deux bons mois que les belles et les beaux se font bronzer sur les balcons. Il monte chaque soir une odeur de barbecue, et les parcs du Plateau, surtout le parc La Fontaine et le parc du Mont-Royal, sont bondés de familles, de couples et de solitaires venus pique-niquer, prendre le soleil ou faire semblant de lire en zieutant la petite voisine qui, ma foi…

Montréal n'a pas cette activité industrieuse et besogneuse de Toronto, mais elle bouge différemment : on met plus d'argent dans les sorties, on y veille plus tard, on est moins gêné de boire en public – les statistiques de consommation d'alcool montrent que les Québécois ingurgitent moins d'alcool que les Ontariens, mais ils font tout leur possible pour que cela se voie.

Le trait qui ressort le plus fortement de Montréal est l'intensité de sa scène culturelle. En Amérique du Nord, on ne trouve pas de ville de sa taille qui compte autant de chaînes de radio, autant de télés, de journaux, d'artistes de pointe dans tous les secteurs, et une forte diffusion. Outre à New York et à San Francisco, on ne trouve nulle part la même intensité. En fait, le Québec est la seule province canadienne qui est une exportatrice nette de culture. Même aux États-Unis, peu d'États américains peuvent se vanter d'une telle performance.

Cette production culturelle est grandement associée à son trait dominant: sa bohème. Quarante ans de crise économique quasi permanente ont créé un environnement unique pour des artistes et des étudiants – il y a trois universités au centre-ville, plus une quatrième pas très loin, de l'autre côté de la « montagne ». Ce qui fait une ville, c'est d'abord la personnalité de ses habitants. Les Montréalais ont du caractère et sont passablement je-m'en-foutistes. Ils sont plus prompts à l'émeute. Leur hédonisme cache souvent un désir de ne pas en faire trop.

Ce retour à Montréal dans un grand appartement me permet enfin de déballer et d'exposer certaines œuvres d'art très personnelles qui sont pour moi des artefacts de la vie montréalaise que j'appelle mes « Drames urbains ». (Je cultive l'espoir secret d'organiser une exposition et de publier une collection de nouvelles sous le thème des *Drames urbains.*) Parmi les plus belles pièces, il y a l'ancien grille-pain de ma mère, et aussi un vieux calorifère tordu par une souffleuse à neige un soir de déneigement, par -20 °C.

Mais la pièce la plus évocatrice de mes étés montréalais, que je suspends au-dessus de mon bureau, consiste en une plaque de plastique verdâtre, qui est en fait un bac de recyclage fondu mêlé à des objets métalliques divers. C'est mon souvenir de la fameuse nuit d'émeute de juin 1993, quand le Canadien avait remporté sa dernière Coupe Stanley. C'était la première vraie belle journée d'été après un printemps particulièrement moche, et la ville bourdonnait d'une énergie spéciale. Toutes les fenêtres des maisons étaient ouvertes et l'on pouvait entendre la rumeur de quelques centaines de milliers de téléviseurs syntonisant la même chaîne et d'un million de bouches hurlant à l'unisson. Près de chez moi, il y avait deux types qui avaient passé la soirée sur le trottoir, dans un vieux divan défoncé, à regarder la télé et à boire de la bière en fumant des pétards. Comme je n'avais pas de télé à l'époque et qu'il faisait très chaud, je pouvais ainsi suivre les péripéties d'un match qui ne m'intéressait pas beaucoup. Évidemment, j'ai su comme tout le monde qu'« on » avait gagné. À la fin du match, mes deux gugusses sont allés faire l'émeute au centre-ville de Montréal, comme tout le monde... Ils ont aussi laissé une pile de mégots dans le vieux divan. Vers quatre heures du matin, le feu s'est déclaré dans le sofa, se propageant à la voiture garée devant. Le bruit des pneus qui explosent m'a réveillé et j'ai pu contempler le ballet des pompiers tentant d'éteindre l'incendie qui se communiquait aux deux voitures voisines. À proximité, quelques bacs à recyclage ont flambé, mais l'un d'eux, sous l'effet de la chaleur, a simplement fondu. C'est l'œuvre que j'ai récupérée le lendemain matin en la décollant du trottoir et qui figure désormais parmi mes belles pièces de la collection Drames urbains.

Montréal, dans mon esprit, est synonyme de vélo. Et quelques jours après le déménagement, pour célébrer mon retour, je décide d'acheter un beau vélo neuf – enfin, presque neuf. Il s'agit d'un vélo de location « neuf de l'année d'avant » que le loueur revend pour rafraîchir son stock. J'en suis très fier, d'autant plus que je n'ai que des vélos d'occasion depuis quinze ans, avec tous les compromis que cela suppose, car le vélo d'occasion n'a jamais tout à fait la bonne taille, le bon poids, les bonnes vitesses, les bons garde-boue, le bon support ou le bon panier. Là, tout est parfait. Et pour fêter mon acquisition, j'achète deux lampes et même un odomètre.

J'en jouirai exactement quatre jours. Au cinquième, en descendant avec mon casque pour aller à un rendez-vous, j'arrive devant le poteau où je l'ai verrouillé la veille. Et là, je reste bête dix secondes, le temps de comprendre que le cadenas cassé, sur le trottoir au pied du poteau, est tout ce qui reste de mon vélo neuf.

Nous sommes assurés, mais le vélo qui m'avait coûté 300 dollars vaut nettement moins que notre franchise d'assurance. Ayant appris ma leçon, je décide de ne plus acheter de vélo neuf et je ressors celui de Julie-ma-Julie, qu'elle n'utilise plus.

Le vélo de Julie-ma-Julie a toutes les qualités du vélo « antivol » : il est tellement laid et lourd qu'aucun voleur sain d'esprit ne voudrait l'acquérir. J'en profite pour m'acheter un super cadenas en kryptonite galvanisé au titane réputé incassable qui me coûte dans les 80 dollars, soit presque autant que la valeur résiduelle du vélo.

Contrairement aux Torontois, les Montréalais ont beaucoup de qualités, mais le respect de la propriété n'est pas l'une d'elles. Le vol de mon vélo, et les péripéties de l'été que je ne vous ai pas encore contées, ne font que confirmer l'impression que j'avais eue dès la première heure de notre arrivée, alors que Julie-ma-Julie et moi attendions le camion de déménagement.

Pour réserver un espace de *parking* devant la maison et faciliter le travail des déménageurs, nous avions disposé en bordure du trottoir une série de bidules – des seaux et de vieilles planches, puis une patère cassée, reliés par une corde – comme cela se fait habituellement dans une ville marquée par une très forte tradition déménagère.

Or, quinze minutes après avoir installé ce dispositif sur l'asphalte, je jette un coup d'œil et la patère a disparu. Alors je me précipite pour refaire le dispositif avec un seau fendu. Mais je n'en reviens pas : la patère cassée n'est nulle part. Voulez-vous bien me dire qui peut bien avoir voulu d'une patère cassée ? Surtout que, à l'évidence, elle servait à marquer un espace de stationnement.

Le même incident se répétera trois ans plus tard, à l'occasion d'un autre déménagement, alors que je tenterai de réserver la place devant notre immeuble avec trois seaux et un barbecue cassé. Sous une pluie battante, quelqu'un emportera deux des trois seaux et le BBQ cassé. Cassé !

« Les Montréalais sont quand même un peu voleurs », dirai-je un jour, quelques années plus tard, à un quelconque conseiller municipal que j'interviewais.

Le conseiller municipal a inventé un bel euphémisme pour ne pas avouer l'évidence. « Les Montréalais ne sont pas voleurs, mais ils ont tendance à "se servir". »

C'est bien le moins qu'on puisse dire. Montréal est un buffet ouvert (un exemple qui leur est d'ailleurs donné par leurs élus et leurs fonctionnaires municipaux). Quelle que soit leur classe sociale ou leur éducation, les Montréalais ne sont pas voleurs, ils se servent. Malheureusement, une fois qu'ils se sont servis, les Montréalais n'ont pas tendance à remettre ce qu'ils ont pris. Bien des années plus tard, pendant la Commission Charbonneau, on s'indignera du degré de corruption qui régnait à Montréal, mais cela n'aura été, au fond, qu'une dérive extrême d'une culture populaire assez peu respectueuse de la propriété. On se méprendrait de croire qu'il s'agit d'une mentalité anticapitaliste : on est plutôt dans une logique de « bar ouvert ». La Commission Charbonneau nous a montré que même les plus capitalistes se servent. Les petits paumés se servent dans les vélos et les privilégiés se servent dans les contrats de voirie. À part l'échelle, il n'y a pas grande différence.

Cette propension à « se servir » sera source de nombreuses mésaventures vélocipédiques dans les premiers mois suivant notre retour.

Deux semaines après avoir repris le vélo de Julie-ma-Julie, au sortir d'une clinique, je me dirige vers mon vélo verrouillé, je déverrouille mon cadenas en kryptonite galvanisé au titane incassable, j'enfourche mon vélo et me cogne le derrière sur la barre : la selle a disparu ! Encore un autre qui s'est « servi » !

C'est très désagréable de pédaler sans siège, alors je vais directement à la boutique de vélo où j'en achète un nouveau, qui me coûte 50 dollars.

Encore deux semaines plus tard, un Montréalais jette son dévolu sur le siège ET la roue avant du vélo antivol de Julie-ma-Julie. Alors il « se sert »... Et je retourne à la boutique de vélo pour y acheter une seconde roue, inamovible, et un troisième siège, pour 120 dollars. Si je fais le total de ce que j'ai dû payer depuis trois semaines en cadenas, selles et roue, j'en suis déjà au prix d'un vélo neuf !

De retour à la maison après cette nouvelle visite chez le marchand, je monte mon vélo dans le salon, je sors mon coffre à outils. Avec un tournevis, je gratte la peinture en plusieurs endroits très visibles et je donne un coup de couteau dans mon siège neuf, puis je répare la déchirure avec un gros ruban adhésif indécollable. Julie-ma-Julie arrive dans le salon sur ces entrefaites :

« Es-tu fou ? Qu'est-ce que tu fabriques ?

— Je rends mon siège antivol.

— En coupant ta selle ?

— Ils ne vont quand même pas me voler un siège endommagé !

— Tu trouves pas que tu y vas un peu fort ?

— Parce que c'est moi qui y vais fort, en plus ? »

À la fin d'août, pourtant, nouveau drame : mon vélo a encore disparu !

Cela commence à faire beaucoup. Cette fois, je vais au poste de police pour déclarer le vol – pour le principe. J'en profite pour déclarer aussi le vol précédent. Le policier de service me regarde comme si j'étais un Martien.

« Vous savez qu'on ne le retrouvera pas.

— Oui, mais je veux que ça paraisse dans les statistiques. »

Visiblement, je le dérange – même si c'est son travail.

« Êtes-vous certain ? »

Comme je ne bronche pas, le policier se résout, la mort dans l'âme, à sortir un formulaire et à enregistrer ma déposition.

Cette dernière anecdote a heureusement une fin heureuse, puisque je retrouverai à la fois mon vélo et mon voleur.

Un petit matin d'octobre, en sortant de chez l'imprimeur à deux pas de la maison, voilà-t'y pas que je retombe sur mon vélo, très reconnaissable à son panier de broche. Il est verrouillé avec mon propre cadenas à un poteau, avec mon casque toujours dessus – je verrouille toujours mon casque avec mon vélo. Heureusement, j'ai conservé la clé et je pars tout bonnement avec mon vélo… que j'avais verrouillé là à la fin d'août en allant chez l'imprimeur et que j'avais oublié, bêtement !

Voilà au moins un vol de vélo brillamment résolu.

Chapitre XXX

Starbuck multiculturel

Où l'auteur, surmontant une anxiété de performance bien légitime, fait quelques comparaisons informées sur les techniques de prélèvement de sperme entre Paris, Toronto et Montréal, et, ayant pimenté son exposé de quelques beaux problèmes d'arithmétique pour les écoles, tire des conclusions sur le mythe de la virilité.

Fidèle à ma promesse de vous parler des vraies affaires, je dois bien admettre que l'une des premières choses que nous avons faites en arrivant à Montréal n'est pas de fréquenter le Festival de jazz, mais plutôt de nous inscrire à la clinique de fertilité du Royal Victoria.

Je vais vous faire une confidence: cela fait déjà trois ou quatre ans que Julie-ma-Julie et moi essayons de concevoir des enfants. Cette activité de dilettante n'est pas désagréable, mais le pain ne lève pas dans le four, ce qui est une grave atteinte à la Survie de la Race. D'ailleurs, c'est parce que nous envisageons l'adoption que nous avons quitté la France, car l'adoption y est un véritable calvaire pour les candidats.

Je peux donc me vanter d'être une des rares personnes à avoir pu tester, sur une période de quinze mois, les cliniques de fertilité à Paris, à Toronto et à Montréal. Cette manière de Défi Pepsi du prélèvement de sperme fut une expérience interculturelle ô combien enrichissante[17].

Dans les grandes lignes, les principes généraux sont les mêmes. Le médecin commence par vérifier si monsieur n'a pas de malformation évidente – genre prépuce zippé, testicules rentrés ou pénis en équerre. Pour madame, le médecin s'assure qu'elle est pubère, ce qui n'est pas le cas de tout le monde, semble-t-il.

À la phase 2, le médecin vous propose un plan de baise en fonction des cycles de madame – ce qui peut être épuisant. En parallèle, le médecin demande à faire des prélèvements. Chez madame, il faut qu'il aille voir et c'est très douloureux. Chez monsieur, c'est amusant : le prélèvement consiste à jouir dans une éprouvette.

C'est d'ailleurs à ce chapitre que les différences culturelles sont les plus marquées.

Mes études comparatives ont donc débuté à Paris dans un laboratoire médical non loin de chez nous, au lieu bien nommé de La Fourche – ça ne s'invente pas. Je me pointe avec l'ordonnance du docteur, et l'infirmière me sort une éprouvette à bouchon qu'elle met dans un sac de papier brun avec une étiquette, et elle me donne une lingette et quelques recommandations, sans trop faire attention au volume de sa voix :

« Alors vous vous lavez le gland avec la lingette, que vous jetez dans la poubelle immédiatement.

— Merci madame. »

J'ai dû rougir, car elle me dit avec juste assez de force dans la voix pour que tout le monde entende :

---

17. Et toujours dans cet esprit de fidélité à ma promesse de vous dire les vraies affaires, j'amorce la rédaction de ce chapitre XXX en éprouvant une certaine anxiété de la performance. Mais comme le dit si souvent mon vieux père, ce grand altruiste, quand il s'agit de faire don de soi, il faut payer de sa personne.

« Pas de lubrifiant. Pas de salive. Vous y allez à sec. »

Pris au dépourvu, je lui réponds dare-dare :

« Et je fais ça ici, comme ça ?

— Non, mettez-vous là. »

Elle désigne la porte des toilettes, à deux mètres derrière moi. Un cabinet minuscule, tout blanc, beaucoup plus petit qu'une toilette d'avion et avec le charme des toilettes françaises, avec leur odeur inimitable de désinfectant au parfum de pamplemousse. Bref, ce ne sera pas la partouze.

De façon générale, on traite mieux le taureau géniteur que l'honnête citoyen qui cherche bravement à se dégorger le poireau dans le cabinet anonyme d'un laboratoire parisien.

En 1997, au centre d'insémination artificielle de Saint-Hyacinthe, j'avais assisté à une saillie du célébrissime Starbuck Ier, un gros taureau géniteur d'une tonne qui a rendu assez de semence pour engendrer une descendance prodigieuse : 200 000 veaux dans quarante-cinq pays ! Starbuck Ier, dit Le Généreux, était une vedette et il avait droit à un traitement de choix. Tous les deux jours, on sortait messire Starbuck de sa suite pour l'approcher d'un taureau castré – ils sont tous gais, à Saint-Hyacinthe, je veux dire les taureaux. Et là, Starbuck Ier le montait. Pendant que Sa Majesté s'excitait avec moult beuglements sur la croupe du castrat de service, un courageux employé s'approchait en catimini, tenant à la main un long étui pénien. On conçoit aisément tout le courage qu'il faut à un fonctionnaire pour se tenir ainsi à deux pas de trois tonnes de steak haché en puissance secouées de spasmes et de soubresauts. Au moment crucial, le brave fonctionnaire doit enfiler l'étui sur la cinquième jambe de messire Starbuck. Et là, pout pout pout, trois petits coups de remontoir et Sa Majesté avait donné. Après quoi, on ramenait le Starbuck à sa suite, tout rassasié.

Ce n'est pas pour me vanter, mais Julie-ma-Julie m'a toujours complimenté sur ma performance. Pas le plus grand de sa classe, mais diligent, toujours prêt, un peu énervé parfois, mais qui livre toujours la marchandise. Mais bon, là, je dois dire que, dans le cabinet du laboratoire au lieudit La Fourche, le gendarme a mis du temps à se laisser convaincre. Comment s'exciter dans un cabinet trop étroit, sans instrument, ni miroir, ni bonne samaritaine, en se sachant guetté par la réceptionniste ?

On peut s'efforcer de rêver, y aller de la main gauche pour se faire croire que c'est quelqu'un d'autre, mais bon, madame la réceptionniste est à trois mètres, et elle écoute, j'en suis sûr, la cochonne. À moins qu'il y ait des micros et des caméras cachés – je m'imagine à *Surprise sur prise*, à me remonter le pendule tandis que Béliveau est de l'autre côté de la porte qui m'attend avec ma femme, ma mère, mon père, mon frère, et tous mes amis – « Surprise sur prise ! »

Et puis, un autre truc castrant, c'est qu'on ne peut pas en envoyer partout : on est là pour donner, alors il faut viser juste dans un orifice d'éprouvette SANS TOUCHER LA SUSDITE ÉPROUVETTE. Donc, tandis que j'essaie d'amorcer la pompe, je cherche en même temps la méthode pour ne pas en renverser partout. Très inspirant. Car si je rate mon coup, je dois attendre deux jours pour recommencer. Dans un contexte de bagatelle normale, il suffit de vingt à trente minutes pour une recharge et madame n'est pas regardante sur la qualité du sperme. En clinique de fertilité, on cherche la qualité taureau reproducteur A1, alors il faut deux jours pour recharger le fusil. Pas question de rater la cible.

Bref, ne me demandez pas comment j'ai fait mon compte, mais au bout de dix, douze minutes, je contemplais enfin mon petit trois centimètres cubes de morve dégoulinant sur la paroi intérieure de l'éprouvette avec un sentiment d'émerveillement.

Une éjaculation standard ne fait pas plus de quelques millilitres – jamais plus de six. Ce n'est pas bien gros, dans une éprouvette, mais songez un instant à toute l'énergie que nous déployons pour en arriver à si peu. La plupart des types s'imaginent éjaculer – ohf – un petit verre, une champlure pour les plus ambitieux. Mais il faudrait au contraire qu'ils tirent cinq à huit coups pour remplir une cuillerée. Les scènes de cul dans les romans vous parlent toujours de types qui « explosent », alors qu'on parle de deux ou trois millilitres de bave gélatineuse qui voyage sur un mètre, voire deux les bons jours de prostate reposée. Ce n'est pas une explosion : c'est un pétard mouillé.

C'est une vérité universelle de la psychologie du mâle : il jouit et il est fier de jouir. Un pénis n'est en fait qu'une vulgaire trompe, mais il est le centre de l'orgueil du mâle. Les comportements les plus intimes de l'homme sont orientés vers la démonstration de sa puissance ou la protection de l'instrument. Observez une équipe de joueurs de basket qui débarquent de l'autocar au milieu d'un champ pour aller pisser leur bière. En l'absence d'un mur, les trois quarts d'entre eux iront pisser en équipe autour du brin d'herbe le plus haut. La plupart des femmes imaginent, à tort, être en présence d'un réflexe de chien-chien devant la borne-fontaine. En fait, cet atavisme universel est une manifestation de la peur de la castration.

Tout passe par la trompe. Une fois, alors que je faisais un reportage sur l'industrie de la capote, je visite un fabricant dans un salon de l'industrie pharmaceutique. Son stand se démarquait par la présence d'un gros melon d'eau tenu à la verticale grâce à un support ingénieux. Le représentant au comptoir se faisait bien évidemment demander par tout le monde, et moi le premier, ce qu'il faisait là avec sa pastèque. Et quand il avait suffisamment de monde autour de lui, le représentant, sans rire, sortait une capote et l'enfilait sur le melon au grand complet. « C'est pour vous dire que ces capotes conviennent à toutes les tailles et que si on faisait des tailles spéciales, ça serait des plus petites. »

Vérité fondamentale : on ne peut pas vendre des capotes format mini. Il n'y a pas un mec qui oserait le demander. Parce que tous les mecs s'imaginent avoir une trompe d'éléphant entre les jambes. Une trompe ? Que dis-je ! Un roc, un pic, un cap, une péninsule ! D'ailleurs, notez la sémantique des marques de capotes : Ramsès, Trojan, Crown et, ma préférée, Beyond Sept (plus de sept). On fait dans le gros. C'est un peu comme les cafés de chez Starbucks – le cafetier, pas le taureau. Pendant quinze ans, son plus petit café était le *tall* (grand). Depuis, ils ont introduit un piccolo, qui fait quand même 300 millilitres et qui est en fait une tasse normale. Quiconque voudrait vendre des tailles de capotes différentes devrait appeler la plus petite la *big*, la moyenne, la *extrabig*, et la plus grosse, la King Kong. Pour arriver à vendre des petits formats, il faudrait que les commerçants modifient leur système d'emballage et réorganisent leur distribution sans que ça se sache tout en étant certain que ça se sache auprès des principaux intéressés (les « monsieurs » avec des petites bites ou les conjointes de « monsieurs » à petites bites). Irréalisable. L'orgueil mâle est inversement proportionnel à la taille de sa trompe.

On se méprend d'ailleurs beaucoup sur le sens de ce classique des pages roses du Larousse, *Veni Vidi Vici*, que César aurait prononcé revenant des Gaules, et que l'on croit qui signifie « Je suis venu, j'ai vu et j'ai vaincu ». En réalité, c'était un brillant jeu de mots latin qui voulait dire : « J'ai vu vingt culs, et je suis venu[18]. » Que de vanité, même dans le stupre !

Tout en me remballant l'instrument, l'idée m'a traversé l'esprit de sortir du cabinet avec l'éprouvette en y allant d'un « Dix minutes top chrono, les mecs ! Je vous laisse les restes » du meilleur goût. Mais j'ai plutôt fourré mon prélèvement dans le sac et je l'ai remis à la réceptionniste en main propre – je m'étais lavé, oui. Elle m'a fait un petit regard et a pincé les lèvres avec un sourire en coin d'allumeuse de films pornos, l'air de dire : « Ah ! Bravo ! »

Une semaine plus tard, le laboratoire me postait les résultats de mon « spermogramme ». Cela tient

---

18. Maman, tu vois : je n'ai pas fait deux années de latin pour rien !

sur une page. Un type avec son microscope a passé des heures à examiner mon sperme pour compter les têtards. Toujours est-il que mon spermogramme est normal, même si le mec a vu de fort vilains têtards. Sur les cent cinquante millions d'une éjaculation normale, on compte une bonne part de spermatos à deux, trois, voire quatre têtes. Ou bien des têtes à deux, trois, quatre flagelles. On mesure si c'est visqueux ou pas, et si les spermatozoïdes avancent ou pas et à quelle vitesse. Tels les G.I. sur la plage d'Omaha le 6 juin 1944 au matin du débarquement de Normandie, la moitié est déjà mal en point et un quart est carrément mort. Et c'est cette armée d'éclopés et d'infirmes qui est censée féconder un ovule. Ce n'est pas pour rien qu'on parle du miracle de la vie.

À Toronto, j'ai montré mon spermogramme français au médecin torontois, mais celui-ci était trop multiculturel pour lire le français. Il a donc fallu tout reprendre, ce qui allait me permettre de constater qu'on ne donne pas ses spermatozoïdes à Toronto comme on le fait à Paris.

Armé de mon ordonnance, je vais au laboratoire, sur la rue Clare, dans le nord de Toronto, et la réceptionniste me remet un sac de papier brun avec une feuille d'instructions – juste du texte, pas d'image. Je lui demande avec une assurance de pro :

« Alors, je fais ça où ?

— Chez vous.

— On ne fait pas ça ici, aux toilettes, maintenant ? »

Son sourire s'est crispé, et elle a eu une inquiétude dans le regard. J'ai dû avoir ce petit regard genre : « Chez nous ou chez vous ? »

« Non, jamais.

— Vous êtes sérieuse ? Je dois aller chez moi ? C'est loin, à vélo, et il faut revenir à vélo aussi.

— Dans l'heure.

— Le matin ?

— Oui, ça part au laboratoire à 10 heures.

— Donc, il faut que je vous apporte ça le plus près possible de 10 heures pour que les petits spermatozoïdes soient en forme. »

Je pense qu'elle n'a pas apprécié le mot « spermatozoïde ».

« C'est écrit sur la feuille. »

J'ai vu dans son regard qu'elle était sur le point d'appeler la police pour harcèlement. C'est curieux: c'est une des rares employées ontariennes que je n'ai pas entendue dire *I-don't-know, I'm-so-sorry* ou *Can-I-help-you.*

Je suis donc sorti gros jean comme devant avec mon sac de papier brun sur la rue Clare. Il y avait, pas loin, un parc. J'aurais pu aller me masturber dans le buisson et revenir à la course. Mais c'est des trucs à la con, si un passant prévient la police: « C'était pour un prélèvement, Votre Honneur. » Bon, j'aurais pu aussi aller me masturber dans une toilette du Tim Hortons d'en face, mais c'est encore un autre truc à la con. Autant se remonter le pendule chez soi tranquillos.

Je m'exécute donc par un petit matin frisquet d'octobre.

Beau problème pour les examens de maths du ministère:

« Sachant qu'un spermatozoïde survit 60 minutes à l'air libre et qu'il faut arriver au laboratoire avant 10 heures; sachant aussi qu'il faut 6 minutes pour jouir, 6 minutes pour se vêtir, déverrouiller et reverrouiller le vélo, 42 minutes à vélo et 3 minutes de marche, à quelle heure faut-il commencer à se masturber[19] ? »

J'en conclus que, si je veux arriver à l'heure avec de beaux spermatozoïdes frais, je dois avoir joui au plus tard à 9 h 09, et donc amorcer la pompe à 9 h 03. Je pourrais commencer beaucoup plus tôt, mais le délai risque de provoquer l'hécatombe dans le spermogramme.

Fidèle à ma réputation de « petit vite de Sherbrooke », je m'organise pour orgasmer à 9 h 06. Ayant

19. Les résultats en maths seraient tellement meilleurs si les problèmes étaient posés de la sorte, vous ne pensez pas?

joui dans mon éprouvette avec trois minutes d'avance sur l'horaire, je mets le tube bien au chaud contre ma peau satinée pour dorloter mes petits spermatozoïdes douillets, je chausse mon casque et je pars à mouliner en faisant gaffe aux rails de tramway, aux intersections. Ce n'est pas le moment de faire la manchette du *Toronto Sun* avec son sens inimitable de la formule: *Quebec Cyclist Stabbed by Sperm Tube* («Cycliste québécois poignardé par une éprouvette de sperme»).

Toujours est-il que j'arrive à 9 h 50, dix minutes avant la cueillette des éprouvettes. Je remets mon sac de papier brun et je m'en retourne – c'est une descente continue jusqu'à la maison.

Je recevrai le résultat dix jours plus tard. Laconique: «*Sperm count: Normal.*» Pas de détails. Le médecin, que nous revoyons à la fin de décembre, nous conseille un programme de baise qu'il faudra reprendre à Montréal, puisque nous quitterons Toronto avant l'été.

À Montréal, nous recommençons le processus, cette fois avec sérieux: au centre de fertilité de l'hôpital Royal Victoria. Alors là, c'est le paradis. Au lieu de me donner mon éprouvette, mon sac de papier brun et un feuillet d'instructions, l'infirmière me demande si je suis disponible.

«Ah, parce qu'on fait ça sur place?

— Ça ne vous dérange pas, j'espère.

— Non, pas du tout, mais j'arrive de Toronto, et ils nous envoient chez nous avec un sac en papier brun.

— On vous demande seulement d'être abstinent trois jours avant et de ne pas prendre de bain chaud.

— Justement, je ne me suis pas abstenu hier soir.

— Ah! Alors il faut prendre rendez-vous.»

Je me présente donc la semaine suivante, un bon jeudi après-midi après avoir convenablement rechargé les batteries. L'infirmière me donne mon éprouvette et une serviette puis m'emmène à la salle de don, qui comporte une sorte de lit en vinyle recouvert – c'est un hôpital – d'une feuille de papier déroulée. Il y a une télé, un lecteur de cassette et même un lecteur de DVD.

C'est spartiate, mais bien équipé. L'infirmière m'explique où jeter la serviette quand je me serai lavé.

« Vous avez des vidéos ?

— Non, ça, les gens doivent les fournir eux-mêmes. Par contre, on a récupéré quelques revues. »

Je regarde : effectivement le genre de revues inspirantes qui ne traînent pas habituellement dans les salles d'attente.

« De toute façon, ce ne sera pas très nécessaire.

— Vous êtes chanceux. Il y en a pour qui c'est plus compliqué. Il y en a même pour qui les interdits sont tellement forts qu'il faut pratiquement qu'ils reconstituent l'acte sexuel, et on a des espèces de capotes spéciales pour cela. »

Vous ne serez pas surpris d'apprendre que cela s'est très bien passé et que, finalement, mon spermogramme québécois est aussi normal que ceux de Toronto et de Paris.

Par ailleurs, les tests ont aussi démontré que Julie-ma-Julie est aussi fertile que moi. C'est juste que mes spermatozoïdes ont l'air de se perdre et ne parviennent pas à lui trouver l'ovule. Bon, on s'arrangera.

Le médecin, après nous avoir trouvé de beaux spermatozoïdes et de beaux ovules, ne voit pas ce qui cloche. Cela s'explique largement par le fait que la médecine est un art avant d'être une science, un peu comme la programmation de logiciel.

Les couples infertiles ont le choix de tout un arsenal technologique pour procréer, mais la première étape commence tout bonnement par des programmes de baise bien réglés – le secret étant qu'il faut y aller au jour J et à l'heure H avec un pistolet bien chargé.

Second problème d'arithmétique pour l'examen du ministère :

« Sachant que madame a un cycle qui oscille entre 19 et 35 jours et qu'elle ovule donc entre le 10e et le

25e jour; sachant aussi que monsieur a besoin de deux jours pour la recharge avant de tirer un coup de qualité A1 reproducteur, quels jours faut-il que monsieur baise madame pour avoir les chances maximales de procréer[20] ? »

Cela a l'air rigolo dit comme cela, mais c'est un sacré programme qui demande beaucoup de sérieux, d'assiduité et d'abnégation pour faire ainsi don de soi huit jours sur trente.

Pour monsieur, ce programme de baise consiste à donner là où la nature l'a prévu plutôt que dans une éprouvette, ce qui est beaucoup moins éprouvant. Cela se fait en général sur l'air de Pousse-fort-Adélard[21] ou de Oui-oui-c'est-bien-vrai-tu-m'as-mise[22]. Pour madame, ce peut être aussi très agréable, à condition qu'elle ne prenne pas ça trop personnel. Dans notre cas, après treize ans de vie de couple infertile, chaque test négatif avait le malheur de mettre Julie-ma-Julie dans tous ses états.

Si d'aventure les efforts de la nature ne donnent rien, il faut alors passer aux niveaux 1, 2, 3 et 4 d'intervention – autrement dit, on passe progressivement du bébé aveuglette au bébé éprouvette. Par un hasard mathématique, le numéro de ces niveaux correspond très exactement au chiffre apparaissant devant les trois zéros de la facture pour chacun des essais, en général trois par niveau. Ce qui revient à 3 000 dollars pour trois éjaculats au niveau 1 jusqu'à 12 000 au niveau 4. Faut vouloir, comme on dit.

La fertilisation est un commerce très lucratif qui se fait une belle affaire de jouer avec les insécurités fondamentales des futurs parents. Car chacune des tentatives a peu de chances de réussir. Et si vous décidez de vous retirer après la deuxième ou la troisième

20. Réponse : les 10e, 12e, 14e, 16e, 18e, 20e, 22e et 24e jours ou les 11e, 13e, 15e, 17e, 19e, 21e, 23e et 25e jours.

21. Fine allusion, ici, à un refrain grivois formulé dans la dernière moitié du XXe siècle, sur l'air célèbre de la *Marche des Cosaques de l'Oural*.

22. Autre grivoiserie mise en paroles par le chœur des élèves officiers du Collège militaire sur l'air de la *Marche du Hussard des Ardennes*.

tentative, il y a toujours quelqu'un pour vous dire : « N'arrêtez pas maintenant, ça pourrait marcher la prochaine fois... »

Et puis, il y a le fait que, contrairement à Céline et René, ni Julie-ma-Julie ni moi n'avons une volonté maladive de procréer – ce qui est très heureux, car nous n'avons pas tellement les moyens des cliniques de niveau 6 +, capables de vous cloner un petit René-Charles-tout-bouclé, pour autant de dizaines de milliers de dollars. D'ailleurs, leur René-Charles leur a coûté tellement cher que Céline et René, qui voulaient remettre ça, si je puis dire, se sont négocié un deux pour un avec Nelson et Eddy. Un redoutable négociateur, René.

Julie-ma-Julie et moi nous étions toujours dit que nous adopterions un deuxième ou un troisième enfant, mais nous commencerons au premier et c'est tout. Et nous pourrons continuer avec la baise déprogrammée.

CHAPITRE 15

Mon hymne à l'Estrie

Où l'auteur, ayant expliqué comment l'on prononce le nom de sa ville natale, présente sa vieille mère, son vieux père et son vieux frère, profitant de l'occasion pour faire son coming-out *anthroponymique et dévoiler le prénom qu'il a bien failli avoir, avant de faire une charge de l'orignal contre le culte des ancêtres.*

Tant de tests de fertilité et d'éjaculations programmées ne peuvent qu'épuiser son homme, qui profite de ses week-ends pour se ressourcer dans le terreau fertile du lieu de sa naissance, dont le nom glorieux lui fait chaque fois verser une larme : SHERBROOKE !

En France, je m'étais habitué à dire que je venais de Montréal, car la plupart des Français sont incapables de prononcer le nom de mon patelin d'origine.

« Vous venez de Cherbourg ?

— Non, Sherbrooke.

— Tobrouk…

— Non : Sherbrooke.

— Ah ! Chez Brock ! Vous êtes alsacien ? »

N'allez pas croire que les Français sont idiots. C'est le nom de Sherbrooke qui est idiot. Quelle idée en effet de nommer une ville du nord-est du continent américain du nom d'un ruisseau, le Sher, dont l'original coule sous les ponts du très lointain Lancastershire, à 5 000 kilomètres de là, au pays de sa Très Gratifiante Majesté la Reine d'Angleterre Dei Gratia Regina et Patatra ?

Le Québec est d'ailleurs divisé quant à l'exacte prononciation du nom. Les Sherbrookois disent Sherbrooke avec un fort accent anglais même si c'est le seul mot d'anglais qu'ils savent – genre « Cheux-bruc » –, avec le *r* pâteux bien anglais, et le *u* bien roteux comme dans *burp*. Il existe une autre variante locale qui sonne un peu comme « Chiâle, Bouc ». Ailleurs, on le dit de façon très francisée, genre « Cher Brouque ».

On peut se consoler à l'idée que cela aurait pu être pire si Sherbrooke avait conservé son ancien nom : Hyatt's Mills (les Moulins de M. Hyatt). Les Sherbrookois auraient été alors des *Hyattsmillsois*, et les urgences de la ville auraient été débordées de cas d'étrangers à la mâchoire déboîtée par ce mot. On mesure à quel point le changement de nom de la ville de Hyatt's Mills à Sherbrooke en 1818 présentait un enjeu de santé public considérable.

Ce nom de Hyatt's Mills est un vestige intéressant de l'histoire de cette région parcourue par les Abénaquis en toute tranquillité, jusqu'à ce que des loyalistes anglais fuyant la Révolution américaine viennent y établir des colonies, avant d'être submergée par la marée canadienne-française.

Bon nombre de bleds y ont des noms qui fleurent bon le whiskey et les châteaux fantasmagoriques, genre East Angus, Gould, Coaticook, Cookshire, Sawyerville. La filière écossaise est d'ailleurs considérable dans la région. Même le monstre du loch Ness y a un cousin, Memphré, qui terrorise les riverains du lac Memphrémagog, un grand lac à cheval sur la frontière canado-américaine – et qui a incidemment donné son nom à la ville où mon père a grandi, Magog – lequel n'a rien à voir avec les Gog et Magog de l'Ancien Testament.

On trouve souvent au Québec des noms composés mi-français mi-anglais. Ces noms sont un héritage des arpenteurs anglais, qui désignaient les cantons de noms évoquant leur terre d'origine, et des colons canadiens-français, qui donnaient à leur paroisse le nom d'un saint. Le résultat est d'un comique fou. Mon nom de bled favori est de très loin : Saint-Jacques-le-Majeur-de-Wolfstown (près de Disraeli), suivi de très près par Saint-Pierre-de-Vérone-à-Pike-River – (au sud de Saint-Jean) *ex æquo* avec Saint-Adolphe-de-Dudswell (derrière East Angus), Saint-Adolphe-d'Howard (dans les Laurentides) et Saint-Élie-de-Caxton (en Mauricie). La plus forte concentration de noms bâtards se situe d'ailleurs dans le triangle Sherbrooke-Drummondville-Victoriaville, avec des municipalités telles Notre-Dame-de-Ham, Saint-Rémi-de-Tingwick, Sainte-Clotilde-de-Horton ou Saint-Cyrille-de-Wendover. Cela n'existe qu'au Québec[23].

D'ailleurs, ce double héritage anglais et français est également visible dans l'organisation physique des villages, qui est observable un peu partout à l'est de Montréal. Les villages canadiens-français sont reconnaissables tout de suite à leur densité : il n'y a qu'une église, catholique bien sûr, et les maisons sont très proches les unes des autres, et souvent en bordure de la rue Principale. Les villages anglais, eux, comptent plusieurs temples, un pour chacune des sectes protestantes en place, et les maisons sont éloignées les unes des autres et séparées de la rue par une pelouse parfois très grande.

On croit à tort que ce contraste tient du niveau socio-économique des gens : les Canadiens français étaient pauvres, et les Anglais étaient riches. Mais en

23. Le jury décerne également un prix spécial à Saints-Martyrs-Canadiens, près de Saint-Joseph-de-Ham-Sud. Bravo, les Martyrois et les Martyroises ! Votre martyre n'aura pas été vain.

réalité, ce n'est pas ça du tout. Cela tient d'abord des caractéristiques des communes françaises et anglaises qui sont visibles dans les pays d'origine et qui ont été reproduites partout. Si vous allez à Sainte-Geneviève, dans le Missouri, vous pouvez voir un village canadien-français typique. En fait, ces différences d'origine ont été amplifiées par l'histoire coloniale. Les Français disposaient les terres en bandes dans l'axe des cours d'eau et des routes, ce qui en facilitait l'accès mais aussi la défense et le regroupement des habitants. Les Anglais, eux, avaient plutôt pour habitude de lotir leurs terres en carrés et d'installer la maison au milieu, ce qui compliquait les regroupements et la défense. Ce qui explique aussi en partie pourquoi la colonie française a pu tenir un territoire vingt fois plus grand avec seulement un vingtième de la population des Anglais. Bien sûr, les guerres coloniales entre Anglais et Français se sont terminées il y a deux siècles, mais on a continué à organiser les villages de la sorte.

Je vis maintenant à Montréal, alors ma principale raison d'aller à Sherbrooke est que j'y ai encore des amis, mes parents et beaucoup de souvenirs.

Mon vieux père et ma vieille mère se sont rencontrés sur une patinoire de Magog, où ma mère était descendue à la ville pour devenir infirmière. Mon père, qui étudiait à la jeune faculté de génie de l'Université de Sherbrooke, vivait encore chez ses parents à Magog. Mon père jouait beaucoup au hockey à l'époque et ma mère, elle, était une excellente patineuse artistique, la petite reine de son village. Mes parents se sont connus grâce à mon oncle Laurier, le frère de mon père, qui était magasinier à l'hôpital La Providence, à Magog, où ma mère étudiait. Laurier, que je soupçonne d'être tombé sous le charme de ma mère, ne savait pas patiner, alors il a demandé à mon père d'emmener la petite Bélanger patiner. La petite Bélanger de Saint-Romain a dû trouver que ce petit Nadeau de Magog avait, ma foi, un bon coup de patin, car les fiançailles n'ont pas tardé.

Je suis né en toute légitimité deux ans et demi après le mariage, mais je n'en demeure pas moins une sorte d'accident de la nature. Ma mère a beaucoup souffert à ma naissance – un euphémisme pour dire que je suis né avec la tête en torpille et le crâne tout déformé par vingt-quatre heures de travail, avec l'empreinte des forceps dans le front. J'étais un bébé affreux, ce qui prouve que le temps finit toujours par arranger les choses. En fait, j'étais tellement laid qu'il n'existe aucune photo de moi avant l'âge de quatre mois.

Ma survie tient du miracle. C'était en 1964, une date plus proche du débarquement de Normandie que de la chute du mur de Berlin. On pratiquait donc encore à Sherbrooke une médecine de guerre, et il s'en est fallu de peu que je passe dans la colonne des pertes. Je suis né à terme, mais minuscule, à peine deux kilos. J'étais tellement chenu que le médecin a carrément dit à ma mère que c'était une perte de temps que d'essayer de me nourrir. Heureusement, ma mère s'est obstinée, ce qui explique que vous lisiez ce livre.

Mon père est ingénieur, et je l'associerai toujours à l'apprentissage des mathématiques et plus particulièrement du calcul mental, qu'il passait ses soupers à nous enseigner en découpant des pommes pour expliquer les fractions. Un de ses jeux favoris était de nous interroger sur le système métrique. À cette époque, dans la première moitié des années 1970, le Canada passait du système de poids et mesures impérial au système métrique. Je me rappelle distinctement les publicités du gouvernement – « À 100 degrés Celsius, l'eau bout » ou « À 0 °C, l'eau gèle » –, affirmations contestables puisqu'il était de notoriété publique que l'eau gèle à 32 degrés (Fahrenheit) et bout à 212 (Fahrenheit). En réalité, même quarante ans après la conversion officielle, le système impérial demeure très usuel. Une large part de la population est en fait bilingue métrique-impérial : on se mesure en pieds et en livres, mais les distances sont en kilomètres et les températures sont universellement métriques au-dessous de zéro et résolument en Fahrenheit au-dessus de la température ambiante de 20 °C.

Mon père, de par son travail, connaissait par cœur toutes les conversions entre le système métrique et le système impérial ou américain. Alors je sais qu'un mille de 5 280 pieds fait 1,625 kilomètre ; qu'un pouce fait 2,54 centimètres ; qu'un kilo pèse 2,2 livres ; et que si vous multipliez les degrés Celsius par 9/5e et ajoutez 32 cela donne les degrés Fahrenheit, et qu'à l'inverse il faut d'abord soustraire 32, puis multiplier par 5/9e pour convertir un Fahrenheit en Celsius. C'est très facile.

Quant à ma vieille mère, elle ne veut pas que je vous parle d'elle, alors je vais seulement vous dire que je l'aime, qu'elle est très belle et qu'elle a du caractère. Si j'avais à caractériser mon père avec un totem animalier, ce serait un hibou. Ma mère serait plutôt le genre colibri en *overdose* de caféine. Dialogue typique :

Ma mère — Veux-tu arrêter de dormir, là !
Mon père — Quoi ?
Ma mère — Je te parle.
Mon père — Je dors pas…
Ma mère — Oui tu dors !
Mon père — Si je dormais, je te répondrais pas.
Ma mère — Justement, tu répondais pas !
Mon père — Oui, je réponds !
Ma mère — Alors, réponds-moi.
Mon père — Je le sais ce que tu vas dire…
Ma mère — Tu dis toujours ça !
Mon père — C'est toujours pareil !
Mon frère — Vas-tu répondre, oui[24] ?
— … !
— ?!!
— !?
— !!!!
— Ah ! Ah ! Ah !
— @*&%©¥√∫ !

24. Mon éditeur m'a demandé de censurer cet échange.

— !!!
— Ben là là[25] !

J'ai un seul frère, Flavien, mon cadet de trois ans et demi. Un original, Flavien. En fait, mon exact opposé. Lui, il est devenu avocat après un détour par l'architecture, mais il est franchement plus artistique que moi dans ses goûts. Il a fait huit ans de piano et sept ans de violon, alors que je n'ai jamais pu m'astreindre à pareille ascèse. Et il raffole de l'opéra, une forme de torture élaborée à la fin du Moyen Âge, au temps de l'Inquisition espagnole, et qui consiste à s'asseoir dans une salle obscure pour écouter, sans bouchons ni crachoir, deux castrats et trois Castafiore s'époumoner dans un décor de carton-pâte en se demandant quelle mouche a piqué Edgar Fruitier.

Peu de temps après notre retour de Toronto, mon frère a fait sa sortie du placard. La chose s'est passée de façon on ne peut plus... – comment dire ? – « flaviennesque ».

Un bon mardi, Flavien m'appelle et me dit :

« Jean ?

— Oui.

— Je te rappelle. Bye. »

Du Flavien typique, ça. Que s'est-il passé dans les trois secondes entre le moment où il a composé et celui où l'on a répondu ? Nul ne sait, et il ne viendrait à personne l'idée de violer la confidentialité professionnelle.

Flavien me rappelle deux jours plus tard.

« Jean ?

— Oui.

— J'ai deux nouvelles à t'annoncer.

— Ah ?

— C'est fini avec ma blonde et je suis gai. Est-ce que ça te dérange ? »

Pierre Larousse, le célèbre lexicographe de chez Larousse, a un jour surpris sa femme en flagrant délit

25. Fin de censure.

de pelotage avec Émile Littré, son concurrent des dictionnaires Littré.

« Ah, chéri ! s'écrie Mme Larousse en redressant son corsage. Vous m'étonnez !

— Ah non, madame ! corrige le mari. C'est moi qui suis étonné. Vous, vous êtes surprise ! »

C'est pareil avec la gaieté de mon frère : je suis surpris, mais pas étonné.

Ma vie estrienne orbite autour de trois pôles géographiques : Saint-Romain et Magog, lesquels sont en fait des satellites d'un seul astre dont les rayons enluminent les souvenirs d'une enfance béate : Sherbrooke !

Officiellement, Sherbrooke est une ville, mais c'est une exagération. Car il n'y a qu'une ville au Québec : Montréal. Par endroits, Québec réussit également à produire un effet « ville », mais c'est la seule exception. Les autres « villes » du Québec sont en fait des agglomérations banlieusardoïdes avec, au mieux, un centre anémique. J'aime bien Sherbrooke, même si ce n'est pas une vraie ville. D'ailleurs, voyez comme je suis conséquent : New York, Chicago, La Nouvelle-Orléans sont de vraies villes, mais pas Houston, Atlanta ou Phoenix. San Francisco est une ville, mais pas Los Angeles. Il y a une différence entre une ville et une agglutination. Une agglutination n'est possible que par l'automobile : le Sherbrookois travaille à Kingsey Falls, joue au golf à Bromont, suit des cours de yoga à Magog, skie à Mansonville, va chercher la gardienne à East Angus, fait soigner son chien à Eastman, brunche à North Hatley, prend une bière à Brompton et tond sa pelouse à la maison entre deux tournois de la chambre de commerce à Lennoxville.

Bâtie à la croisée de deux rivières, Sherbrooke a pour particularité un relief escarpé. La ville est tout en collines et en vallées, ce qui ouvre parfois des perspectives étonnantes. La plus belle se trouve quand on se tient du côté est de la rivière Saint-François vers le centre-ville, dominé par un cap de roc sur lequel trônent la cathédrale, le grand séminaire, le couvent du Mont-Notre-Dame, écrasés tous trois sous la masse du séminaire de Sherbrooke – mon *alma mater*.

C'est au séminaire de Sherbrooke que j'ai fait mes études secondaires et collégiales. Mais mon souvenir le plus ancien de cette institution remonte à ma tendre enfance, quand nous visitions le Musée du séminaire de Sherbrooke, dont je raffolais. Tous les enfants de la ville le visitaient au moins une fois avec leur école. Moi, j'y suis allé au moins huit fois avant d'être admis comme élève au séminaire.

Ce musée était en fait un croisement entre le musée d'histoire naturelle, le cabinet des curiosités et la voûte de collectionneur. On pouvait y observer un capharnaüm invraisemblable de cailloux, de timbres et d'animaux empaillés comme ces deux cerfs mâles morts avec leurs bois emmêlés. L'artefact le plus spectaculaire était cette radiographie du géant Beaupré, qui en était la pièce de résistance. Il y avait aussi une curieuse pierre dite « phénicienne » qui avait fait sensation vers 1977, car certains prétendaient qu'elle avait été gravée par des Phéniciens jusqu'à ce qu'un géologue vienne dégonfler le ballon en expliquant qu'il s'agissait d'une érosion normale pour ce type de roche. Passionnant, ce musée, je vous assure. Nous ignorions tous que le musée était également propriétaire d'une très vaste collection d'armes anciennes que les curés n'ont jamais osé nous montrer, sans doute de peur que la chose ne se retourne contre eux, dans le climat délétère des années post-Révolution tranquille et d'anticléricalisme outrancier.

C'est d'ailleurs à l'ombre du géant Beaupré que je me suis fait presque tous mes vieux amis. Avec certains d'entre eux (Yves-André, François et Stéphane), nous nous étions constitué une espèce de quatuor *ad hoc* de chanteurs *a cappella* – avec Jérôme comme accompagnateur officieux et Paul qui constituait notre premier et dernier public. Notre répertoire se composait essentiellement de chansons-thèmes rigolotes et de quelques beaux succès de Serge Laprade et de Michel Louvain proprement désossés. Ma partie consistait à faire la basse, le bruitage et des grimaces – toutes les basses en mon genre excellent dans l'art de faire des grimaces pour faire croire qu'elles descendent plus bas qu'elles ne le font en réalité. J'étais aussi pas mal côté bruitage.

Une de nos chansons rigolotes était l'*Hymne à l'Estrie*, une ode composée par Mgr Maurice O'Bready en 1946. Ça allait comme suit:

Fièrement nous exaltons la coquetterie
Des vivants et gais cantons
De notre coin de patri-i-eu.
Un terroir généreux,
Une race de preux,
Un passé glorieux,
Gardent nos cœurs à l'Estri-i-eu[26].

Mes amis du collégial – ceux avec qui j'ai chanté et ceux qui nous ont tolérés – forment un assemblage disparate. Dans le tas, il y a deux médecins, une ingénieure, un architecte, deux acteurs, un compositeur, une professeure de littérature, une orthophoniste, un vendeur d'autos et un ministre anglican défroqué recyclé en fonctionnaire fédéral. Certains ne se parlent plus, d'autres vivent très loin, mais tous ont en commun d'avoir passé quelque temps ensemble au même endroit – et d'avoir écouté nos chansons rigolotes.

Leur autre point commun est qu'ils m'appellent tous Jean, qui est mon vrai prénom. Car, *full disclosure*, c'est entre les murs de cet établissement que j'ai changé de prénom.

Officiellement, sur mon vieux baptistaire, il est écrit «Joseph Benoit Jean», et mon prénom usuel pendant mon enfance était Jean, par la grâce de Dieu. (Ma mère voulait me baptiser Loïc, mais je suis infiniment reconnaissant à mon père d'avoir pu la convaincre de se tenir loin de racines bretonnantes que nous

26. Sur une musique pompière de Sylvio Lacharité, qui avait fondé l'Orchestre symphonique de Sherbrooke, si vous voulez tout savoir.

n'avions ni d'Ève ni d'Adam. Certains prénoms sont de réels handicaps.) Et c'est par le prénom Jean que me désignent mes parents, mes oncles et tantes, mes cousins et mes vieux amis d'école du temps.

Le « Benoit » est apparu par effet d'imitation de mon père, Joseph Albert Émile, qui signait ses plans « Émile A. Nadeau », comme c'était la mode alors chez les professionnels. Comme je l'admirais beaucoup et que je voulais aussi être ingénieur, je me suis mis à signer « Jean B. Nadeau » vers l'âge de douze ans. Quelques années plus tard, les filles ont commencé à me demander ce que c'était que ce B, alors j'ai fini par admettre du bout des lèvres que c'était Benoit.

Leur réaction m'a beaucoup surpris. Elles ont trouvé ça mignon comme tout et se sont mises à me donner toutes les indications qu'elles voulaient coucher avec moi ce soir – du moins le croyais-je. Et moi, encore tout boutonneux, et avec mes broches dans la bouche, plus cérébral que sportif, je me suis mis à signer « Jean Benoit ». Dans une tentative désespérée de trouver un exutoire à ma libido, j'y ai même ajouté à la fois un trait d'union et un accent circonflexe aguicheurs pour faire plus cochon. Malheureusement, la pêche ne fut pas miraculeuse. Et je suis resté collé avec le Benoît, devenu entre-temps mon nom de plume. Bref, je suis un travesti.

Je passerai beaucoup de temps à Magog, l'autre pôle de mon enfance, où mes parents se sont connus. Magog était une petite ville dominée par une usine, la Dominion Textile, que tout le monde appelait la « Testale ». Il y avait les ouvriers « français », les cadres « anglais ». Rien de bien exceptionnel, sauf qu'il est aussi venu des millions de touristes à cause du lac Memphrémagog, surtout des Américains du sud des États-Unis, qui arrivaient par bateaux entiers pour fuir la chaleur. Ce qui explique que la rue Principale de Magog soit restée très vivante.

Mon père a grandi dans le « Bronx ». C'est ainsi que mon ami Jean Blais appelle le petit quartier de la basse-ville, près de la rivière, où les maisons sont toutes en planches blanches. Sa maison était un petit cube de bois où ses parents ont trouvé les moyens les plus ingénieux pour élever six enfants. Mon grand-père fumait sa pipe, tandis que Grand-Maman nous parlait des Thivierge, des Cliche, des Vachon et des Lacroix. Quand ma grand-mère Marianne en avait la fantaisie, elle me donnait vingt-cinq sous et m'envoyait acheter des bonbons au dépanneur des Cliche, fort justement nommé Chez Cliche, mais qu'elle prononçait « su Cliche ».

La mentalité ouvrière est très forte à Magog, mais j'associe Magog à l'autre trait marquant de ses habitants : la passion de la généalogie – à laquelle je n'ai jamais rien compris. Faites l'expérience un beau jour : mettez en présence deux Magogois de n'importe quelle origine sociale et qui ne se connaissent pas. Vous assisterez alors à vingt minutes d'une chaude discussion où il sera beaucoup question de Thivierge, de Cliche et de Lacroix, auxquels se mêleront des Nadeau, des Bellavance et une quantité pétrifiante de Vachon. Une fois que la généalogie aura été installée, ils pourront alors parler d'autre chose. Il arrive cependant qu'ils se perdent dans les ramifications de leurs immenses familles, si bien que la conversation se met à tourner en boucle comme une reprise perpétuelle du *Temps d'une paix* ou des *Belles Histoires des pays d'en haut.*

Les Magogois ont élevé la généalogie au rang d'œuvre d'art, mais c'est en fait une passion que la quasi-totalité de la population québécoise partage. Aux États-Unis, le *small talk,* c'est le baseball, le basket, le football et les taux d'intérêt. En France, c'est le PMU, la cuisine, le foot. Au Québec, ce sont les ancêtres. En France, ceux qui font de la généalogie, ce sont les aristocrates. Ici, c'est toute la population.

Tout se ramène aux ancêtres fondateurs. Mon ancêtre est plus ancien que le tien. J'ai vu de parfaits étrangers s'engueuler pour déterminer lequel de leur ancêtre respectif était monté le premier sur le bateau.

C'est très curieux, ce réflexe ancestral. Plusieurs fois par an, il m'arrive de tomber sur quelqu'un qui se préoccupe de mon pedigree. Encore récemment, en pleine réunion d'un conseil d'administration, quelqu'un m'a demandé en quelle année était arrivé mon ancêtre.

Chaque fois, je grince des dents. À franchement parler, cela me pue au nez. J'admets que mon dégoût pour la pop-généalogie est d'autant plus curieux que je suis passionné d'histoire. Mais la généalogie, ce n'est pas de l'histoire, c'est de la pop-génétique avec des relents de tribalisme. Bref, je ne suis vraiment pas du genre à participer à des rassemblements de familles Nadeau auprès de centaines de « cousins Nadeau » à manger du spaghetti de Nadeau au banquet des Nadeau, entre la messe des Nadeau et la soirée des Nadeau.

Je sais que Joseph Ozanie Nadeau est arrivé au Canada en 1645, sept ans avant Pierre Bélanger, mon ancêtre fondateur du côté maternel. Ils ont engrossé deux Filles du Roy et trois Indiennes baptisées, qui leur ont fait des garçons, qui s'en furent en engrosser d'autres, et ainsi de suite. En France, dans un moment de faiblesse, j'ai même visité le village d'origine, Genouillac, en Charente, pour en conclure que je ne sais rien de lui que son nom et que cela ne signifie rien. Une fois, d'ailleurs, j'ai sorti une vieille plaquette de Ouija pour appeler mon ancêtre :

« Allô ?

— Joseph Ozanie, es-tu là ? »

Et il m'a répondu en occitan, qui était sa langue maternelle :

« *Qui es de lo appareil ?*

— C'est moi, Joseph Ozanie. Jean-Benoît à Émile à Albert à Joseph à…

— *Tu no Jean-Benoît. Tu Jean. Filh indigne ! Perqué tu sonnes à l'apéro ?*

— Parce que je t'aime, Joseph Ozanie ! Je ne me peux plus d'amour.

— *Fai tu soigner, pauvrou fada.* »

Bref, Joseph Ozanie et moi n'avons rien en commun – rien de rien de Chez Rien et Frères. Sauf quelques vieux gènes dilués. Sur douze générations, par exemple, la part génétique de Joseph Ozanie est de $1/2^{12}$ exactement. Soit, 1/4096, ou un quatre-mille-quatre-vingt-seizième de Joseph Ozanie. Ou, dit autrement, je suis un Nadeau d'origine à 0,02 %. La seule manière de l'être davantage aurait été que l'un des membres de ma lignée ait marié une autre descendante de Joseph Ozanie, ce qui augmenterait mon degré de pureté et, géométriquement, la probabilité de tares consanguines. Je ne suis pas taré à ce point.

Je ne suis pas imperméable au charme du mythe fondateur, mais trois choses m'insupportent dans ce culte du passé : le patriarcat, la nostalgie outrancière et la pureté sous-entendue des ancêtres.

D'abord, la généalogie est un culte essentiellement patriarcal : on veut voir la survivance de la lignée. S'il y a juste des filles, la lignée est morte et il n'y a plus de généalogie. D'ailleurs la généalogie se veut extrêmement réductrice, puisque chaque individu n'appartient pas à un arbre généalogique, mais à tous les arbres généalogiques auxquels ont appartenu tous ses ascendants – c'est-à-dire une infinité.

Il y a aussi la nostalgie, l'idée que le passé, c'était le bon vieux temps, l'Âge d'or avant le Purgatoire et la Descente aux Enfers. Mais le bon vieux temps, ce n'était franchement pas drôle : une espérance de vie nulle, des taux de mortalité infantile dignes de Calcutta, des accouchements infectés, des femmes qui mouraient purulentes, des enfants qui tombaient comme des mouches ; des veufs qui se remariaient avec la sœur de leur défunte, des cousins qui étaient des oncles tout en étant des frères ; des maris qui quittaient leur famille six mois pour aller travailler dans des chantiers infestés de poux ; des veuves obligées de se prostituer dans des camps de bûcherons pour faire vivre leurs enfants. Le bon vieux temps. C'est d'ailleurs ce qui m'insupporte de la musique trad ou néotrad. Les rythmes sont épatants, mais les paroles sont d'un passéisme à couper le souffle.

L'autre sous-texte qui me tanne, dans la généalogie, c'est le discours indirect sur la pureté de la tribu – or, il n'y a aucune pureté, ni sociologique ni génétique.

Bizarrement, je n'aime guère la notion de métissage pour une raison bien simple : elle suppose qu'avant le métissage, il y aurait eu une identité propre, définie. Alors que je pense exactement le contraire : il n'y a pas d'identité propre, intrinsèque, de race finalement. Tout est très mélangé et l'a toujours été. Et ceux qui n'ont pas bougé ont échappé à la consanguinité parce que le monde autour d'eux avait bougé. Les chiens les plus intelligents et les plus forts sont des bâtards – et c'est bien là le trait que nous partageons avec ces sales bêtes.

Qu'est-ce que c'est que d'être québécois dans la deuxième décennie du premier siècle du troisième millénaire ? C'est être un peu américain, britannique, canadien, indien, français – et autre chose encore, que certains appellent la « québécitude ».

Depuis longtemps, les Québécois sont devenus des Américains parlant français après avoir été, brièvement, des Français établis en Amérique. Le Nouveau Monde, c'est nous – un trait que nous partageons avec les Étatsuniens, Mexicains, Haïtiens, Brésiliens et les autres. Comme tous ces colons, les Québécois ont nommé un continent. Le Far West américain fut d'abord français, à tel point qu'une part importante du vocabulaire géographique américain est en fait du français transposé ou traduit : le bison, l'achigan, le sirop d'érable, la raquette, l'anorak sont d'ici et de nulle part ailleurs. Tous les Québécois ont un ancêtre qui a fondé une ville, une province, un État. L'Amérique, le Canada, le Québec sont eux-mêmes des néologismes.

Je suis aussi indien – probablement abénaquis, par mon arrière-grand-mère. J'ai été frappé par un portrait de famille sur lequel mon arrière-grand-mère Eugénie, la femme de Léonidas, était le portrait physique de l'Indienne type. D'ailleurs, presque tous les hommes du côté de la famille de mon père ont des traits très indiens, surtout le haut du visage. La majeure partie des colons de la future ex-Nouvelle-France a pratiqué le brassage génétique intensif avec les Indiens. Cela a façonné notre rapport non seulement au terroir, mais aussi à nos voisins anglais et américains, qui pratiquèrent peu le mélange des races. Et là, je ne vous parle pas du sirop d'érable, du maïs, du tabac, des médicaments, du castor, du canoë, du kayak, du traîneau à chiens, du tipi, alouette ! Notre conception même du fédéralisme à la canadienne dérive en fait de notre indianité.

Je suis aussi britannique. Les Québécois sont britanniques par leurs traditions parlementaires, juridiques et culinaires. Une bonne part de nos plats et fromages traditionnels étaient anglais ; notre musique est marquée par l'influence irlandaise. Le sirop d'érable, d'inspiration indienne, a été industrialisé par les Anglais. L'architecture de la capitale est foncièrement anglaise, comme l'urbanisme de la plupart de nos villes, le vieux Montréal et les remparts de Québec. Nos universités sont britanniques. Nous avons plus d'humour que d'esprit, et nous disons volontiers « Je ne sais pas » quand nous ne savons pas – et même quand nous savons, ce qui est encore plus British !

Je suis aussi canadien. D'abord, c'étaient nous, les Canadiens originaux, jusqu'à ce que les Anglais s'appellent *Canadians*. Un peu par coquetterie, nous sommes donc devenus canadiens-français, puis québécois. Tous les sondages montrent cet attachement au Canada : environ la moitié des Québécois sont pour la « souveraineté », mais le quart veulent l'« indépendance » ! Les idéologues indépendantistes voient là un mystère. Il n'y a pourtant pas de mystère : les Québécois sont le Canada historique. Et même de nos jours, Montréal est sans doute la seule véritable ville canadienne.

Je suis aussi français – bien que l'on préfère dire aujourd'hui francophone. La plupart des journaux québécois ont un correspondant à New York ou à Washington et un autre à Paris. C'est que nous tenons à ce fonds culturel, Depardieu, Jamel, Goscinny et Grand Corps Malade. Je demeure intimement convaincu que l'une des raisons fondamentales de la survie du français en Amérique était bien que nous parlions la langue de la France. Seulement quinze mille colons français se sont établis en Nouvelle-France, en Acadie et en Louisiane – alors que les immigrants allemands et irlandais furent cent fois plus nombreux. Or, le gaélique et l'allemand ne subsistent en Amérique qu'à l'état de traces. La survivance et l'affirmation du français paraissent étranges si on oublie que le français fut et demeure un phénomène mondial, et même une langue de la mondialisation. Le français nous a isolés sur un continent, mais paradoxalement, il nous a branchés sur le monde.

La québécitude serait une platitude si elle n'était *que* la somme de ses parties. Mais il existe un « Autre Chose » spécifique que des générations de poètes ont cherché à nommer. Selon moi, le noyau dur tourne autour de l'hiver et de la langue.

Bref, n'en déplaise à tous nos généalogistes, le Québécois est un être ambigu – dans sa genèse et sa sociologie. Un Québécois, cela vit dans un Nouveau Monde qui n'a rien de nouveau. Il parle une langue d'un pays d'outre-mer. Les Québécois sont hypercréatifs et hypercolonisés, étant habitants d'un continent qui est un néologisme, et ils se perçoivent comme un village d'Astérix alors que leur langue les branche sur le monde.

Le Québec est connu pour son fameux slogan « La Belle Province » qui figurait sur toutes les plaques minéralogiques jusqu'en 1977. Même en France, on cite encore cette vieille périphrase insubmersible, recyclée pour l'instant en chaîne de gargotes à hot-dogs. Depuis 1977, les plaques disent « Je me souviens ». « De quoi ? » ou « De rien », ironisent les uns et les autres. Et moi je dis : « De tout ! »

Chapitre 16

Mon tour de l'île

Où l'auteur, dans sa quête de la vie sauvage version Montréal et renouant avec le canoë, entreprend de contempler Montréal côté nautique, croisant 325 îles, 38 clochers et 21 ponts, frayant avec 300 canards, 150 hérons, 50 truites sauteuses, 23 pêcheurs, 2 fonctionnaires et 1 suicidé, et révèle les vérités qu'il en tire sur la véritable orientation de Montréal.

Une des raisons pour lesquelles je n'aime pas faire de l'autoroute, c'est que c'est ennuyant. Et quand je m'ennuie, je me mets à avoir des idées. Et quand j'ai des idées, je me mets à vouloir les noter, ce qui est dangereux quand on conduit. Bref, je me souviens très bien quand j'ai eu l'inspiration de faire le tour de l'île de Montréal en canoë, car cela m'est venu quelque part sur la 10 entre Montréal et Sherbrooke et j'ai bien failli me tuer en notant l'idée dans un calepin en dépassant un camion de Transport Robert. Comme vous voyez, j'ai une autre bonne raison d'adopter: des types comme moi doivent absolument être sortis du pool génétique!

Quand j'étais à Paris, avec mon club de rando, je faisais une balade dans les environs de Paris chaque week-end et j'ai même fantasmé sur l'idée d'en faire le tour. Peu de temps après le retour, alors que je visitais mes parents, je feuilletais le *Courrier international* quand je suis tombé sur un article racontant les péripéties de deux Allemands en kayak dans les canaux de Berlin. Et c'est au retour, quelque part sur l'autoroute 10, que j'ai fait 2 + 2. Et je me suis dit : mais c'est bien sûr !

Outre son mont Royal, l'autre trait physique distinctif de Montréal est justement sa dimension insulaire. L'île de Montréal n'est que la plus grande parmi les 325 îles et écueils de l'archipel d'Hochelaga, qui s'étale au confluent du fleuve Saint-Laurent et de la rivière des Outaouais. Les Montréalais n'ont qu'une conscience vague qu'ils habitent une île. Oh, il y a bien vingt-trois ponts. Et de temps en temps, quand une voiture tombe dans la flotte, la télé vient rappeler qu'il y a de l'eau là-dessous. Mais le fameux slogan « une île, une ville » sonne bizarrement creux.

Dès mon retour au pays, j'ai commencé à prendre des notes pour ce projet de fous : faire le tour de l'île en canoë. Que je mettrai à exécution peu de temps après mon arrivée à Montréal. Je me suis même trouvé un partenaire, mon beau-frère Terry, qui adore faire du canoë et qui avait du temps libre.

Notre point de départ sera sur la rivière des Prairies, juste au bout du boulevard de l'Acadie. Il y a un magasin de plein air qui loue justement des canoës !

Les quinze premières minutes seront un excellent avant-goût des difficultés de la journée. Nous pagayons contre un fort courant et le nez au vent, à tel point qu'il nous faut tout de suite traverser la rivière pour nous mettre à l'abri du vent d'amont.

Première leçon : pour remonter une rivière, il faut se tenir près du bord, à l'abri du vent et là où le courant est le moins fort, et s'arranger pour avoir à traverser le moins souvent possible. Cela paraît simple, mais il est parfois difficile d'évaluer la direction réelle du vent, car les vagues font une girouette peu fiable et les drapeaux sur des mâts assez hauts sont plutôt rares.

Heureusement, après le boulevard de l'Acadie, la rivière s'élargit et redevient presque un lac. Il y a un trafic d'enfer sur le pont Médéric-Martin de l'autoroute 15. C'est l'embouteillage en direction sud. Mais ça passe à merveille dessous...

Par endroits, la rive est totalement sauvage, bordée de forêts et envahie de nénuphars et d'herbes hautes où pêchent les hérons et où vagabondent les canards. Ailleurs, le rivage est densément urbanisé. Certaines maisons sont des châteaux et les riverains ont presque totalement bétonné la rive pour se faire de belles pelouses. Mais en général, nous observons une grande variété de maisons en brique peuplées de voisins gonflables, avec quai « tout équipé » et berge bétonnée.

Ce tour de Montréal, au rythme de « l'aviron qui nous mène qui nous mène », est même la meilleure façon de voir un Montréal méconnu, le Montréal des riverains, tantôt kitsch, riche ou nouveau riche, tantôt industrieux, déglingué ou verdoyant. Il s'agit en fait de six Montréal différents : celui du port, celui d'en haut des rapides, celui d'en aval, celui du bas de la rivière des Prairies, celui d'en haut, celui du lac des Deux-Montagnes. Chaque fois, ce caractère s'inscrit non seulement dans le type de maisons et d'embarcations, mais dans la nature même du cours d'eau qui les baigne, aux rives urbaines, forestières ou agricoles, parfois dures et encaissées ou au contraire ayant l'indolence des prairies herbeuses.

Au moment de notre départ, il y a un papa et ses deux enfants, debout, qui nous regardent partir sans broncher. Une encablure plus loin, un Asiatique nous salue du bras. Au cours des quatre journées que durera ce tour de l'île, les réactions des indigènes devant notre embarcation chargée de matériel seront très variées. Certains feront semblant de ne pas nous voir, d'autres nous enverront la main ou viendront nous parler. Près de l'île aux Chats, deux énergumènes tatoués voudront même partir avec nous.

À la hauteur du boulevard des Sources, à Beaconsfield, voilà le premier obstacle: le rapide du Cheval blanc. Heureusement, nous n'aurons pas à décharger et à porter le canoë. Il suffit de marcher sur la belle dalle de pierre qui forme le rivage et de haler le canoë à bras. Trois Asiatiques qui pêchent là nous observent avec curiosité, se demandant visiblement ce qui nous prend – les Asiatiques compteront d'ailleurs pour la majorité des pêcheurs que nous croiserons.

Le rapide du Cheval blanc est joli et sans danger. Ici, le rivage est presque complètement sauvage sur ses deux rives. Au centre, des bouées balisent le chenal où les hors-bord et les motomarines peuvent s'aventurer sans risque de frapper des rochers. Dans la classification des canoteurs, il s'agit d'un R1, un rapide facile, sans obstacle majeur, qui ne demande aucune manœuvre particulière, mais tout de même capable de donner quelques émotions fortes au néophyte.

Le vent demeure puissant et nous commençons à montrer des signes de fatigue au pont Jacques-Bizard, en bordure de l'île du même nom. Il nous reste encore 7 kilomètres à parcourir pour atteindre le cap Saint-Jacques, où j'avais prévu de passer la nuit. À l'approche du crépuscule, il devient évident que nous n'arriverons jamais au cap Saint-Jacques avant la nuit.

J'avais calculé qu'il nous faudrait quatre jours pour faire le tour de l'île. Je suis soudain pris d'un doute. Depuis le départ, nous tâtons une nature teintée d'urbanisme certes, mais nature tout de même, avec tous ses aléas. Plus d'une fois au cours des prochains jours, même à deux pas d'un métro ou d'un train de banlieue, le vent, la pluie, la foudre, le courant, la fatigue, et même le manque d'eau nous forceront à réviser nos plans!

Munis d'une vague permission d'une fonctionnaire de la Ville, nous abordons sur une plage quelconque du cap Saint-Jacques, mais le gardien nous fait évidemment des difficultés. Heureusement, il semble que j'aie parlé à un nom connu dans la hiérarchie, car le gardien nous laisse planter nos tentes à condition qu'on « dégosse » avant 7 heures le lendemain.

Juste au moment où nous déballons nos affaires pour préparer le souper et monter les tentes, un violent orage vient tout tremper. Le vent, le courant, la pluie : l'aventure, c'est l'aventure !

Le lendemain matin, nous « dégossons » donc à l'heure convenue sous un ciel sans nuages. Ce jour-là, nous contournerons la pointe ouest de l'île pour tenter de joindre l'embouchure du rapide de Lachine, 30 kilomètres plus loin. Notre canoë tangue violemment dans la forte houle du lac des Deux-Montagnes, qui est en fait un élargissement de la rivière des Outaouais.

Bien des gens croient à tort que Montréal est une île au milieu du fleuve. En réalité, c'est une île entre le fleuve Saint-Laurent côté sud et la rivière des Outaouais côté nord. Il est d'ailleurs faux de parler de « rivière des Mille-Îles » ou de « rivière des Prairies », car ces deux cours d'eau sont en réalité des chenaux de la rivière des Outaouais. En réalité, elle se jette dans le fleuve à deux endroits : le gros vient se mêler au fleuve à la pointe ouest de l'île, à Sainte-Anne-de-Bellevue. D'ailleurs, l'écluse de Sainte-Anne-de-Bellevue permet d'escalader le petit rapide qui sépare le fleuve de la rivière des Outaouais, au lac des Deux-Montagnes, qui sont deux masses d'eau distinctes. Le reste de la rivière des Outaouais s'écoule des deux côtés de l'île Jésus, au nord de l'île de Montréal, pour aller se déverser dans le fleuve à la pointe est.

Nous avançons dans la bonne humeur vers Sainte-Anne-de-Bellevue. La vue des premières piles du pont de l'île aux Tourtes (autoroute 40) nous indique que nous arrivons à l'extrémité ouest de l'île. Avant midi, nous aurons le vent dans le dos – enfin ! – et nous serons officiellement dans le fleuve. Le paysage change de forme à mesure que nous pagayons. Le calvaire d'Oka, la fromagerie d'Oka, la Trappe d'Oka, la plage d'Oka et le clocher d'Oka défilent puis disparaissent entre les replis du terrain.

C'est une grande surprise, mais depuis le départ, la veille, les clochers d'église sont notre meilleur point de repère. J'avais acheté diverses cartes – topographiques, marines et même bathymétriques ! –, mais c'est finalement une banale carte routière détaillée qui est notre meilleur guide, puisqu'elle nomme chacun des repères et des points d'intérêt que nous observons.

À Sainte-Anne-de-Bellevue, il faut descendre un sympathique petit rapide. La descente de rapides, en général, ce n'est pas si compliqué quand on l'a pratiquée. Il s'agit simplement de juger où passe la veine d'eau principale, ce qui est relativement facile puisque les vagues forment en général un V. Les vagues sont produites par la résistance des rochers, et là ou le V se creuse, c'est là qu'il y a le moins de vagues, et donc où il y a le plus d'eau. Par contre, si la vague est droite, c'est en général que l'obstacle est lui aussi linéaire et qu'il y a une cassure brusque. Quand cette cassure présente une trop forte dénivelée, cela donne une chute. Sinon, les canotiers parlent d'un « seuil », souvent amusant à « sauter » s'il y a assez d'eau – sinon, le canoë racle le fond. Mais ce n'est pas le cas ici, il s'agit d'un beau V que nous passons allègrement sous le regard curieux de deux retraités.

Un peu plus loin, nous abordons devant un restaurant, Annies Sur-le-Lac, réputé pour ses burgers de bison. L'ouverture du canal de Lachine, cette année, a suscité un surcroît d'activité sans précédent, car les petites embarcations de plaisance ont maintenant un accès fluvial direct entre le fleuve et les Grands Lacs. Et avec l'ouverture des écluses de Chambly, sur la rivière Richelieu, on peut maintenant facilement faire le trajet New York-Montréal-Toronto en bateau, ce qui attire une clientèle de vacanciers riches à grosse corvette.

La variété des embarcations est nettement plus grande que celle des voitures sur les routes. Il y a les motomarines en forme d'espadrille. Des yachts de toutes tailles et de toutes formes remplis de nouveaux riches de toutes tailles et de toutes formes. Il y a les pontons à flotteurs avec leurs « mononques » et leurs « matantes ». Il y a les *speedboats* avec leurs super-sportifs-à-moteur du dimanche qui font un boucan d'enfer sur le plan d'eau. Et il y a les hors-bord avec leurs petits sportifs-à-moteur, qui sont en fait une variété curieuse de motoneigiste aquatique et qui zigzaguent dans tous les sens au milieu des batobus, des cargos, des voiliers, des chaloupes, des kayaks, des canoës et des planches à voile. Du moment que ça flotte et que ça avance… Clairement, la durée de vie de ces véhicules s'apparente davantage à celle d'un VR ou d'un chalet qu'à celle d'une auto, et on voit des trucs pas possibles qui remontent à l'arche de Noé.

C'est un drôle de machin que Sainte-Anne-de-Bellevue, avec ses terrasses sur le canal Sainte-Anne, ses petites maisons, ses plaisanciers et leur drôle de culture du *boating* – qui suppose la mise en présence de *boats,* de « boateurs » et de leur « boatée ».

Les boateurs raffolent d'astiquer leur coque. C'est un choix. Mais un bateau, ce n'est finalement qu'un moteur monté sur un gros phallus. Et j'aurai souvent l'occasion de constater que le boateur est indissociable de sa femelle, la boatée. Je verrai très peu de boateurs solitaires ou de boateurs de même sexe. À la base, il y a toujours un beau couple hétéro. Les boateurs et leurs boatées ont une manière particulière de se regarder et de se comparer sans en avoir l'air, un peu comme ces messieurs aux urinoirs publics qui ne peuvent s'empêcher de regarder. C'est exactement pareil. Alors vous vous imaginez bien que des types qui débarquent tout mouillés de leur canoë et avec leurs avirons chez Annies, cela suscite des regards.

Quelques hamburgers de bison plus tard, nous larguons les amarres dans l'espoir de franchir le lac

Saint-Louis jusqu'à Lachine. Point de jonction du fleuve Saint-Laurent et de la rivière des Outaouais, le lac Saint-Louis est presque aussi grand que l'ouest de l'île.

J'avais espéré traverser le fleuve pour aller camper à Kahnawake, de l'autre côté – avec la permission du conseil de bande. Mais le vent, maintenant trop fort, rend la traversée hasardeuse. Encore une fois, la nature nous force à réviser le programme !

Nous coupons au plus court par le nord en serrant l'île de Montréal d'assez près. Nous sommes soumis à de grands vents avec par endroits des vagues de près d'un mètre qui nous permettent de surfer. Le vent nous pousse, mais il faut tout de même ramer pour garder le cap et empêcher le canoë de se mettre en travers des vagues.

Près de l'île Dowker, nous observons des dizaines de truites qui sautent – l'une d'elles, qui fait son mètre, saute tout près de moi. Il y a un peu partout des hérons sur les quais, dont un qui fait une cour assidue à un modèle en plastique. La grosse église Saint-Joachim de Pointe-Claire se détache au loin avec son toit de zinc. Elle se trouve sur la pointe Claire, d'où son nom. Au loin, l'on distingue le pont Mercier, mais par un effet de mirage, il paraît flotter au-dessus de l'horizon. Il paraît aussi plus proche qu'il ne l'est en réalité.

Après une pause à l'abri du club de yachting de Beaconsfield, la houle devient très forte. Par effet de perspective, nous semblons nous diriger en droite ligne sur l'oratoire Saint-Joseph et la masse jaune crème de l'Université de Montréal, avec les avions qui décollent à l'avant-plan. Un drôle de mélange de modernité et d'archaïsme. À 18 heures, nous arrivons vannés au port de plaisance de Lachine, après une longue journée sur l'eau. Heureusement, la capitainerie nous fait la faveur d'entreposer notre matériel, et Terry et moi allons nous installer dans un motel quelconque sur le bord de l'autoroute 20.

Je suis un peu nerveux, au matin du troisième jour, car il s'agit de parcourir les 40 kilomètres jusqu'au bout est de l'île de Montréal et surtout de franchir le rapide de Lachine.

On peut franchir un rapide de trois façons : en le sautant, en portageant ou en faisant un détour. Cette troisième solution est justement la raison d'être du canal de Lachine, ouvert dans les années 1820 pour permettre aux navires du temps de franchir les 14 mètres de dénivelée entre le port de Montréal et Lachine. L'autre voie de contournement, c'est le canal de la Rive-Sud, le chemin des grands cargos. Les petites embarcations ont le droit d'y circuler. À vélo, j'ai souvent pédalé le long du canal de Lachine et du canal de la Rive-Sud, mais l'idée de canoter dans un canal ne m'excite pas du tout.

L'aventure, c'est l'aventure, alors je préfère ne rien contourner du tout. Je n'ai pas l'intention de canoter dans la partie la plus rock'n'roll du rapide, mais il est possible de s'en approcher au max pour profiter du courant et de le franchir sans danger par un petit portage.

Bien que les rapides soient à LaSalle, on les appelle les rapides de Lachine par dérision quant à la lubie de René-Robert Cavelier de La Salle, sieur du lieu, qui était obsédé par l'idée de trouver la route vers la Chine. Il ne parlait que de ça, le pauvre, au point de fatiguer ses voisins, qui le lui rendirent bien en surnommant sa seigneurie « La Chine ». Finalement, Cavelier de La Salle découvrit plutôt le Mississippi, ce qui n'était pas mal, tout compte fait. Mais ce n'était pas la Chine et il n'en est jamais revenu.

À partir du port de plaisance de Lachine, le fleuve prend le nom de « rapide », car l'eau y coule à plus de sept nœuds alors qu'elle franchit une dénivelée de 14 mètres jusqu'à l'extrémité du port de Montréal.

Les cinq premiers kilomètres ne comportent aucune vague et que peu de remous. Le courant est fort, mais sans danger. C'est d'ailleurs la partie la plus riche en faune aquatique – il n'y a pas une seule embarcation à moteur qui passe là, car les « boateurs » ne s'en approchent pas et les gars du rafting restent plus en aval pour aller jouer dans le rapide. Le seul signe d'activité nautique est une péniche ancrée au milieu du fleuve ; quelques ouvriers y travaillent à réparer la prise d'eau de Montréal.

Un peu plus loin, les gros remous du rapide s'ouvrent bientôt sur toute la largeur du fleuve. Le monstre fait 2 kilomètres de largeur, les bouillons d'eau immenses font des vagues hautes comme des maisons, et le rugissement est audible à des kilomètres. Il y a au centre une île, l'île aux Hérons, où environ quatre-vingts personnes ont leur chalet, mais tout y est privé et les gens sont assez sauvages.

Les maniaques des rapides, en particulier les kayakistes, connaissent bien ce rapide, dont chacune des grosses vagues porte un nom, tout comme en montagne les voies d'escalade sont nommées. En canoë, il est possible de franchir le rapide en suivant la veine d'eau qui longe l'île la plus au nord, l'île Garth, mais je ne me sens pas assez à l'aise pour le faire. Il y a un ou deux V et pas de grosses vagues, mais le chemin n'est pas droit et il faut tout de même avoir un niveau d'expertise qui me fait défaut[27]. Il faut surtout éviter le côté sud de l'île aux Hérons, site du chenal le plus profond. C'est de ce côté qu'au XIXe siècle les vapeurs sautaient le rapide !

Terry et moi nous contenterons de passer la « vague à Guy », non loin de la rue Penniston. Elle se trouve très près du rivage. Les kayakistes, qui s'y amusent, nous voient débouler avec notre canoë rouge et nous laissent passer. Ça brasse un peu, Terry se prend de la flotte partout, mais ce n'est rien. Nous continuons de longer le bord jusqu'à l'île Garth, qui est en réalité la digue artificielle d'un barrage qui a fonctionné au début du XXe siècle. La Ville de LaSalle en a fait un parc, mais la retenue d'eau est très calme, comme un lac.

---

27. Alors n'allez pas vous noyer dans le rapide en disant : « Nadeau a dit que c'était ben correct ! »

Nous abordons tout au bout, en face de la 9e Avenue. Un kayakiste aborde presque en même temps que nous.

« Ah ! Vous êtes le journaliste qui fait le tour ! »

Manifestement, la nouvelle commence à circuler dans les cercles de pagayeurs.

Le portage n'est pas bien long jusqu'à la 3e Avenue, mais la civilisation comporte des avantages. Au lieu de porter le canoë sur nos épaules comme cela se fait en forêt, nous le halons sur le gazon avec tout le matériel dedans. On est en ville, quand même !

Nous allons déjeuner, Terry et moi, dans un restaurant grec situé devant le rapide, puis nous repartons à travers le bassin de la Prairie, le vaste plan d'eau entre le rapide et le pont Champlain. Malgré son étendue, ce bassin est peu profond. Plusieurs fois, nous aurons la surprise de frôler un écueil ou un des bancs de sable très nombreux ici.

C'est autour du bassin de la Prairie que le fleuve effectue un virage à l'origine d'une curieuse distorsion géographique que j'appelle le Paradoxe du Boulevard Saint-Laurent.

J'ai toujours eu une boussole dans le cerveau. Et quand j'ai débarqué à Montréal pour la première fois en 1985, un vieux scout comme moi s'est tout de suite aperçu que la géographie montréalaise est un peu tordue. C'est que le boulevard Saint-Laurent, qui est censé séparer l'ouest et l'est de la ville, ne remonte pas dans un axe nord-sud comme il le devrait, logiquement. En réalité, il court plutôt sud-est/nord-ouest. Et ce que nous appelons l'est est plutôt vers le nord-est, et l'ouest est en fait au sud-ouest. Depuis mon passage à Toronto, où le nord est au nord et ainsi de suite, cela me frappe. Je m'en suis souvent confié à de vieux Montréalais, qui m'ont dit que c'était ainsi depuis la nuit des temps. Or, en faisant comme je le fais le tour de l'île, j'ai pris conscience qu'entre Sainte-Anne-de-Bellevue et le pont Champlain, le fleuve s'écoule d'ouest en est. Montréal a la forme d'un gros chevron planté au milieu du fleuve. Vue du ciel, sa partie gauche est effectivement orientée plein ouest. Mais l'autre moitié est résolument tournée vers le nord-nord-est. Mais dans le bassin de la Prairie, le fleuve amorce un très large coude et vire presque franc nord. C'est ce qui explique que l'Ouest-de-l'Île se trouve réellement à l'ouest, alors que ce que l'on appelle « l'est de l'île » pointe résolument au nord. Et tout ce que l'on appelle le centre de l'île et qui s'étend entre l'autoroute Décarie et le boulevard Saint-Michel est déployé comme une sorte d'éventail pour permettre ce changement d'orientation, avec le boulevard Saint-Laurent dans le milieu. D'où paradoxe. En fait, quand les Montréalais parlent de l'« est de l'île » ou du « sud » ou du « nord », ils désignent une convention plutôt qu'une réalité géographique.

Cette convention a été renforcée par le fait que le plan du métro est toujours déployé sur un plan horizontal qui entretient l'illusion que l'ouest est à l'ouest et que l'est est à l'est, et que le boulevard Saint-Laurent est dans le milieu. Mais si vous regardez bien la rose des vents, la Vérité éclate au grand jour. Tout cela pour vous dire que Montréal est une ville légèrement décalée et que ce décalage se produit juste ici, dans le bassin de la Prairie.

À la hauteur de l'île des Sœurs, nous commençons la traversée du fleuve en nous orientant sur les piles du pont Champlain et la silhouette du mont Saint-Hilaire. Pour éviter le trafic maritime devant le port de Montréal et certains gros remous, je préfère passer devant le centre-ville et le port en longeant la rive opposée.

Nous sommes au milieu du fleuve quand nous passons sous le pont Champlain, ce qui nous permet de jeter un œil sur cette structure mythique qui m'a donné mon premier coup d'œil sur la ville de Montréal quand j'étais encore ti-cul. Je ne suis pas un expert en génie civil, mais son état de délabrement est alors déjà manifeste. Ce qui m'amène à dire que le canoë n'est pas qu'un sport de divertissement, mais qu'il présente un intérêt certain en matière de gestion des infrastructures, et que nos ingénieurs québécois, en particulier ceux qui gèrent les ponts, gagneraient beaucoup à la pratique de ce sport.

En aval du pont Victoria, à la hauteur du centre-ville, nous surprenons huit hérons sur une courte distance de 200 mètres. Nous sommes sur le qui-vive, car le fleuve est traître à cet endroit. Le courant est puissant, les vagues sont nombreuses et les rochers à fleur d'eau ne manquent pas. L'obstacle le plus dangereux, une énorme vague devant Habitat 67 où surfent les kayakistes, est heureusement de l'autre côté. Plus d'une fois, je dois me mettre debout dans le canoë pour repérer le bon passage.

Le courant devient irrésistible à partir de l'île Notre-Dame, et nous nous engageons dans le chenal LeMoyne, entre les îles Notre-Dame et Sainte-Hélène. Juste sous le pont de la Concorde, il y a un rapide long d'environ 50 mètres présentant un fort débit et de belles vagues, mais sans danger si on sait gouverner un canoë. Nous y pénétrons résolument, et Terry se prend quelques paquets d'eau. Nous filons à 10 mètres d'un pêcheur qui ne nous avait pas vus venir et qui sursaute au point de tomber assis sur sa roche. Désolé. Nous ne faisons que passer.

Cela aurait été bien agréable d'arrêter prendre une bière à la capitainerie du port de plaisance de Longueuil, mais un orage soudain vient contrecarrer mes plans et nous continuons vers les îles de Boucherville avec leurs nombreux chenaux. J'entretenais depuis le départ le projet d'arrêter au vieux village de Boucherville, mais celui-ci est du mauvais côté des îles de Boucherville. Car il n'y aurait pas vraiment moyen de repasser ensuite du bon côté. Les chenaux y sont nombreux, mais aucun n'est navigable, cette année, en raison du faible niveau d'eau du fleuve. Tant pis.

Tout au long de cette partie des îles, la faune est telle qu'on trouve des camps de chasse un peu partout. Nous arrêterons à l'un d'eux pour la collation.

Le contraste est singulier. D'un côté la chasse, de l'autre, un port industriel de grand débit, avec ses piles de matières premières en vrac, ses élévateurs à grain, ses porte-conteneurs et ses immenses grues portuaires alignées telles des girafes de fer et d'acier. Le long des îles, il y a toute une bande d'îlots sans nom et de bancs de sable qui ne figurent sur aucune carte – encore une erreur des cartographes.

Après le port, nous croisons à nouveau au large d'une série d'îles immenses et herbeuses, toutes en foin et en herbes hautes. C'est très joli.

La plus grande, l'île Sainte-Thérèse, qui longe l'extrémité est de Montréal, est certainement l'une des plus belles. Elle est couverte de prairies jaunes et vertes entrecoupées de quelques bosquets et de chalets. Ce côté-ci est encore un autre Montréal, plus pépère, où les habitants regardent assez peu le fleuve. Bien des maisons lui tournent carrément le dos, et quelques usines et entrepôts pas très propres occupent encore les rives, chose impensable dans la partie ouest du fleuve, *my God*! Sur cette île de propriété fédérale, environ les trois quarts des quatre-vingts chalets sont des squatters – mais des squatters organisés. Il y en a un au bout de l'île qui se construit une pizzeria! L'île est maintenant connue pour ses plantations de *pot*, mais dans les années 1960, une de ses granges était une salle de spectacle assez fameuse, la Grange de l'île Sainte-Thérèse, où l'on venait en chaloupe et en ponton écouter les groupes yéyés.

Nous repérons bientôt la dernière touffe d'arbres du parc du Bout-de-l'Île, devant Repentigny, et nous abordons devant, à l'île aux Asperges. Nous avons couvert 40 kilomètres en six heures et demie! Comme le dirait ma grand-mère: « Pierre est content. »

Au troisième jour de ce voyage, et forts de nos mésaventures avec le fonctionnaire du cap Saint-Jacques, nous avons perfectionné la technique du squat. Cela consiste à aborder à un endroit pour « prendre une collation », qui se prolonge jusqu'à la nuit tombante, on monte la tente ni vu ni connu et on sort les réchauds.

Justement, sur l'île aux Asperges, un chalet isolé muni d'une belle table à pique-nique fait un excellent bar et – tiens donc ! – il y a une pile de bois. Nous souperons en compagnie de deux sympathiques visons vifs et joueurs attirés par nos merguez. Le coucher de soleil est magnifique et, derrière nous, le clocher de Varennes luira des derniers reflets du crépuscule jusque vers 10 h 30.

On se demande souvent comment rapprocher les Montréalais du fleuve et on entend toutes sortes de suggestions. Créer des plages, je veux bien – l'eau est beaucoup plus propre qu'il y a trente ans –, mais cela manque de nautisme. Et si la solution était tout simplement d'organiser une grande course de rabaska entre Sainte-Anne-de-Bellevue et le Bout-de-l'Île ? Je vois d'ici les équipes massées sur le lac des Deux-Montagnes, juste après le pont de l'Île-aux-Tourtes, qui s'engageraient dans le premier rapide, puis dans le rapide de Lachine avant de défiler à toute vitesse devant le centre-ville. Ce serait magnifique.

Levé de grand matin, j'espère terminer mon tour de l'île aujourd'hui. Mais pour cela, il faudra pagayer 25 kilomètres sur la rivière des Prairies, à contre-courant et face à des vents contraires, remonter deux rapides et franchir un barrage d'Hydro-Québec. Gros programme !

Une minute après le départ, nous contournons l'extrémité est de Montréal. Sur la pointe boueuse, un tronc renversé étale ses branches comme de longs doigts tendus vers la mer. Des oiseaux nichent dans des trous creusés à même la petite falaise de sable. À droite, il y a l'île à l'Aigle, située juste devant la décharge de l'usine d'assainissement de Montréal. À gauche, l'île Bonfoin, réputée pour son foin.

Juste après le parc, une fillette nous voit passer :

« Qu'est-ce que vous faites ?

— Le tour de Montréal en canoë…

— Chanceux ! »

Dès le pont Charles-de-Gaulle, sur l'autoroute 40, le courant et le vent nous refont la vie dure. Nous mettrons longtemps à parvenir à la hauteur du clocher de Rivière-des-Prairies, à 6 kilomètres en amont, au pied du rapide.

Le rapide de la rivière des Prairies n'est pas aussi joli que celui du Cheval blanc, et il est beaucoup plus malcommode à remonter. Avant de retrouver les eaux calmes, il nous faudra patauger entre les 70e et 48e avenues, tirant et poussant le canoë le long d'un rivage pierreux et irrégulier, entrecoupé d'innombrables petites pointes rocheuses. Une bonne centaine de pierres sont maintenant peintes en rouge, souvenir des nombreux écorchages contre les rochers.

Heureusement, la rivière s'élargit en amont et devient une sorte de lac sans courant jusqu'au pont Pie-IX.

Deux îles nous protègent du vent, les îles Gagné et Lapierre, cette dernière étant reliée à la berge par un petit pont qui nous fait un peu d'ombre quelques secondes – elles servent désormais d'assise au nouveau pont de l'autoroute 25. Près du ponceau, deux ti-culs garrochent des cailloux à l'eau.

« Qu'est-ce que vous faites là ?

— Le tour de l'île de Montréal en canoë. On finit aujourd'hui.

— Est-ce que je peux vous arroser ? » demande le plus fendant en lançant une pierre dans notre direction.

Je lui réponds en l'éclaboussant d'un coup de pagaie.

J'aurais mieux fait de dire oui, car les deux portages du barrage de la Rivière-des-Prairies, au parc de l'Île-de-la-Visitation, nous feront bien suer.

En principe, il n'y aurait nul besoin de faire le premier portage par-dessus l'énorme barre rocheuse, au pied du barrage ; il suffirait de la contourner en halant le canoë. Sauf qu'il est rigoureusement interdit d'y marcher. Les gars d'Hydro-Québec peuvent ouvrir les vannes n'importe quand, soulevant des vagues de 5 mètres qui ont plus d'une fois emporté des imprudents qui s'étaient aventurés là inconscients du risque.

Ce premier portage est long, car le rivage est abrupt, et nous ne retrouvons les eaux calmes que 500 mètres plus loin, dans le bief de l'île de la Visitation, qui sert de digue pour le barrage. Ce bief est complètement abrité du vent et le courant y est presque nul. Pour la première fois aujourd'hui, nous pagayons en douceur. L'endroit est idyllique. L'eau du bief est comme un miroir et la décharge du barrage fait un bruit de cascade qui nous fait presque oublier que nous sommes en ville. Mais pas pour longtemps…

Au pont du parc de l'Île-de-la-Visitation, un grand fonctionnaire mécontent nous attend avec son mégaphone rouge. Il nous explique que nous n'avons pas le droit de passer et qu'en fait le bief est interdit de navigation. Nous discutons ferme pendant cinq minutes. Pour s'en tenir à la stricte lettre de la loi, il faudrait faire un portage de 2 kilomètres entre le boulevard Saint-Michel et l'avenue Papineau ! Je doute que la Ville, en dépit des prétentions du fonctionnaire, ait le droit d'interdire la circulation nautique même dans le parc, puisque les rives sont en principe de juridiction fédérale.

« Écoutez, je viens de faire 135 kilomètres autour de l'île de Montréal, il m'en reste 5, et je ne les finirai pas en taxi !

— Pas de camping, pas de navigation, pas de passage. »

Heureusement, je repense à cette fonctionnaire dont le seul nom avait suffi à dégeler le gardien du cap Saint-Jacques, trois jours plus tôt.

« Votre collègue m'a bien dit qu'il était interdit de camper, mais elle ne m'a jamais dit que j'aurais dû faire un détour par la rivière des Mille-Îles. »

Finalement, le gardien nous permettra d'exécuter notre portage sous escorte et en nous suppliant de ne pas en faire une habitude.

Je suis le premier à applaudir les efforts de l'administration pour sauvegarder ses espaces verts et deux ou trois canards, mais je crois que les divers dispositifs du parc – sentiers, pont, cascades décoratives en béton, maison d'accueil – ont cassé plus d'œufs que ne le feront jamais deux canoteurs faisant portage. Surtout que les sentiers sont déjà là, battus et rebattus, de même que le pont et le quai ! Alors allez-y comme vous voulez, et quand il y aura eu assez de monde, ils installeront un sentier de portage !

Nous remettons à l'eau sur le réservoir du barrage, qui s'appelait jadis le rapide du Sault-au-Récollet – en l'honneur du missionnaire récollet Nicolas Viel qui s'y noya en juin 1625 avec un jeune Français huronisé surnommé Ahuntsic par les Hurons. Il s'agissait d'un long et dangereux rapide comptant une succession de gros sauts. Ce puissant rapide avait creusé une sorte de canyon entre les deux îles, de Montréal et Jésus, dont la trace est évidente par les rives très encaissées côté Laval. Avant le barrage, à l'époque où les ancêtres de mon fonctionnaire n'avaient sans doute pas encore débarqué en Nouvelle-France, il fallait donc faire portage jusqu'à ce qui sera la rue Saint-Denis, ou bien au contraire remonter la rivière des Mille-Îles, au nord de l'île Jésus. Et jusqu'à la fondation de Ville-Marie en 1642 du côté sud de l'île, la rivière des Prairies était le principal lieu de passage vers l'intérieur. Aujourd'hui, c'est un véritable lac qu'enjambe le pont Papineau, lui-même enjambé de temps à autre par un désespéré. Nous passons près d'un zodiac de la police, qui drague justement le réservoir dans l'espoir de repêcher le dernier suicidé, qui marine avec le récollet et Ahuntsic.

« Si on le voit, on vous l'envoie », leur dis-je.

La nature ne nous fait pas de cadeau pour ce dernier segment, car le vent et le courant s'en mêlent bientôt, sur les derniers kilomètres. Le courant devient même très puissant sous le pont ferroviaire de l'île Perry, ce qui rend la traversée presque impossible dans cette partie étroite de la rivière.

À 19 h 20, juste comme Julie-ma-Julie arrive avec la voiture, Terry et moi mettons pied à terre pour terminer ce fantastique tour de l'île de Montréal en son point de départ : au bien nommé parc de la Merci.

Chapitre 17

Révélations tranquilles

Où l'auteur, ayant eu un avant-goût d'une aube postnucléaire, part faire un road trip *solitaire d'une semaine dans le Petit Nord, qui est au sud du Grand Nord, et, examinant les grandes piles de bois, se fend de quelques réflexions sur la mentalité de colon, ajoute sa bûche à l'édifice de la connaissance et charpente son argumentaire en faveur d'une Université de Chibougamau.*

Cela fatigue tout de même un peu, 140 kilomètres de canoë. Tant et si bien que je dors jusqu'à midi le lendemain et encore jusqu'à 10 heures le samedi matin – encore que, dans ce dernier cas, c'était suivant mon habitude. Je suis naturellement lève-tôt, sauf les samedis matin – ceux d'avant « les enfants », bien sûr. Or, en me levant ce samedi matin-là de juillet, j'ai su que cette grasse matinée, quoique fort grasse, ne serait pas comme les autres. La faute en était au ciel : jaune avec un gros soleil crépusculaire orange – ce qui serait normal à l'aube, mais qui l'est beaucoup moins à 10 h 30.

Après le déjeuner (vers midi), Julie-ma-Julie et moi sortons nous balader sur notre cher vieux mont

Royal. Les feux de circulation m'ont tout de suite paru bizarres. Le vert a l'air gris. Le rouge tire carrément sur le mauve. Et le jaune fait dans le vert. Sous le feuillage de la forêt, les ombres paraissent vertes et les maigres rayons filtrant entre les feuilles donnent une lumière orangée – une lumière crépusculaire anormale à midi, qui me rappelle la grande éclipse de Soleil de 1999 à Paris.

Au sommet du mont Royal, la ville pue le brûlé. Elle baigne à perte de vue dans une sorte de brouillard jaune qui rappelle le smog de Mexico en décembre. Sauf que Montréal ne subit jamais le smog à la mexicaine : que des petits smoguets de rien du tout.

Curieux, je m'approche d'un grand blond à chaussure noire qui susurre des mots doux à sa blonde.

« Vous savez c'est quoi, ce phénomène ?

— *Entschuldigung*, répond-il. *Ich spreche nicht Französich.* »

Jamais démonté et fort de mes cours de teuton à l'Institut Goethe, je détecte un joli accent hambourgeois :

« *Ah so, was ist los ?*

— Vous n'avez pas lü *die* Journaux ?

— Pas enköre, *nein.*

— Il ja un größ Feu in *der* Nordem Kebek.

— Vous êtes *gut informiert.* Beaukoup Merci pöur ce Conzeil.

— Il n'ja pas de goi.

— Et *meinen* Salutations *auf* Madame.

— *Und Sie* pareillement[28]. »

C'est un peu l'inconvénient des longs samedis matin paresseux : je ne lis pas les journaux et je suis toujours le dernier informé après l'Allemand de service.

Si j'avais lu le journal, j'aurais su que cette fumée provenait de deux gigantesques incendies ravageant le nord de la province sur environ 3 000 kilomètres carrés. Un petit 0,2 % du territoire, mais tout de même huit fois la taille de l'île de Montréal. N'eût

---

28. Qui a dit que l'allemand était difficile ?

été une anomalie météo qui transporte le panache de fumée vers le sud – jusqu'à Washington, excusez du peu ! –, nous n'aurions rien su de cette gigantesque destruction 100 % naturelle et biologique.

Que faisaient les autorités ? Rien. Car il n'y a rien à faire devant une telle conflagration : cette forêt brûle à l'écart de toute route, rien ni personne n'y vit, si ce n'est quelques trappeurs ou bûcherons de passage. Donc, on laisse brûler et c'est tout. C'est ça, le Québec : trop grand.

Ce grand incendie et sa fumée seront le thème unificateur de la semaine qui vient, alors que je m'apprête justement à faire une tournée des régions forestières du Québec[29, 30].

Officiellement, le prétexte est un reportage sur la guerre commerciale avec les Américains sur la question du bois d'œuvre[31]. Après Québec, je passerai donc la semaine en voiture, la bouteille de Coke entre les jambes, à conduire une voiture de location et à visiter des cours à bois dans des bleds aux noms évocateurs, tels Saint-Pamphile, Saint-Isidore-d'Auckland, Rivière-Bleue et Chibougamau. Je dis bien un prétexte, car cela fait quatre ans que je n'ai pas observé mon Québec profond, et j'ai bien hâte d'y retourner[32].

Un tour du Québec forestier, cela commence comme il se doit à Québec, notre orgueilleuse CAPITALE NATIONALE, qui se trouve être aussi notre CAPITALE FORESTIÈRE.

J'aime bien Québec. Mon travail de journaliste m'y mène fréquemment pour interviewer des fonctionnaires, des ministres, voire des premiers ministres

29. Note de l'éditeur : À partir d'ici, le chapitre cesse d'être drôle pour tomber dans la réflexion. Si ça vous tanne, avancez au chapitre 21. Si vous passez GO, réclamez 200 dollars.
30. Note de l'auteur à la note de l'éditeur : Quand même, l'éditeur. Ça reste écrit lestement avec une plume inimitable.
31. Réponse de l'éditeur : Oui, mais c'est quand même pas drôle.
32. Réponse de l'auteur à la réponse de l'éditeur : c'est pas parce qu'on rit que c'est drôle. Mais effectivement, ce n'est pas drôle. Auquel cas, il est préférable de continuer de se référer à la note 29.

à l'occasion. Québec est un peu l'antithèse de Montréal, sociologiquement parlant: très uniforme, très gouvernementale, très universitaire, mais aussi archi-ouvrière, profondément populiste et guère plus indépendantiste, ce qui est étrange quand on songe qu'elle profiterait tant de son statut de CAPITALE NATIONALE DE LA RÉPUBLIQUE DU QUÉBEC. On la présente comme une ville française, mais c'est en fait une ville anglaise peuplée de francophones. C'est la plus ancienne ville fortifiée d'Amérique du Nord, la seule qui ait préservé ses enceintes à la Vauban, bien que cette citadelle soit anglaise plutôt que française. Et sa législature est tout ce qu'il y a de plus anglais, sauf son nom – l'Assemblée nationale.

Cela fait quatre ans que je n'ai pas revu Québec, et ce qui me frappe d'abord, c'est combien elle a changé. Sa jolie rue Sous-le-Cap est toujours là, certes, tout comme son célèbre Château-qui-n'est-pas-un-château-Frontenac. Mais ce qu'il y a de changé, c'est un certain optimisme. Je me rappelais davantage d'une ville grincheuse, accablée par une fonction publique pesante, un prolétariat bourru et des dirigeants frus d'avoir vu s'évanouir leur rêve de capitale républicaine.

Et pourtant non. Quatre ans plus tard, la ville a l'air décomplexée, transformée, ou plutôt transfigurée.

J'ai mis quelques années à comprendre, alors je ne jouerai pas au faux naïf. Ce que j'observe et que je ne comprends pas encore très bien, c'est qu'une autre Québec est en train de bourgeonner. Cela découle, comme je l'apprendrai, des effets, d'une part, d'un plan d'urbanisme visionnaire, mais surtout, d'autre part, d'une approche intelligente du développement économique.

Je m'explique. Pour développer l'économie d'une ville, d'une région, d'une province ou d'un pays, il n'y a somme toute que deux approches. La première, appelons-la l'approche « prestige », consiste à investir des millions sinon des milliards pour inciter des entreprises d'une autre ville, région, province ou nation à déménager chez soi ou à y ouvrir une filiale. Malgré les sommes investies, les résultats sont incertains, car une entreprise qui fait la pute une fois pourra toujours la refaire quand un autre lui offrira une plus belle robe. Mais les politiciens aiment bien les politiques de prestige : cela leur permet de voyager dans les plus beaux hôtels, de faire du blabla, de boire de bons vins et de courir les putes[33].

L'autre politique de développement, choisie par Québec, est beaucoup moins prestigieuse : appelons-la l'approche « jardinière ». Cela consiste à cultiver ses platebandes les deux genoux dans le sol et les deux mains dans la terre. Ce n'est pas prestigieux du tout : il faut aider les entreprises locales à se loger plus grand, à trouver des cadres, à embaucher, il faut inciter ses diplômés à demeurer sur place, il faut aider les entrepreneurs à se financer.

Un bel exemple de cela est l'INO, l'Institut national d'optique, un grand centre de recherche créé à l'instigation de l'Université Laval, en 1985, pour favoriser la rétention de ses diplômés en optique, qui préféraient partir pour les centres de recherche de Stanford ou de Boston. Québec a fait rire d'elle pendant quinze ans : « Voyons donc, arf arf arf ! Un institut national d'optique à Québec ! Pour qui se prennent-ils ? » Sauf que, petit train va loin, l'INO a effectivement permis de conserver sur place quelques douzaines de spécialistes, dont plusieurs ont fini par bâtir de très grosses entreprises en optique. À tel point qu'ils ont dû leur ouvrir un nouveau parc industriel. Et ce n'est qu'un exemple, car ils ont répété le truc dans plusieurs secteurs.

L'approche jardinière, ça paraît sans envergure, mais ça demande du courage politique et une vision exemplaire. Montréal est la métropole économique du Québec, mais je suis de plus en plus convaincu que c'est la ville de Québec qui tient la clé.

---

33. Cela dit métaphoriquement dans le plus grand respect.

Ce que je viens d'écrire, je ne l'ai pas compris soudainement : cela m'est venu graduellement. Mais ce voyage a été en cela une étape déterminante. En fait, la transformation est en partie la raison pour laquelle mon tour du Québec forestier commence à Québec. À cause d'un centre de recherche unique au Canada : Forintek.

Ce centre de recherche, établi dans le parc industriel, vise à redynamiser l'industrie forestière en explorant des méthodes économiques de production. Mais surtout en élaborant de nouveaux produits.

Car ma prérecherche sur la guerre commerciale entre les industries forestières québécoise et canadienne et le gouvernement américain m'a permis de découvrir que les tarifs américains ne portent que sur les biens dits de « première transformation », comme les planches et les madriers. Mais *PAS* sur les biens plus évolués, dits de « deuxième ou troisième transformation ».

Autrement dit, un industriel qui prendrait ces mêmes planches pour les assembler et en faire une toiture ou une maison préusinée ou des poutrelles ou des tables à pique-nique n'est frappé par aucun tarif ! Ma visite à Forintek consiste donc à parler aux chercheurs qui travaillent sur ces nouveaux produits et qui cherchent à faire un Québec plus « Ikea » et moins « tarlat ».

En fait, les Québécois ont toujours été et sont encore dans l'extraction : on prend de l'eau et on la transforme en mégawatts ; on prend de la roche et on la transforme en fer, en cuivre, en or. On prend la forêt et on la transforme en planches. On vide le filon, on rase le tronc et hop ! au suivant ! De la grosse industrie vorace, pas très intelligente, superficiellement payante, mais qui épuise tout et ne bâtit rien. Le but de Forintek est précisément de passer des madriers à autre chose. Mais quoi ?

La réponse se trouve à l'étape suivante de mon voyage, à Chibougamau. J'aime bien Chibou, une petite ville fondée il y a à peine soixante ans. J'y ai déjà rencontré un des premiers habitants, de l'époque des pionniers, quand les prospecteurs garaient leur Cadillac sur le seuil de la tente, et les Indiens venaient vendre de la viande d'orignal en canoë. Dans le folklore québécois, Chibougamau, c'est le Grand Nord, mais elle est bien au sud – à la latitude de Paris. La ville est pratiquement au bout de la route : un beau lac et des sentiers dans les brûlis.

C'est à Chibougamau que se trouve une des usines intelligentes suscitées par Forintek, Chantiers Chibougamau.

Un beau jour, vers le milieu des années 1990, à force de visiter Forintek, le patron de Chantiers Chibougamau réalise que ça n'a aucun sens de produire du madrier pour l'amour du madrier, en catatonique du madrier. D'abord parce qu'une première guerre commerciale avec les Américains vient de le blesser sérieusement. Et aussi parce que les chicots d'épinettes avec lesquels il doit travailler sont de plus en plus petits. Il doit sortir du modèle « scierie-bébête-qui-fait-du-madrier ». La solution consiste à coller les morceaux ensemble pour en faire autre chose. Mais quoi ? Ils ont entrepris les poutrelles et les grandes poutres géantes en bois avant de se lancer – peut-être un jour – dans la production de maisons usinées à grande échelle. Une autre entreprise nordique, Barrette-Chapais, à 40 kilomètres de là, aux prises avec les mêmes difficultés, s'est orientée vers la fabrication de clôtures et de structures de toits préusinées.

Je ne veux pas vous achaler avec chacune de mes visites à Saint-Pamphile, Saint-Félicien, Saint-Jovite et Saint-Isidore-d'Auckland. Mais ce que ce voyage à travers les forêts d'épinettes québécoises m'a appris, c'est que les difficultés de l'industrie forestière québécoise ne sont pas économiques, mais *culturelles*. Les scieries qui, comme Chantiers Chibougamau et Barrette-Chapais, ont fait le saut culturel se comptent alors sur les doigts d'une seule main. Et le constat est encore pire pour l'industrie papetière – qui a persisté à faire du papier journal alors qu'Internet faisait son apparition.

Pour réussir à l'échelle du Québec une transformation comme celle que la ville de Québec a opérée chez elle, il faut deux ingrédients : des idées et une population bien formée capable d'en avoir.

Il est d'ailleurs symptomatique que l'on ne trouve pas d'université à Chibougamau.

« Tu charries, vous allez me dire. Chibougamau est trop petite ! » Mais allez dans des villages de quatre mille habitants de la Nouvelle-Angleterre et vous verrez des universités ou des collèges, parfois très anciens[34].

« Chibougamau est trop jeune. » Là, vous n'avez pas totalement tort, sauf qu'il y a bon nombre de petites villes beaucoup plus vieilles, comme Granby, comme Magog, comme Sorel, comme Baie-Comeau, Gaspé, Rimouski, Sept-Îles qui auraient dû fonder leur propre université.

« Ah ! Ah ! Ah ! Nadeau ! L'Université de Granby ! La Polytechnique de Magog ! L'Académie de Beauceville ! Ah ! Ah ! Ah ! »

Mais regardez-y une deuxième fois : si l'Ontario a supplanté le Québec comme moteur industriel du Canada, c'est en partie parce qu'ils ont mis une application déterminée à désosser Montréal de sa base industrielle et financière. Les Torontois ont aussi profité d'une terre généreuse, de la proximité de Detroit, de la construction du canal Érié et tout ça. Mais l'autre raison, qui est plus difficile à admettre, c'est parce qu'on y a toujours valorisé l'instruction, en particulier le haut savoir.

On trouve en Ontario une grande richesse intellectuelle. Faites un cercle de 150 kilomètres de diamètre autour de Toronto : on trouve six universités qui ont toutes plus de cinquante ans. St. Catharines,

34. Bravo. Vous avez atteint l'exact milieu de la section pas drôle. Citons ici Zachary Richard : « Lâchez pas la patate ! »

Hamilton, Guelph Waterloo et Peterborough ne se sont pas contentées d'être des petites villes industrielles ou agricoles : elles ont eu l'ambition d'avoir des collèges et certains de ces collèges ont eu l'ambition de se constituer en centre universitaire parfois important – notamment Waterloo, avec *deux universités.* Si on étend à toute la province, on dénombre – hors de Toronto – quatre autres universités importantes à London, Kingston et Ottawa. Hamilton est une Sorel de trois cent quatre-vingt mille habitants. Guelph, c'est Saint-Hyacinthe au cube. Kitchener fait trois fois Sherbrooke. Peterborough, un Magog aux stéroïdes. Et Toronto s'est trouvée au centre de tout ça, avec sa grosse gare, sa grosse université, ses grosses banques et son gouvernement provincial.

Au Québec, faites le même cercle de 150 kilomètres autour de Montréal et qu'avez-vous ? Rien, sinon Sherbrooke, qui a fondé son université en 1955. Et, toujours à Sherbrooke, l'université anglaise Bishop's, qui remonte à 1835. Pour toute la province, il y a aussi Laval à Québec. « Mais le réseau des Universités du Québec », direz-vous ? Oui, c'est très bien, il y en a une demi-douzaine : mais cela ne date que de 1968 et il a fallu que l'État prenne l'initiative, car il n'y avait *rien.*

Comme je voyage beaucoup d'un bout à l'autre du Québec, j'ai souvent testé l'idée auprès de mes collègues : imaginez ce que serait le Québec si les gens de Granby, de Sorel, de Magog, de Joliette, de Saint-Jérôme avaient eu l'ambition de se doter d'une académie, d'un collège, d'une université – ou même d'une bibliothèque publique voilà cent ans. Cela les fait bien rire. Elle est bien là, la différence : dans le rire.

Ça fait quoi, une université ? D'abord, c'est un bon employeur qui ne fermera pas à la première difficulté. Et surtout, c'est une pépinière de penseurs, de rêvasseurs et de pelleteurs de nuages qui sont payés pour cultiver des idées nouvelles, des solutions nouvelles, des brevets. Ils n'ont que ça à faire. Si on les branche sur leur milieu, il en sort de la lumière.

Mais Chantiers Chibougamau n'a-t-elle pas réussi sa transformation même s'il n'y avait pas d'université de Chibougamau ?

Oui, mais elle l'a réussi parce qu'il y avait à Québec un centre de recherche hyperspécialisé unique au Canada et que les dirigeants de Chantiers Chibougamau ont eu l'intelligence de comprendre réellement où Forintek voulait en venir.

D'ailleurs, même les grands succès québécois qui précèdent la Révolution tranquille – Desjardins, Bombardier – ont été rendus possibles par l'existence d'une classe bourgeonnante de Canadiens français instruits, dynamiques, allumés, alphabétisés et entreprenants – et qui n'étaient pas tous des universitaires.

(Ce sous-développement universitaire s'accompagne d'une bizarrerie néfaste et apparemment contradictoire : la dévalorisation presque complète des filières techniques. En fait, le problème est en partie lié. Une grande part des grandes écoles de sciences ou de génie, pour ne citer que cet exemple, sont en fait le résultat de la surspécialisation des filières techniques. Historiquement, il y a donc moins d'universités au Québec *parce* qu'il y avait moins d'écoles techniques.)

Ce qui m'amène à l'essentiel : le secret du succès ne sera pas d'installer une université ou un cégep dans chaque village, mais de monter le niveau général de l'éducation. Son écart avec les autres provinces n'est pas de l'ordre du Tiers-Monde, mais plutôt de quelques points de pourcentage. Cela paraît peu, mais comme pour les taux d'intérêt, un écart de 1 % qui se cumule sur cinquante ans ou un siècle fait toute la différence.

Pendant toute mon enfance, je m'étais demandé pourquoi mes grands-parents, quelques grands-oncles et grands-tantes, plusieurs frères et sœurs de mon père et quelques beaux-frères et cousins consultaient mon père pour toutes sortes de choses aussi variées que leurs impôts ou parfois même une lettre.

Pudiquement, mon père m'avait expliqué que c'était une question d'éducation. La vérité était beaucoup plus crue. Tellement crue, en fait, que je n'ai compris que vers l'âge de quarante ans. La vérité, c'est qu'ils ne savaient pas lire. Ou, s'ils savaient, ils lisaient avec la plus grande difficulté sans pouvoir lier les phrases ou les paragraphes. Je ne dis pas cela pour les ridiculiser : c'est un handicap terrible. Et le problème, en vérité, n'est pas anecdotique.

Là où l'écart est le plus grand entre le Québec et l'Ontario, ce n'est pas dans les taux de diplomation universitaire ou collégial, mais dans le déficit éducatif et l'illettrisme général.

Les Québécois ont deux ans d'éducation de moins que la moyenne nationale. Ça veut dire que chaque Québécois sur le marché du travail a moins d'outils dans son coffre. Cela veut dire que, même à population égale, le Québec aurait beaucoup moins de monde capable non seulement de tirer la charrette, mais de l'atteler et de la conduire ailleurs.

Sur ce point, les chiffres sont effarants. Au Québec, 49 % de la population a des difficultés de lecture, dont 16 % sont carrément analphabètes. Ces chiffres proviennent d'une étude très sérieuse de l'OCDE. La même étude révèle qu'en Ontario environ 43 % des gens ont des difficultés de lecture, dont 10 % sont analphabètes. Ce n'est guère brillant pour l'Ontario. Mais si on compare deux villages de mille habitants, un en Ontario et un au Québec, le village québécois aura soixante habitants de moins capables de bien lire, d'extraire un pourcentage, d'écrire un rapport et de préparer une formation, voire de déchiffrer une information écrite – comme un rapport de Forintek.

Donc, année après année, chaque village québécois de mille habitants compte soixante personnes de moins capables de saisir la cause du problème – peu importe lequel. Dans une ville de dix mille habitants, c'est six cents personnes de moins qui n'ont pas les outils intellectuels pour avoir une idée brillante et la mettre en application. À l'échelle de la province, la différence se traduit par – tenez-vous bien – 480 000 personnes de moins capables de lire correctement ou de lire tout court. Un demi-million de personnes. Trois fois la ville de Sherbrooke. La ville de Québec au grand complet. Comme disent les Français, y a pas photo !

Mais comme il faut bien faire travailler ce monde-là, que fait-on ? On leur fait casser de la roche, on leur fait couper des arbres, et on leur dit de retourner chez eux quand la marge bénéficiaire a disparu. Les maires font leur possible, les directeurs du développement aussi. Mais cela ne change rien au problème de fond : sur mille habitants dans un village, il y en a soixante de moins capables d'avoir une idée brillante.

Remarquez que nous connaissons tous, sur le plan anecdotique, des cas d'analphabètes ou de personnages sous-scolarisés qui ont réussi brillamment. On pense à Céline Dion, Maman Dion, Guy Laliberté ou Jacques Demers. Mais ce ne sont justement que des anecdotes, des cas d'exception : les statistiques nous montrent exactement le contraire.

La principale menace au Québec ne sera jamais l'anglais, mais l'analphabétisme, et le manque de vision, d'ambition et de capacités qui en découle. La meilleure politique industrielle ne sera pas d'attirer une prestigieuse société aurifère ou la meilleure scierie norvégienne ; cela consistera à mieux éduquer la population, à augmenter le niveau général de la scolarisation et à cultiver son jardin.

Bref, la Révolution tranquille n'est pas terminée, et on ne la terminera que quand on cessera d'excuser l'illettrisme et le décrochage scolaire et qu'on valorisera réellement l'éducation – technique et universitaire[35].

---

35. Vous voyez, c'était quand même pas si pire pour un chapitre pas drôle ! Comme le disait si bien Lucien Bouchard entre deux amputations : « Que l'on continue ! »

Chapitre 18

Parlez-vous le francophone ?

Où l'auteur, métamorphosé en Gentil Organisateur, reçoit neuf amis français dans deux énormes « camping-cars » et, ayant établi plusieurs parallèles intéressants entre l'art sacré et l'art de sacrer, élargit la discussion pour expliquer pourquoi les Français se garent au parking alors que les Québécois se parquent au stationnement.

Les longues journées d'été m'ont permis de comprimer en cinq jours les huit jours prévus de reportage forestier entre Québec, Chibougamau, le lac Saint-Jean, Saint-Pamphile dans la région de Chaudière-Appalaches et Saint-Isidore-d'Auckland (dans le fin fond de l'Estrie). Comme les rendez-vous étaient de jour, je pouvais profiter des longues soirées pour abattre des kilomètres de clarté avant de me poser dans un quelconque motel.

La chose était nécessaire, car je devais revenir à temps pour accueillir mes amis français du club de rando parisien. Depuis le temps que je vous en parle, enfin !

À la suite de mes premiers repérages dans le parc Algonquin et à force d'en discuter à droite et à gauche, je me suis finalement décidé quant au genre de voyage que je leur ferais faire. Un moment, j'avais envisagé de les emmener faire dix jours de canoë aux confins des rivières Manouane, Métabetchouane et Ashuapmushuan[36]. Mais l'idée de recevoir neuf Français à demi défigurés par les morsures de frappe-à-bord et les piqûres de mouches noires, non merci. J'ai plutôt opté pour cet engin extraordinaire qui est un artefact essentiel de l'Amérique et dont le nom même prête à confusion : le Winnebago, aussi appelé « motorisé », « véhicule récréatif », « VR », « autocaravane » et « camping-car », selon les goûts.

J'ai donc loué deux gros VR de 24 et 29 pieds. Cet engin a le mérite de régler plusieurs grosses difficultés logistiques qui tournent autour des sentiers reculés, de l'absence de transport en commun digne de ce nom et de restauration de qualité. On peut même conduire ces monstres avec un permis de conduire ordinaire, ce qui est un scandale en soi.

Avec Alain, Liliane et Daniel, qui sont arrivés un jour plus tôt, nous allons prendre livraison des engins chez le loueur – qui met une bonne heure pour nous apprendre comment gérer cette espèce de maison montée sur un camion.

Car l'engin est une engeance. L'heureux locataire doit gérer une voiture, une maison, un réseau d'égout, d'aqueduc, un réseau d'électricité et un système au gaz. Le loueur nous enseigne comment fonctionne la douche, le frigo, le chargement des batteries, quoi faire et ne pas faire, le poêle, le four, les ronds, la vidange du réservoir des eaux grises, la vidange des eaux brunes, le remplissage du réservoir d'eau potable, le frigo au gaz et électrique, les soutes.

Ce que je n'avais pas anticipé, c'est la dimension linguistique de ce voyage en « camping-car », comme le disent si bien mes amis français.

C'est peu dire que les Québécois et les Français n'ont pas la même culture de la langue. Je l'ai vécu

36. À vos souhaits.

dès le premier arrêt du camping-car, quand Jean-Claude et Antoine se sont mis en tête de déployer l'auvent avant même que nous ayons branché les égouts, l'électricité et l'eau courante. Le premier coup, ne me demandez pas comment ils s'y sont pris, Antoine est parti sur un côté et Jean-Claude de l'autre, si bien que le truc est allé n'importe comment. Arrivé à la rescousse avec Jean-Marie, je me tords le doigt en débobinant l'auvent : « Ayoye ! Ciboire ! »

Pendant que je sautille sur place, mes Français me regardent :

« Qu'est-ce qu'y dit ?

— Je sais pas.

— Il doit s'être fait mal.

— Mais il a pas dit "aïe".

— Ayoye, hostie !

— Non, il dit quelque chose comme "ahoye".

— Non, "ahoye", c'est les gâteaux. Les chips Ahoy ! Regarde.

— Comment tu as dit ça, Jean-Benoît ?

— Ayoye, câlice ! »

Je me console en me disant que ça aurait pu être pire : on aurait pu être en canoë.

Tandis que Jean-Marie et Antoine installent une corde à linge entre le montant et un arbre voisin, je vais brancher l'eau et le renvoi d'égout. L'eau, pas de problème : c'est un long tuyau d'arrosage qu'il est préférable, pour des raisons d'hygiène évidentes, de manipuler avant de manipuler le tuyau de renvoi. Mais en tentant de brancher le tuyau de renvoi, je constate que je suis trop loin. Alors, je dois débrancher l'arrivée d'eau et déplacer le véhicule. Je monte dans la cabine, j'embraye... et j'arrache la corde à linge et une branche de l'arbre (heureusement que ce n'est pas l'auvent).

Enfin, pendant que les mecs remettent la corde à linge, je me décide à rebrancher l'égout. Juste au moment où je fais le branchement, Pierrette tire la chasse et je m'en mets partout.

« Hostie de câlice de tabarnaque ! »

Jean-Claude me regarde.

« Qu'est-ce qu'y dit ?

— Le contexte, lui, il te dit quoi, là ?

— Je sais pas.

— Phoque en Alaska ! »

On parle beaucoup des différences de langue avec les Français, mais la différence la plus intime est dans les expressions émotives comme les jurons ou les onomatopées. Le juron est une des choses qui m'avaient le plus manqué en France : vous conviendrez avec moi que « putain » ou « merde », cela fait un peu court, comme le disait si bien ce bon vieux Cyrano. En fait, rien ne vaut la sonorité franche d'un bon « câlice de tabarnaque » qui nous ramène tout de suite à la maison.

Une des grandes différences culturelles entre la France et le Québec, c'est que la future ex-Nouvelle-France a totalement raté la Révolution française – comme l'avait d'ailleurs si bien constaté Alexis de Tocqueville dans ses carnets du Bas-Canada.

Une des conséquences que Tocqueville ne note pas dans ces carnets, c'est que les *Canayens* (comme se désignaient jadis les Canadiens français) ont conservé moult jurons religieux qui sont des objets de musée en France. En fait, un bon jureur québécois ne jure pas, il sacre.

C'est tout le vaisselier d'église qui y passe : non seulement le tabernacle et le calice, mais l'ostensoir, le cierge, le crucifix et vas-y pour le ciboire, mon gars. La sémantique du juron fait qu'on se limite toujours aux ustensiles. Ça ne va jamais jusqu'aux meubles : personne ne jure en disant « banc d'église » ou « balustre ». Par ailleurs, il y a des discriminations étonnantes au chapitre du menu : ainsi dira-t-on « hostie » ou « saint chrême », mais pas « vin de messe ». Pareil pour les rites : on dira « baptême » et « sacrement », mais pas « communion » ou « confession ». Par contre, les renforts sont nombreux côté personnages, dont *of course* le Christ (aussi appelé Jésus Cri), la Vierge, le simoniaque et bien sûr le « Maudit ».

Depuis une trentaine d'années, les blasphémateurs québécois se sont surpassés, sur le plan de la créativité. Ils se sont mis à décliner leurs jurons en adverbes, en verbes et même en substantifs. Par exemple, maudit a produit *mauditement*. Le calice a donné *câlicer* et *câlicement*. Et le Christ, toujours inspirant, a donné *crissement, crisser* et même *crissage*. Ce faisant, le blasphème a gagné de la profondeur.

Pour édulcorer leurs blasphèmes, les sacreurs ont développé toute une série de jurons adoucis, du genre « câline » pour calice, « tabarouette » pour tabernacle, « calvarge » pour « calice de vierge », « batêche » pour baptême et « torrieux » pour tort-dieu – qui se dit également au féminin – « ma torrieuse » – et qui produit également un adverbe intéressant : « torrieusement ». Même le curé du village donne l'exemple avec un ersatz de maudit : « moutarde ».

Cette coutume particulière est d'autant plus fascinante que même les plus mécréants comme moi s'adonnent au blasphème, ce qui est parfaitement illogique. Cela demeure culturel. Une autre variante propre aux Québécois est de jurer en anglais, *fuck* ou *shit*, ce qui se place toujours bien dans la conversation, sauf que cela crée d'autres problèmes avec les anglophones, pour qui ce sont réellement de très gros mots. Je ne connais pas d'autre peuple qui blasphème une religion à laquelle il ne croit plus et qui jure dans une autre langue que la sienne. C'est très particulier et les Mexicains ont d'ailleurs un nom spécial pour désigner les Québécois : les Tabarnacos.

Au cours de ce voyage, les anecdotes sur la langue ne manqueront pas, mais l'une des plus révélatrices de la différence d'esprit entre les Français et les Québécois est survenue après un orage soudain, quand une demi-douzaine de mouches se sont aussi réfugiées dans notre VR.

« Dis donc, il y a des mouches, dit Daniel en rangeant.

— Ferme la moustiquaire.

— La moustiquaire, c'est pas pour les moustiques ?

— C'est bon aussi pour les mouches. »

C'est un des trucs les plus particuliers des Français. Leur école en a fait le peuple le plus littéral du monde. Tout le monde est un obsédé du mot juste et la dictée y est quasiment un sport national. Les Québécois sont volontiers plus vagues dans leurs définitions. Les Français sont plus que précis : ils sont formatés « vocabulaire ». Il suffit de dire un mot qu'ils ne connaissent pas ou de lui donner un sens qui ne leur est pas familier pour qu'ils réagissent. La réaction peut être paradoxale. Dans certains cas, ils réagissent au quart de tour comme Daniel. Dans d'autres cas, ils figent comme un vieux PC. Cela peut passer pour de la suffisance, mais c'est plus simple : ils sont en redémarrage. Avec les années, on apprend à reconnaître les signaux qu'ils émettent quand ils figent.

Pendant les années qui ont suivi mon retour au Québec, j'ai beaucoup côtoyé les Français dans mon travail, alors que j'étais occupé à lancer trois livres sur les Français et sur la langue française entre Montréal, Paris et New York. Mes allers-retours entre Montréal et Paris ont été l'occasion de très nombreuses expériences d'anthropologie linguistique. Pour mon premier livre, par exemple, chez Payot. Dans les mois qui ont précédé sa parution, je revenais fréquemment sur la question du texte du communiqué. Sans effet. À tel point qu'à la mi-février, moins d'un mois avant le lancement à Paris, je n'avais toujours pas vu le communiqué. J'avais l'impression de parler dans le vide et j'en avais même fait mon deuil. Puis, trois semaines avant la parution, alors que nous discutons des préparatifs, je reviens à la charge : « Avez-vous rédigé le communiqué ? »

Longue pause.

« Jean-Benoît, ça doit faire vingt fois que tu m'en parles. Qu'est-ce que tu appelles un communiqué ?

— Tu sais, cette espèce de document qui présente le livre aux journalistes…

— Ah ! Tu veux dire l'*argumentaire* ! C'est Charles Rubenstein qui s'en occupe. Même qu'on est un peu en retard et on va avoir besoin de toi. »

Moralité : les Québécois communiquent et les Français argumentent !

Que ce soit le français, l'anglais ou l'espagnol, le propre d'une langue internationale est qu'elle se parle et se vit dans toutes sortes de milieux qui n'ont pas rapport, ce qui en multiplie les usages. Même le simple fait de parler de la langue est un défi linguistique en soi, puisque les Québécois et les Français n'ont pas les mêmes catégories pour parler de ce qu'ils vivent. Cela commence avec le mot « francophone ».

Étant né en 1964, j'ai eu successivement trois identités linguistiques en moins de vingt ans. Avant même l'âge de raison, entre 1969 et 1970, je suis passé comme six millions d'autres personnes de « Canadien français » à « Québécois ». Puis au début des années 1980, un autre glissement s'est produit, et les Québécois ont commencé à se désigner comme des « francophones ».

Ce changement identitaire était consommé, en 1987, au moment où, à l'Université McGill, j'ai fait la connaissance de celle qui allait être Julie-ma-Julie et qui ne parlait pas un mot de français à l'époque. Elle me disait : « *You're French.* » Ça me paraissait vieux jeu.

« Non, Julie, je suis pas *French.* Un *French,* ça vit en France. Je suis francophone.

— *But you speak French, you're French, right ?*

— Oui, mais toi, tu parles *English* et tu n'es pas une *English.*

— *No. I'm Canadian.*

— À la rigueur, je suis un *French Canadian,* mais comme je ne suis pas *French,* on dit francophone.

— *Yes, but you're French.*

— Non, je suis francophone : je parle français, mais je ne suis pas français. Toi, tu es anglophone.

— *What's that now ?* »

Bref, on peut dire que ce sont les francophones qui ont inventé les anglophones, et aussi les hispanophones, et les lusophones, les arabophones, les germanophones, les allophones. C'est-y pas le *fun*?

Fascinants, les mots qu'on emploie pour se dire. Prenez le mot « Européen ». Il peut aisément avoir une demi-douzaine de sens selon l'interlocuteur à qui on parle. Pareil pour « Américain ». Dans la langue et la culture espagnoles, un Argentin est un *americano,* tout comme un Salvadorien ou un Mexicain. Ils ont même été américains deux ou trois siècles avant les Américains. Moi aussi, je suis un Américain, puisque je vis sur le même continent, ce que les hispanos n'ont aucun mal à accepter. Les hispanophones ont donc inventé le mot *estadounidense* (littéralement: étatsunien) pour désigner les *gringos* et revendiquer pour eux-mêmes l'identité américaine.

C'est pendant le lancement de mon livre suivant, en France, que je prendrai vraiment conscience des différences sémantiques du mot « francophone ». Catherine, l'attachée de presse du Seuil, est un peu nerveuse et nous attend à l'aéroport, ce qui est inhabituel. Nous ignorons encore que Catherine a prévu tout un tas d'interviews radio et télé, et qu'elle veut tester les capacités de Julie-ma-Julie en français. Alors après les salutations d'usage, Catherine me tourne carrément le dos pour converser avec Julie-ma-Julie. Après une ou deux minutes, Catherine pousse un soupir de soulagement et se tourne vers moi:

« Ouf, ça me rassure.

— Quoi ?

— Julie est francophone.

— Voyons, c'est pas une francophone. C'est une anglaise ! Une anglophone. Elle ne peut pas être francophone !

— Mais elle parle français. Elle est francophone. »

Sur le coup, je n'y ai pas repensé. Mais quelques mois plus tard, alors que nous sommes en pleine rédaction de notre livre sur l'histoire de la langue française, je prends conscience de l'énormité de ce que je disais à Catherine.

J'étais déjà conscient du fait que les Français ont tendance à définir comme francophones tous ceux qui parlent français, sauf eux-mêmes – il est rarissime d'entendre un Français se dire « francophone ». Mais je n'avais jamais réalisé à quel point les Québécois attribuent à ce mot un sens tribal, pour ne pas dire ethnique, qui est en fait un contresens. En y songeant bien, j'ai réalisé que Catherine avait parfaitement raison : Julie-ma-Julie est francophone. Anglophone aussi, certes. Québécoise d'adoption, en effet. Pas canadienne-française du tout. Mais parlant français. Bref, francophone.

Le sens du mot « francophone » détermine lourdement le champ de vision collectif des Québécois. Par exemple, si on s'en tient à une définition ethnique, il y a tout au plus dix millions de francophones dans les Amériques. Mais si on adopte une définition linguistique, il y a environ vingt-cinq millions de francophones dans les Amériques.

Le principal défi des Québécois, et des francophones du Canada, ne sera pas celui de la langue, mais justement celui de l'identité qu'ils ont bâtie autour de la langue, car le changement de Canadien français à Québécois (ou Franco-Ontarien, par exemple) puis à francophone est un changement de paradigme.

Les Québécois, en ce moment, sont situés entre deux paradigmes francophones. C'est-à-dire entre une définition ethnique et une définition linguistique du mot « francophone ». Ce genre de questionnement est souvent présenté comme rétrograde, mais il est intensément moderne. C'est la même question que se posent les Français, les Britanniques, les Allemands, les Américains et même les Rest-of-Canadians – même s'ils font semblant de prétendre le contraire. En France, cela se pose beaucoup en termes de laïcité et de valeurs républicaines. Aux États-Unis, cela tourne autour de la « race » et des « Hispaniques ». Au Québec, cela tournera autour de la langue.

S'il est légitime de s'interroger, je pense tout de même qu'il est préférable d'adopter une notion large du mot « francophone » qu'une notion tribale.

Question de préférence ; je ne suis pas un partisan du repli sur soi.

Une définition large du mot a nécessairement des incidences très fortes sur tout le reste des représentations que nous avons de nous-mêmes et sur le discours. Parce que la ceinture fléchée va être mise autour d'un tambour africain. Parce que Champlain ne sera plus nécessairement le meilleur argument. Parce que nos grands écrivains vont être haïtiens ou chinois, nos grands chanteurs vont être algériens. Parce que nos associations vont être dirigées par des Sénégalais. Parce que nos directeurs de crédit vont être français, belges ou roumains. C'est passionnant, bien que dérangeant ; mais c'est aussi inéluctable parce que les Québécois ont décidé qu'ils étaient francophones. Toutes les tensions que l'on observera au sein du Parti québécois au cours de la décennie qui suivra se ramènent à ce problème qu'être francophone, c'est d'abord un choix, ce n'est pas une ethnie.

Prenez encore le cas du débat surréaliste sur la « Charte des valeurs québécoises ». Cela n'aura été, au fond, qu'un combat d'arrière-garde identitaire : le dernier carré contre la marche du temps.

Cette problématique, que les Québécois se sont créée eux-mêmes en devenant volontairement francophones, est à la fois source de faiblesse et de force. Une faiblesse parce que des générations entières peuvent choisir de ne plus l'être, francophones. Une force parce que des générations entières peuvent choisir d'être francophones et de le rester. Mais cela ne sera possible que si l'on sort de la tribu et de l'ethnie pour embrasser autre chose qui reste à définir.

CHAPITRE 19

Indien vaut mieux que deux...

Où l'auteur, qui se balade entre Kahnawake, Chisasibi et Pakuashipi, philosophe sur les traditions à l'ère moderne, parcourt notre tiers-monde artificiel et trébuche sur notre apartheid en version canadienne, pour conclure en démontant les petits mensonges les plus courants sur les Indiens.

De Gaspé à Tadoussac en passant par Le Bic, une des visites touristiques que mes Français ont le plus appréciée, c'est la réserve iroquoise de Kahnawake, en banlieue de Montréal. Quand il n'y a pas de pow-wow, il n'y a pas grand-chose à y faire, outre le centre culturel, et le sanctuaire de Kateri Tekakwitha, la sainte iroquoise. Mais comme j'avais beaucoup écrit en tant que journaliste sur la suite des événements d'Oka et que je suis souvent retourné à Kahnawake et à Kanesatake pour le travail comme pour le plaisir, je pense que je fais un assez bon guide touristique.

Du plaisir à Kahnawake? Oui, oui, c'est possible. Je vous ai parlé plus tôt des festivals montréalais, mais je ne vous ai pas dit que le pow-wow de Kahnawake est mon festival favori et que je ne rate pas une occasion d'y aller. Et la dernière s'était d'ailleurs présentée peu de temps après notre déménagement à Montréal.

Les hasards de la vie ont fait que nous sommes revenus à Montréal presque en même temps que plusieurs amis de McGill qui s'étaient dispersés, dont Kate. Je vous ai parlé de Hugo, François, Yves-André et compagnie, qui sont mes vieux amis d'école. Kate, c'est une amie d'université. Elle est partie faire des études postdoctorales en Californie, à Berkeley, à peu près quand nous sommes partis en France, et elle est revenue à Montréal le même été que nous.

Kate, c'est notre grande copine de sport. C'est avec elle qu'on partait faire nos balades de ski de fond les plus malades. Et aussi les plus belles randonnées à vélo.

J'aime bien le vélo, mais je fais rarement du vélo rien que pour le plaisir de faire du vélo. Il faut que j'aille quelque part pour voir quelque chose. Les pistes cyclables, c'est bien, mais cela mène où ? Ma plus longue balade, 120 kilomètres, m'a amené avec Kate au chalet de la famille de son copain de l'époque. L'autre rando intéressante, que nous avons répétée plusieurs années de suite, nous menait au pow-wow annuel de Kahnawake.

Tous les Montréalais connaissent la bande iroquoise de Kahnawake, en banlieue de Montréal, dont les revendications autonomistes très fortes ont aggravé le conflit de l'été 1990, autour d'un club de golf à Oka. La plupart des gens imaginent qu'il est dangereux d'y aller. Personnellement, je n'y vois aucun problème. Avant que le pont Mercier commence à marquer des problèmes de structure, on y accédait très aisément à vélo par le pont Mercier ou, par la Rive-Sud, par les petits chemins de terre qui la séparent de Carignan. Pendant le pow-wow, alors que le village est pris d'assaut par des milliers d'automobiles, le vélo est même la seule manière intelligente d'accéder à la réserve.

Un pow-wow est une rencontre intertribale et un concours de danses traditionnelles. On peut donc observer la danse du loup, la danse du dindon, la danse de l'herbe ou la danse des guerriers. Il y a même une danse intertribale où les Blancs peuvent danser. On peut manger des spécialités indiennes comme la banique, le poisson, le bison, le pain de maïs, et acheter des objets d'artisanat. C'est aussi une des rares occasions d'observer des Indiens à plumes, car le reste de l'année les Indiens vivent comme vous et moi. Le pow-wow est en fait l'équivalent exact du Festival du cochon de Sainte-Perpétue, ou du Festival de la gourgane d'Albanel, ou encore du Festival celtique de Québec, sauf qu'il s'appelle pow-wow. À Saint-Éphrème-de-Beauce, ils ont Woodstock en Beauce. Même différence.

Quand on entre dans la réserve, on a l'impression immédiate d'être ailleurs. D'abord parce que les bungalows, presque tous déglingués, sont empilés les uns sur les autres et souvent décorés du drapeau mohawk. Surtout, le nom des rues n'est pas indiqué – c'est une constante dans presque toutes les réserves d'Amérique du Nord, où l'on n'est pas particulièrement accueillant envers les étrangers, en particulier ceux qui cherchent à voir des Indiens à plumes les jours de semaine. Les Mohawks forment sans doute le dernier peuple nomade d'Amérique. Bon nombre d'entre eux ont des liens forts avec les autres communautés iroquoises de l'État de New York, et plusieurs ont travaillé toute leur vie en itinérants dans le secteur de la construction. Les ouvriers des structures d'acier, sur les célèbres photos new-yorkaises, sont souvent des Iroquois, qui étaient devenus de grands spécialistes parce qu'ils étaient réputés pour n'avoir pas le vertige. Ils sont aussi de grands amateurs d'eau et de rivières – ce qui explique qu'ils se soient établis en bordure du rapide de Lachine. Mais le gouvernement, dans sa grande bêtise, est allé les couper du rapide en faisant passer la voie maritime sur leurs terres, en plus d'y ajouter un pont et une ligne à très haute tension.

Comme bien des groupes indiens, les Iroquois ont presque complètement perdu leur langue au cours des deux dernières générations. Fait curieux : ils se sont assimilés à l'anglais plutôt qu'au français, bien qu'ils soient voisins de plusieurs bourgades francophones. Certes, cette anglicisation s'explique largement du fait que le centre de la culture iroquoise est dans l'État de New York. Mais si un autochtone, en banlieue de Montréal, est capable de s'assimiler à l'anglais plutôt qu'au français dans la seconde moitié du XXe siècle, cela en dit long sur l'influence de la culture de langue anglaise en Amérique, et même au Québec.

Dans les deux années qui suivront mon retour au Québec, je visiterai une bonne douzaine de réserves indiennes pour une demi-douzaine de papiers. Ce n'est pas un hasard. Avant d'aller en France, j'avais souvent eu l'occasion d'écrire sur les bandes indiennes. Un de mes premiers reportages, quand j'étais journaliste en herbe, avait porté sur une nouvelle route en construction entre Chibougamau et Nemiscau, le siège administratif de la communauté crie.

Mon intérêt a cependant été décuplé par mon séjour à Paris, où l'on est absolument fou des cultures aborigènes. Je n'ai jamais entendu parler des Indiens autant que pendant mes années parisiennes.

Dès mon premier hiver au pays, je me suis donc arrangé pour me faire assigner un reportage sur la Paix des Braves, qui m'a amené à visiter trois villages cris.

Les Cris, comme la plupart des communautés autochtones du Québec, vivent loin, voire très loin, des centres urbains – les seules exceptions étant les Iroquois près de Montréal, les Hurons-Wendat à Québec et les Innus de Maliotenam, à Sept-Îles.

Naturellement, j'ai pris mon billet auprès d'Air Creebec, la compagnie aérienne propriété de la communauté crie. Les bons jours, les passagers ont droit à un gros avion à hélices Dash-8 de quarante-cinq places. Les autres, il faut se contenter du Beechcraft King Air 100 de douze places.

Malgré son nom glorieux, l'apparence générale du King Air 100 est celle d'un suppositoire muni de deux ventilateurs de chaque côté. Le confort s'apparente à celui du séchoir à cheveux, les jours de beau temps. Mais quand il fait mauvais, le confort est également celui d'un suppositoire.

La première chose qui surprend en pénétrant dans la cabine du King Air 100 est qu'il n'y a qu'une seule rangée de sièges et un étroit couloir qui mène à la soute – il n'y a pas de toilettes à bord. Le copilote, qui fait également hôtesse de l'air, distribue à chacun une boîte de plastique contenant son déjeuner et un sac à vomi qui contiendra son déjeuner. Puis le copilote disparaît dans le cockpit, qui n'a pas de porte. La cabine du pilote est tellement étroite que les deux pilotes sont coincés dans leur siège et qu'il faut pratiquement les démouler pour les sortir de là.

Comme le poste de pilotage n'a pas de porte, le vol fait ambiance. À l'approche de l'aéroport de Chibougamau, le vent de travers est tellement fort que la piste d'atterrissage n'est pas devant, mais à 30 degrés de côté. La Japonaise assise devant moi passe tout le voyage à filmer la perspective de l'allée, du poste, de l'horizon.

À l'aéroport de Chibougamau, une voiture de location m'attend et je pars tout de suite vers Waswanipi, qui est la communauté crie la plus au sud – et aussi la plus francophone.

Au fil des années, j'ai visité une douzaine de réserves, et toutes m'ont laissé un vague à l'âme sans nom, pour ne pas dire de la honte. Est-ce l'effet ghetto qui s'en dégage ? Ou plus simplement leur éloignement total de tout centre urbain ?

En hiver, Waswanipi est un lieu étrange. C'est une grosse bourgade de mille trois cents habitants vivant dans environ deux cents bungalows surpeuplés. Les enfants escaladent les bancs de neige. Devant les maisons, des motoneiges et des os d'orignal rongés. Des chiens malamutes aux yeux bleus se promènent un peu partout et évaluent constamment leurs chances de rafler le morceau.

Comme je le constaterai à nouveau au cours de ce séjour, la question identitaire est le grand débat de toutes les communautés assiégées, marginalisées. Se replie-t-on dans son ghetto et ses traditions, ou bien embrasse-t-on l'ouverture et l'incertitude ? Les Québécois se posent constamment cette question. Leurs cousins acadiens, cajuns, franco-ontariens aussi. Toutes les communautés isolées se la posent : les Jersiais de l'île de Jersey, les Anglos des îles de la Madeleine, les Indiens Nahuatls du Mexique et même les Juifs hassidiques d'Outremont.

Combien de fois ai-je entendu quelqu'un affirmer que tel Indien ne peut pas en être un parce qu'il est roux, qu'il ne chasse pas et qu'il ne parle pas la langue ? Peut-on être cri si on ne parle pas cri ? Si on ne chasse pas l'outarde et l'orignal ? Si on n'a pas de camp de chasse ? Les premiers intéressés ne s'entendent pas là-dessus et en débattent chaudement. Comme les Québécois, qui seraient bien en peine de définir ce qu'est un Québécois, mis à part son code postal.

Les Cris comptent parmi les autochtones qui ont le mieux préservé leurs activités traditionnelles de chasse et de pêche, mais aussi leur langue. En partie parce que le monde moderne et juridique ne les a rejoints que récemment, et aussi parce que le traité avec le gouvernement du Québec – la Convention de la Baie-James et du Nord québécois – leur a donné ce qu'il fallait – beaucoup d'argent, des moyens et des droits. Les Cris du Québec sont maintenant les Indiens les plus « riches » et les plus organisés du Canada. Ce qui ne fait pas d'eux les Canadiens les plus riches, mais ils sont notoirement mieux que leurs compatriotes cris du côté ontarien de la baie James.

On présente souvent la tradition comme l'essence même de la culture indienne, mais c'est une fausse conception. Car on peut être très indien et très moderne à la fois. Et c'est vrai depuis longtemps.

Que l'on considère seulement le système des territoires de trappe, décrit comme le fondement de la vie traditionnelle crie : c'est la Compagnie de la Baie d'Hudson qui les a structurés pour alimenter l'Europe en peaux ! La chasse et le piégeage se pratiquent en motoneige ou en VTT, et personne ne pêche sans son hors-bord. Les Cris ne sont pas uniques en leur genre : chez les Innus de la Côte-Nord, les chasseurs de caribous se téléphonent pour suivre les troupeaux par satellite. On ne se fatigue pas.

Bref, les Indiens sont dans le monde moderne, mais ils n'en sont pas moins indiens pour autant. Les autochtones d'aujourd'hui me font penser au Québec des années 1940. Ils sont en train d'explorer la modernité après une phase de repli. Ils cherchent à s'épanouir dans le respect de la culture. Les Montagnais se sont même rebaptisés « Innus », un glissement identitaire très similaire à celui qui a été opéré par les Canadiens français du Québec il y a presque cinquante ans, quand ils se sont rebaptisés « Québécois ».

Mon reportage m'amène à rencontrer un fin observateur de la société crie : John Paul Murdoch, avocat au 32e étage de la Place Ville-Marie, représentant des Cris lors des négociations de la Paix des Braves. Il a quitté sa réserve natale de Waskaganish à treize ans pour aller étudier en Ontario, en Saskatchewan et à Montréal. Fort peu complexé par une infirmité à un bras, il s'est taillé une place enviable qui en fera certainement un des futurs leaders de la société crie. Pour faciliter ses allées et venues entre Montréal et le territoire cri, il s'est même acheté un bimoteur, qu'il a appris à piloter.

On mesure mal l'épreuve que représente pour un jeune Cri le défi de simplement étudier au-delà du secondaire 3. D'abord parce qu'il vit loin, comme bien des gens, mais aussi parce qu'il est d'une autre culture. Mais il y a aussi autre chose : le mur des lois.

Quand John Paul Murdoch est venu faire son droit à McGill, en 1998, sa mère a voulu lui offrir un ordinateur. Comme de nombreux consommateurs, Gertie

Murdoch a accepté l'offre de prêt du marchand. Administratrice depuis vingt ans en éducation communautaire, sa solvabilité ne faisait aucun doute. Le prêt a pourtant été refusé.

Pourquoi ? Parce que aucune institution financière n'avance de l'argent aux autochtones qui vivent dans une réserve – leurs biens étant insaisissables, selon la loi sur les Indiens. Désolé, le responsable des prêts a donc proposé que ce soit le fils, qui lui ne vivait plus dans la réserve de Waskaganish, qui fasse la demande. Et il a obtenu le prêt !

John Paul Murdoch, sa mère et les six cent mille aborigènes du Canada vivent encore sous la coupe d'une loi raciste du XIXe siècle – améliorée depuis, mais dont les fondements n'ont jamais été remis en question. Peu de gens savent que la loi sud-africaine sur l'apartheid s'inspirait de l'ancienne loi sur « l'émancipation des sauvages », première version de notre Loi sur les Indiens actuelle.

L'apartheid n'existe plus en Afrique du Sud, mais le Canada maintient toujours sa loi sur les Indiens. Nous vivons donc en apartheid, sauf que le Canada ne sera jamais mis au ban des nations. Question de nombre : l'apartheid bafouait les droits de 80 % de la population sud-africaine. Notre loi sur les Indiens bafoue les droits de 3 % de la population canadienne – 1 % au Québec.

Cette loi a certes atteint son objectif le plus louable, celui de « protéger » les autochtones contre l'usurpation de leurs terres par les colons. Mais cette protection qui aurait dû aller de soi s'est accompagnée de coûts sociaux et humains exorbitants, à commencer par le rabaissement des Indiens à un statut qui s'apparente à celui de mineurs perpétuels.

Jusqu'à voici cinquante ans, chaque réserve avait son représentant du ministre des Affaires indiennes, l'omnipotent « agent des Indiens ». Celui-ci administrait jusqu'aux déplacements, distribuait les chèques et pouvait emprisonner sans procès. Encore aujourd'hui, l'Indien est un pupille de l'État qui ne peut même pas divorcer sans l'approbation du ministre ou de son représentant.

Depuis 1950, la Loi sur les Indiens permet aux Indiens de « boire de l'alcool », de « faire des pow-wows », des « danses traditionnelles », de « parler leur langue à l'école », de « voter » – toutes choses interdites auparavant pour les « protéger d'eux-mêmes ». Peu après, on a aboli le poste d'« agent des Indiens » pour le remplacer par le « conseil de bande », à qui l'on a confié les mêmes responsabilités.

Cette loi est foncièrement raciste parce qu'elle se fonde sur l'idée que, pour être Indien, il faut être inscrit au « registre des Indiens », un gros dossier Excel créé en vertu du chapitre 6 de la Loi sur les Indiens.

La Loi sur les Indiens crée trois « types d'Indiens », en nombres à peu près égaux : les Indiens « inscrits au registre et vivant dans une réserve », les Indiens « inscrits, mais vivant hors réserve » et les « non-inscrits », c'est-à-dire ceux qui se déclarent autochtones au recensement même s'ils ont perdu leur statut, le plus souvent parce que leur mère s'est mariée à un non-autochtone.

Les deux premiers groupes jouissent de certains privilèges dans le cadre de la Loi sur les Indiens. Les autres : aucun. (Un jugement récent vient d'invalider cette clause après une bataille légale de quinze ans, mais le flou administratif va subsister encore cent cinquante ans.)

Deux Indiens qui font connaissance vont rapidement échanger un jargon fait de 6.1 et de 6.2 (prononcer six-un et six-deux). Cela fait référence aux articles du chapitre 6 de la Loi sur les Indiens portant sur le « registre des Indiens ».

Dans le jargon, un « 6.1 » est un Indien inscrit de plein droit et qui a le pouvoir de transmettre son identité à ses enfants. Un « 6.2 » est également inscrit, mais il n'a pas le pouvoir de transmettre son statut à ses enfants.

Mais tout dépend, en réalité, des cas de figure prévus au chapitre du « registre » en matière d'unions.

Ainsi, l'enfant de deux parents 6.2 sera un 6.1. De même, un 6.1 qui épouse une 6.2 (ou l'inverse) fera un enfant 6.1. Mais si le père (un 6.1) refuse de reconnaître l'enfant, celui-ci n'aura jamais le statut d'Indien si la maman est une 6.2. Même chose si une 6.2 a un enfant d'un père non inscrit! Et évidemment, un père 6.2 qui fait un enfant à une non-Indienne aura un enfant non indien.

La notion même d'un tel registre, au Canada, est une monstruosité. C'est comme si je vous disais que vous ne pouvez pas être québécois parce que votre mère s'est mariée à un anglophone ou à un Américain. Ou qu'une mère québécoise aura un enfant « canadien » parce que son père n'est pas « connu ». Une horreur. Imaginez un peu que le gouvernement fédéral décide – « pour votre protection » – que certains Québécois ont le droit de faire des « Québécois » alors que les autres ne font pas des « Québécois ».

Mais ce qui m'offusque le plus, personnellement, ce sont les très nombreuses faussetés qui circulent dans la population quant aux « privilèges » découlant de la Loi sur les Indiens.

Il est tout à fait exact que les « Indiens inscrits vivant en réserve » ne paient aucun impôt sur les revenus gagnés. Mais seulement en ce qui concerne les revenus gagnés *dans* la réserve. Ils sont exempts de taxes de vente sur les services et les biens acquis ou livrés *dans* la réserve.

Quant aux « Indiens inscrits vivant à l'extérieur d'une réserve », ils n'ont droit à aucun de ces privilèges, même si la majorité de la population est convaincue du contraire – et même si certains Indiens tentent de le faire croire aux commerçants pour s'épargner une taxe.

De plus, un « autochtone inscrit vivant en réserve », mais qui travaille hors réserve doit acquitter ses impôts comme tous les autres Canadiens (les entreprises aussi, y compris les rares qui sont actives *dans* les réserves).

N'importe quel Indien « inscrit » paie les taxes de vente fédérale et provinciale sur ses achats *hors* réserve. À moins bien sûr de les faire livrer dans la réserve ! Ce que nombre de commerçants refusent de faire gratuitement. Car cela leur coûte cher en transport et en paperasse : ils doivent fournir la preuve qu'il s'agissait bien d'une réserve.

Pour justifier l'exonération de taxes, les concessionnaires d'automobiles qui livrent une voiture dans une réserve vont jusqu'à prendre la photo du client devant son auto, le conseil de bande et le fardier !

On entend souvent dire que les « Indiens vivant en réserve » sont tellement riches qu'ils paient tout comptant : leur voiture, leur motoneige, leur bateau. Mais le fait est qu'ils n'ont pas tellement le choix. Parce que leurs biens en réserve sont insaisissables, aucune banque ne leur accorde de crédit. Ceux qui ont une carte de crédit l'ont acquise alors qu'ils vivaient hors réserve… Cette absence de crédit dans les réserves est le principal frein au développement d'entreprises autochtones.

Parmi les petits mensonges dont on afflige les Indiens, aucun n'est pire que celui qui porte sur les « milliards » qu'ils reçoivent. Dans le cadre d'un reportage à Pakuashipi, une petite communauté isolée de la très très Basse-Côte-Nord, j'ai longuement discuté des questions d'argent avec le directeur général du conseil de bande, un fonctionnaire québécois prêté par le gouvernement du Québec pour administrer la communauté. Les habitants du village de Saint-Augustin, situé de l'autre côté de la rivière, se plaignent constamment de recevoir moins que les Indiens de Pakuashipi. La question revient de temps à autre au conseil municipal et refait surface périodiquement dans les journaux quand la population est plus remontée que de coutume.

En suivant ses conseils, j'ai fait quelques calculs très intéressants qui prouvent que les contribuables font plutôt une bonne affaire avec les conseils de bande. Le budget du ministère des Affaires indiennes et du

Nord approche les 5,5 milliards de dollars. Ce qui inclut le salaire de ses trois mille fonctionnaires ainsi que les sommes affectées à la gestion des ressources naturelles et de l'environnement dans le Grand Nord, sans rapport direct avec les autochtones. À cela s'ajoutent environ 3 milliards en programmes gouvernementaux (santé, logement, emploi), et encore 700 millions de dollars octroyés dans le cadre de la conférence fédérale-provinciale sur la santé, en septembre 2004.

Tout l'argent des Indiens est là. Si vous faites le compte (et j'inclus là-dedans le développement du Nord), cela donne 9 milliards de dollars, soit 9 000 dollars par personne (sur la base de un million d'autochtones au recensement). En d'autres termes, 15 000 dollars pour chacun des six cent mille « Indiens inscrits au registre » – ou encore 30 000 dollars pour chaque Indien « inscrit vivant en réserve ».

Cela paraît beaucoup, mais c'est assez peu. Pourquoi ? Parce que, comme me l'a démontré le directeur général de Pakuashipi et comme me l'ont confirmé de nombreux fonctionnaires bien informés, ces sommes ne s'additionnent pas à celles qui sont consacrées aux autres Canadiens ; elles s'y *substituent* pour une bonne part. Quand un Indien est soigné dans un hôpital ou va dans une école publique, ce n'est pas la province qui paie : le fédéral dédommage la province pour les frais, et c'est le conseil de bande qui gère.

En réalité, nous faisons tous collectivement une bonne affaire avec les conseils de bande. Car si vous comparez le budget de n'importe quelle municipalité et que vous y ajoutez ce que la province y dépense pour l'éducation, la santé, les services sociaux, la police et la poste, vous constaterez que, grosso modo, les conseils de bande reçoivent environ 20 % de moins par tête pour l'ensemble des services qu'obtient la population blanche. Eh oui !

On entend souvent des critiques sur les salaires des chefs de bande, qui sont mieux payés que les maires.

Mais compte tenu des responsabilités additionnelles qu'on leur confie et de tous les comptes qu'ils ont à rendre, cela me paraît normal. Après tout, les hauts fonctionnaires gagnent plus que leur ministre – en moyenne 50 000 dollars de plus au Québec. Même un juge de basse cour (aux petites créances) touche son 230 000 dollars par an (imposé à 30 % fixe) – le double de son ministre. Or voilà, le ministère n'a jamais défini aucun barème quant à la rétribution des chefs de bande, ce qui est extraordinaire en soi. Alors forcément, il y en a qui abusent – bien que pas tous. Vous seriez sans doute tentés.

Quand on veut noyer son chien, on dit qu'il a la rage.

Le nombre de faussetés que l'on véhicule sur les autochtones est proprement ahurissant. C'est à pleurer. On les dit « riches », « privilégiés », « profiteurs ». Toutes les statistiques montrent pourtant qu'ils sont moins instruits, plus pauvres et plus malades que les autres Canadiens. Les aborigènes du Canada sont notre tiers-monde.

« Ils ont l'université gratuite, ils ont des programmes d'aide ! » entend-on. C'est vrai, mais ces « avantages » se substituent à des programmes provinciaux équivalents qui s'adressent aux sections les plus démunies de la population générale – dont les Indiens sont exclus, par la Loi sur les Indiens.

Il n'y a que deux cents autochtones parmi les cent soixante mille ingénieurs canadiens. Si vous faites une règle de proportion des populations, il devrait y avoir cinq mille ingénieurs autochtones. Bref, ils ont une grosse pente à remonter, ce qui justifie les programmes d'aide qui leur sont destinés.

Les problèmes sociaux vécus sur les réserves ont plusieurs causes. Le gigantesque saut générationnel entre une vie de nomade et une vie sédentarisée en est une. Une autre, rarement mentionnée, tient des pensionnats indiens. À partir de 1920 et pendant soixante ans, la majorité des jeunes de sept à quinze ans ont dû être scolarisés dans quatre-vingts pensionnats indiens. La plupart ont été séparés de leur famille et n'ont rien appris de leurs parents. Or, quiconque a élevé un enfant sait à quel point ses comportements sont tributaires de ceux qu'il a appris de ses parents. Les pensionnats indiens ont formé deux ou trois générations d'Indiens qui n'ont pas vu leurs parents élever une famille et qui ne savent pas comment réagir à des situations difficiles – outre les sévices subis, en plus de l'interdiction formelle de parler leur langue.

À mon avis, les Indiens sont victimes davantage de l'intolérance que du racisme, qui n'est qu'une forme plus spécifique et plus rare d'intolérance. L'intolérance se vérifie par le fait qu'on ne parle jamais des Indiens et qu'on s'y intéresse si peu, et par des réactions ambivalentes : si les aborigènes revendiquent, on les traite d'inconscients ou d'inconséquents ; s'ils se taisent et endurent, on les traite de sous-hommes.

Mais il y a du racisme parfois très ouvert. Ainsi, pendant l'épisode de négociation d'une entente avec les collectivités innues, les tribunes téléphoniques se sont déchaînées. Une blague qui avait cours au Saguenay, à l'émission de Louis Champagne :

« Savais-tu que j'ai du sang indien ?

— Ah ouais ?

— Ouin, sur le capot de mon char. »

Qu'on ne dénonce pas davantage ce genre de racisme ou les postures intolérantes qui l'alimentent me déçoit beaucoup. Les Québécois, qui ont fait leur miel de leur très forte affirmation identitaire et socio-économique, devraient avoir autant de sympathie pour les Indiens qu'ils en ont pour les Afro-Américains. L'ironie est bien qu'une frange plouc mais bruyante de la société québécoise ne pardonne pas aux Innus ou aux Cris de suivre le chemin qu'ils ont eux-mêmes tracé. J'y vois de la mauvaise foi. Quand on songe que le quart de la population est métisse à des degrés très divers, il y a donc dans cette intolérance une espèce de déni de soi non résolu.

Chapitre 20

Nos sévices de santé

Où l'auteur, docteur ès ronflements, passe à la moulinette du polysomnographe à domicile et en déduit toute une série de réflexions fort justes sur la conception du service public au pays des cordonniers mal chaussés et diagnostique le principal problème de santé de la Santé.

Ce n'est pas pour me vanter, mais je vais me vanter pareil. Je suis un ronfleur de talent dont le potentiel réel n'a jamais été reconnu. J'ai toujours été désolé que Julie-ma-Julie et mes compagnons de camping ou de randonnée apprécient si peu cet art ancien dont la sonorité rythmique emplit nos nuits au même titre que le cri de l'engoulevent bois-pourri, la chauve-souris pipistrelle de l'Est et le grand-duc d'Amérique. Et que dire du pauvre écureuil polatouche, de l'opossum commun et du noctambule du Plateau en rut frayant dans la ruelle ? Des touristes paient des fortunes pour aller entendre japper le coyote à queue touffue d'Amérique ou coucouter le grand coucou terrestre du Sud-Est, mais l'on méprise l'honorable ronron du ronfleur de Rosemont, Rougemont ou Rimouski. C'est un comble.

Les cardiologues et les pneumologues croient à tort que le ronflement est provoqué par l'apnée du sommeil et qu'il est néfaste pour le système cardiovasculaire. Malgré tout le respect que j'ai pour leurs douze années d'études universitaires, ils ont tout faux. En réalité, les problèmes cardiovasculaires découlent d'abord des grognements, des cris et des coups de coude de conjoints de mauvaise foi et jaloux de ces démonstrations nocturnes du génie pur, privant par là le pauvre ronfleur d'un sommeil réparateur et mérité après une dure journée de labeur et une nuit entrecoupée d'épisodes fiévreux de création artistique.

Ce qui ne change rien au problème. Devant les menaces de divorce de Julie-ma-Julie, je dois me résoudre à consulter le pneumologue de la clinique du sommeil. Pour la contenter, remarquez.

Et c'est ainsi que, pour mesurer mon « profil de sommeil », le pneumologue me renvoie à la maison avec un polysomnographe. Cet appareil tient dans une petite valise, bien que son nom, lui, n'entre pas dans la même valise à moins de le plier. Il s'agit d'une machine censée vérifier les fonctions physiologiques du dormeur pendant son sommeil : rythme respiratoire, pression sanguine, CO_2, pouls et tout le tintouin. Je dis « censé », car le principal effet de cette machine est d'empêcher le ronfleur de dormir. Ils pourraient le faire à la clinique du sommeil de l'hôpital, mais c'est la nouvelle mode que de donner des devoirs à emporter au patient pour qu'il tente de jouer au docteur chez lui. C'est de la médecine en kit IKEA, de la médecine *do-it-yourself.*

Cela aura été, certainement, la plus mauvaise nuit de ma carrière de ronfleur.

Une nuit avec le polysomnographe oblige l'heureux cobaye à toute une série de préparatifs fastidieux. Après m'être collé un petit micro sur la trachée, m'être enfilé un saturomètre sur le majeur (pour le CO_2), m'être enfoncé un autre tuyau dans le nez et m'être collé un troisième fil sur le coude pour le pouls, je suis « prêt » à dormir !

Mais personne ne m'a expliqué comment je suis censé m'endormir sans anesthésie avec toute cette tuyauterie et cette « filerie ». L'inhalothérapeute m'a expliqué que je dois aussi tenir une espèce de journal où je note quand je m'endors et me réveille, et pourquoi. Et je suis censé penser à peser sur le bouton d'allumage au moment de m'endormir.

« Mais comment noter l'heure où l'on s'endort ? » ai-je demandé à ce pauvre inhalothérapeute, qui doit bien être la seule personne à pouvoir répondre par l'affirmative à cette vieille question : « Dors-tu ? »

Par-dessus le marché, ce brave inhalothérapeute m'a prévenu que je dois également tâcher de dormir tout en faisant attention de ne pas écraser le tuyau d'air (celui que j'ai dans le nez).

« Je suis censé dormir, pendant vos tests de sommeil ?

— Oui », a répondu ce pauvre inhalothérapeute, qui dort même en travaillant (lui, il croit à son produit !), preuve ultime qu'il existe des cordonniers bien chaussés.

Il me faut bien quinze minutes pour figurer la position la plus avantageuse pour le tuyau, laquelle ne figure pas dans le manuel des 69 positions de l'amour, figurez-vous. Quant au dormeur, bof ! J'en viens vite à la conclusion que ce qui est bon pour le tuyau n'est pas forcément bon pour le dormeur. Après une bonne heure de lecture préparatoire, en tentant de me remémorer qu'il faut démarrer la machine au moment de m'endormir et me souvenir de l'heure où je m'endors, si je m'endors…

Ron ! Bzz ! Ron ! Bzz !

Je me réveille à 23 h 51 : j'ai oublié d'allumer la machine ! Encore à moitié endormi, je l'allume… et ne m'endors plus. Alors j'éteins la machine et je lis, après avoir noté que je me suis endormi à 23 h 49 et me suis réveillé à 23 h 51 pour allumer la machine. Finalement, au moment où je commence à cogner des clous, je rallume la machine même si je ne dors pas encore tout à fait et j'emmerde l'inhalothérapeute. Ils s'arrangeront bien, à la clinique.

Je dors mal environ une heure et me réveille pour tousser à 1 h 23. L'air qui m'entre dans le nez est sec. En toussant, j'arrache le saturomètre et le micro, qu'il faut recoller, mais pour le recoller, il faut la lumière, les ciseaux et le ruban. Après dix minutes de bricolage, j'ai chaud et je ne me rendors pas. Je suis déjà courbaturé d'avoir essayé de dormir sans écraser le maudit tube. J'essaie aussi de ne pas oublier l'heure où je me suis éveillé, en me demandant si je me rappelle l'heure où je me suis endormi.

Ne me demandez pas comment, mais je finis par oublier l'engeance et je m'endors à l'heure qu'il vous plaira... jusqu'à ce que la sonnerie d'alarme du polysomnographe retentisse, quarante-cinq minutes plus tard (à 2 h 08) : JE SUIS EN ARRÊT RESPIRATOIRE !

Apparemment, l'air ne passe plus dans le tuyau. En dormant, j'ai coincé le tube, la machine en a déduit que j'avais cessé d'inspirer et elle a donné un coup de sonnette pour me réveiller.

Tandis que mon pauvre cœur passe du galop au trot, je note l'heure dans le Journal du Polysomnographe et je décris ce qui vient de se passer en me demandant comment les gars de la clinique du sommeil pourront étudier mon sommeil si leur polysomnographe se transforme en insomnographe polisson.

J'essaie de me rendormir en lisant, mais je ne me rendors toujours pas. Et à 3 h 17 , ce qui devait arriver arrive : l'envie de pisser. S'il y a bien une chose qui unit tous les dormeurs de la planète, de toutes les espèces animales, c'est l'impossibilité de s'endormir avec une envie de pisser. Sauf peut-être mon pauvre inhalothérapeute narcoleptique. D'habitude, ce problème est très facile à régler, sauf que là, je suis attaché au continent par un tuyau et trois fils électriques et je n'ai pas envie de tout débrancher, sinon j'en aurai pour vingt minutes à tout rebrancher.

Heureusement, heureusement, j'ai branché le polysomnographe dans le corridor par une rallonge de 5 mètres. À 3 h 24, je fais quelques calculs mentaux: la rallonge + les fils, cela donne bien 10 mètres. Alors je pars dans le corridor avec mes fils et le polysomnographe, tout en déroulant la rallonge. À deux mètres de la porte de la salle de bain, je suis au bout de la rallonge. Je dépose le polysomnographe sur le plancher du corridor, mais il me reste assez de tuyaux pour me rendre à la cuvette et pisser sur une jambe.

Je pissote donc allègrement jusqu'à ce que je me rende compte que le maudit micro s'est décollé de ma fourchette sternale pour descendre au niveau de ma fourche pubienne, et que je pisse dessus depuis une minute. Alors je prends le micro dégoulinant et je fais la seule chose décente dans les circonstances:

« Excusez-moi, monsieur l'inhalothérapeute, mais je viens de vous pisser dessus. »

Il faut le laver maintenant, et j'y parviens en me penchant à droite par une contorsion, mais je mouille le saturomètre. L'inhalothérapeute a dû se demander s'il écoutait des poumons ou des branchies.

« Excusez encore, mais là, il fallait que je vous lave. Là, il faut que je vous essuie. »

Frouche frouche dans le micro.

« Qu'est-ce que tu fais? me demande Julie-ma-Julie, que tout ce boucan vient de réveiller.

— J'essuie le micro. Je viens de pisser dessus.

— À qui tu parles?

— À l'inhalothérapeute. Dis bonjour à l'inhalothérapeute.

— Pas avant que tu l'aies essuyé.

— C'est de l'eau, c'est de l'eau.

— Allô, monsieur l'inhalothérapeute... Il n'est pas très poli, il ne répond pas.

— C'est parce que c'est enregistré.

— Pourquoi tu lui parles, alors?

— Pour lui expliquer que je lui ai pissé dessus, mais que je l'ai lavé et que je l'ai essuyé.

— Qu'est-ce qui arrive quand les gens font l'amour ? Il écoute ?…

— Je ne suis pas certain que le polysomnographe soit aphrodisiaque. Regarde-moi, avec tous ces fils.

— Ça peut s'arranger. »

Et puis merde ! Je décroche toute la « filerie » et la tuyauterie et je retourne faire l'amour à ma femme vite fait à l'abri des oreilles indiscrètes de l'inhalothérapeute, de ses collègues et de tout l'étage de l'Hôtel-Dieu. Il me faut encore un autre quinze minutes pour tout rebrancher et, pour faire plaisir à mon inhalothérapeute, à peser sur le bouton jaune pour désengager l'alerte, puis sur le bouton vert pour tout repartir.

Finalement, je ne sais pas ce qu'ils sont censés étudier avec leur polysomnographe à domicile – ça ne doit pas être triste, à la clinique du sommeil, quand ils écoutent les patients.

En fin de compte, les données recueillies seront tellement mauvaises qu'ils me donneront un nouveau rendez-vous pour passer au polysomnographe à la clinique du sommeil, sous supervision d'une inhalothérapeute éveillée. En fait, ce n'est pas un rendez-vous, mais un numéro pour appeler au Centre de Rendez-vous de l'hôpital, ce que je fais immédiatement.

« On a une place pour vous, me dit la rendéveuse[37]. Le 7 septembre à 21 h 10.

— C'est dans dix mois, ça, madame.

— On n'a rien avant. »

J'essaie alors sur elle la vieille blague des plombiers soviétiques.

« Laissez-moi voir… Ce ne sera pas possible, madame. Il risque d'y avoir un conflit d'horaire. Le plombier doit venir le 7 septembre à 20 h 50. Une fuite "urgente" à réparer. Mais ce serait possible à 21 h 57, entre l'électricien et le boucher, qui m'a promis un morceau de viande.

---

37. Ils ne sont pas très d'accord à l'OQLF, mais que voulez-vous ? Une « personne qui gère les rendez-vous », c'est un rendéveux ou une rendéveuse.

— J'ai le 15 octobre à 22 h 17. »

Vraiment pas une rapide, la rendéveuse – peut-être la sœur de mon inhalothérapeute. En désespoir de cause, je tente un nouveau raffinement de la blague du plombier soviétique.

« Malheureusement, mon réparateur doit venir pour une réparation urgente pour mon lave-vaisselle.

— Je n'ai rien après ça avant janvier.

— Je pense que je vais déplacer le réparateur en février et laver ma vaisselle à la main. Et je vais prendre le rendez-vous. Celui de septembre.

— À 21 h 10 ?

— C'est noté. Mais il se pourrait que je sois deux minutes en retard. »

Je ne pense pas que la madame ait compris la farce.

Avec la baguette et le bon vin, l'accès aux soins est bien une des choses que je regrette le plus de la France et qui me choque le plus depuis mon retour.

Pendant mon séjour en France, je me suis blessé deux fois, à la cheville et au genou, et j'ai eu à côtoyer les services locaux. J'ai pu mesurer toute la différence. En France, les temps d'attente sont généralement courts, on a accès directement au spécialiste sans devoir passer par un généraliste, les médecins se déplacent à domicile, les infirmiers aussi.

Il faut ici que je fasse mon *mea culpa.* Car tout ce qui m'arrive est un peu ma faute. Pas une grosse faute, mais j'y ai contribué. Au milieu des années 1990, j'avais interviewé le ministre de la Santé, Jean Rochon, à propos de son virage ambulatoire. Le projet avait l'apparence du bon sens – faire mieux avec moins de ressources et faire à domicile tout ce qui peut être fait hors de l'hôpital.

Sauf que sa réforme s'est accompagnée d'une mesure administrative qui a consisté à mettre à la retraite quelques milliers de médecins et d'infirmiers, tous des vétérans expérimentés. Le système de santé québécois ne s'en est pas remis – et ce n'est pas une bêtise uniquement québécoise, puisque toutes les provinces canadiennes ont fait la même chose pendant les mêmes années.

Ce fut la décision administrative la plus imbécile qu'on puisse imaginer, pour deux raisons. D'abord parce que les médecins sont le goulot d'étranglement d'un système médical. S'il y a moins de médecins, il y a moins de personnes pour prendre les décisions de nature médicale. À la rigueur, on coupe des lits, mais on ne coupe pas les médecins. Ensuite parce qu'on n'a pas tenu compte des changements de sociologie dans la génération de nouveaux médecins – beaucoup moins portée à faire des heures de fous que la génération précédente. Si bien que ce changement générationnel a aggravé le problème de fond.

Médicalement parlant, la grande différence entre le Québec et la France, c'est l'accès aux médecins et aux infirmières. Au Québec, nous avons 231 médecins pour 100 000 habitants. En France, c'est 333. Pas compliqué. Presque 50 % de plus.

La France compte beaucoup de médecins pour une raison très simple : les Français ont compris il y a longtemps que les médecins sont le goulot d'étranglement du système médical et ils ont décidé qu'il y en aurait beaucoup. Et que l'on pourrait consulter un spécialiste sans passer par un généraliste. Si j'ai un problème de peau, je me demande quelle est l'utilité de devoir passer par un généraliste débordé avant de sonner à la porte du dermatologue. À moins bien sûr qu'on espère que la moitié des problèmes s'en iront d'eux-mêmes dans l'intervalle. Soit en guérissant tout seul, soit en s'aggravant à tel point qu'ils tueront le patient, ce qui simplifie beaucoup la dispense de soins.

Tout n'est pas parfait. Certains recoins de France peu peuplés sont de véritables déserts médicaux. Pour y attirer des médecins, le gouvernement a créé un programme où il garantit au professionnel un revenu plancher de 5 700 euros mensuels. C'est moins de 100 000 dollars par année. Pas les gros chars. Trouvez l'erreur.

À Montréal, un de mes amis médecins, Pierre Pluye, qui est français, m'a un jour résumé ça vite fait: les Français ont un bon accès parce qu'ils tolèrent, socialement, qu'il y ait des médecins « pauvres » – c'est une autre conséquence du fait d'avoir beaucoup de médecins.

Bref, les Français ont réglé une partie de leur problème de santé par une politique de l'offre. L'État a décidé du nombre de médecins qu'il fallait pour avoir un bon accès aux soins, et les facultés produisent du médecin. L'offre est bonne, la demande est comblée. Mais toujours est-il que la France a assez de médecins et de personnel infirmier pour structurer un système parallèle de visites à domicile. Bref, le nombre de lits n'est pas aussi critique qu'il y paraît s'il y a assez de médecins. C'est drôle, mais des lits, il s'en trouve dans toutes les maisons ! CQFD.

Au Québec, nous vivons avec la conséquence néfaste d'un ordre professionnel qui rationne la médecine, c'est-à-dire qu'il s'arrange pour nous faire tolérer qu'il n'y ait que dix-huit mille médecins là où il en faudrait vingt-six mille. Bref, nous sommes confrontés à un problème artificiel de carence qui est entièrement créé par ceux qui ont charge de nous soigner. Et nous laissons faire.

Si l'accès aux médecins se détériore au Québec, c'est parce qu'il n'y a pas assez de médecins et que l'ordre professionnel qui les gère ne veille pas correctement au bien public. À la fois juge et partie, il use de toute une série de mécanismes pour restreindre l'offre à dix-huit mille médecins. Cela avec la complicité des facultés de médecine, qui restreignent l'accès aux programmes.

Depuis mon retour, je m'étonne d'ailleurs que l'on tienne si peu compte de la démographie dans toutes les décisions qui sont prises. L'une des différences majeures entre la France et le Québec est que le Québec se débat avec une natalité médiocre depuis quarante ans, alors que tous les voyants sont au vert, en France, sur ce point – ce qui crée d'autres pressions sur l'ensemble des services, mais pas celui du renouvellement des générations.

Les apprentis sorciers qui nous administrent et nous dirigent ont beaucoup de mal avec la grande démographie (celle de la population générale) et la petite démographie (celle des sous-groupes). Comment peut-on, par exemple, avoir planifié un système de retraite comme le nôtre il y a cinquante ans alors que l'on savait que la natalité était en train de décrocher ? De même, trente ans plus tard, comment peut-on avoir planifié un virage ambulatoire et envoyé quelques milliers de médecins à la retraite alors même que la population vieillissait et que le corps médical exigerait plus de personnel pour dispenser un service équivalent ?

Bref, au Québec, l'État a abandonné sa mission de dicter aux ordres professionnels la marche à suivre sous menace de dissolution. *Idem* pour les facultés de médecine. C'est bien beau de dire que le taux de médecins pour 100 000 habitants au Québec se rapproche de celui des Américains, qui est à peu près à 250 pour 100 000 habitants. Sauf que la médecine américaine n'est pas socialisée : 10 à 20 % de la population – la part la plus pauvre et celle qui a le plus besoin de soins – n'a pas les moyens de payer une simple consultation médicale. Voilà qui règle le problème de carence : ils meurent avant de faire pression sur le système. Au Québec, on espère avoir le beurre (une médecine socialisée) et l'argent du beurre (le moins possible de médecins), mais ça ne peut pas marcher.

Croyez bien que je ne dis pas que tout est parfait dans le système de santé en France : il a de gros défauts. Mais pas celui du manque d'accès aux soins. Pour un Québécois, le système de santé français a un petit côté américain qui est très troublant, puisqu'il y est constamment question d'argent et d'assurance. Mais en même temps, c'est tellement socialisé que les frais demeurent abordables. En France, une consultation médicale peut coûter aussi peu que 23 euros (environ 37 dollars), parfois jusqu'au triple – ce qui paraît beaucoup, sauf que c'est moitié moins qu'aux États-Unis.

Le luxe médical, quoi !

Chapitre 21

L'hiver, c'est nous autres

Où l'auteur, dont le pays n'est pas un pays, mais l'hiver, goûte à nouveau aux neiges d'antan, démolissant au passage le mythe du facteur vent, et, ayant expliqué qu'une souffleuse n'est pas une turbo-fraise à vis fraiseuse, mobilise sa vaste culture pour résoudre devant un public ébahi l'Énigme de la bière-qui-fige-quand-on-la-débouche.

À la première tempête de neige, je pars faire du ski de fond sur le mont Royal. J'adore l'hiver, et vous ne pouvez pas savoir combien il m'a manqué. Ce fut même une de mes raisons intimes de quitter la France. Car l'hiver parisien est fluet : un peu froid de temps à autre, jamais de neige, et les buissons bourgeonnent déjà à la fin de janvier. Ce qu'ils ont à Paris, c'est un vrai printemps, qui s'étire de janvier à mai et qui déploie toutes ses beautés une branche à la fois.

À Toronto, c'était encore autre chose. Pas assez froid pour en jouir ; trop froid pour profiter du temps. L'hiver torontois est fondamentalement désagréable – et comme il faut aller très loin pour rencontrer le véritable hiver ontarien, on n'en jouit pas ou mal. Cela s'apparente à du mauvais sexe : il vaudrait mieux s'abstenir.

C'est vous dire combien m'a manqué, le vrai hiver hivernal du Québec québécois avec des tonnes de neige et de trucs passionnants à faire. Une année sans hiver est fade : cela manque d'assaisonnement. Et comme je suis très fort en étymologie, je vous fais remarquer qu'il y a « saison » dans « assaisonnement ». Le crissement des pas sur la neige dure, le craquement de la glace sous le poids du patineur, le chuintement de la pointe du ski qui dépasse de la neige – ces sensations n'appartiennent qu'à l'hiver.

L'hiver, c'est nous autres. Je pense qu'il se situe très haut dans ce qui définit une identité québécoise. Les deux citations les plus fréquemment citées par les Québécois de toutes les classes sociales sont certainement celle de ce poseur de Voltaire qui demande que faire de ces quelques arpents de neige et celle de ce pauvre Nelligan, qui a fait neiger la neige.

Tous, poètes et quidams, ont élaboré pour parler de l'hiver un vocabulaire fait de mots qui ne veulent rien dire pour un Français : la sloche, bien sûr, mais aussi la traîne sauvage, la souffleuse, les tractions, la gratte, le hockey, la rondelle, le frette, frimasser, la poudrerie, les bancs de neige, la bordée de neige, le gros sel. Ce sont nos mots les plus précieux.

Pour apprécier l'hiver, il faut du caractère et puis s'habiller. Avez-vous remarqué que tous ceux qui détestent l'hiver ont pour trait commun de se vêtir de façon inconséquente ? La plupart des hivernophobes masquent leur mollesse derrière un paravent de fausse témérité : ils essaient de fonctionner l'hiver sans gants, sans chapeau ni tuque, sans foulard ni bottes. Et bien sûr qu'ils n'aimeront pas l'hiver ! Ils multiplient les comportements de déni : ils refusent de changer les pneus de leur voiture pour des pneus à neige ; ils n'ont ni pelle, ni chaînes, ni tractions, ni sel, ni brosse, ni grattoir dans leur coffre ; ils n'ont que de mauvaises pelles, trop courtes ou trop grosses, qui cassent tout le temps – quand ils en ont une.

Tout Toronto était comme ça. Les Torontois ne s'habillent pas pour l'hiver. Quand je me baladais vêtu pour l'hiver dans les rues de Toronto, j'avais l'air d'un Martien. Personne n'a de pièces d'équipement adaptées, ni même seulement de quoi se mettre sur la tête. Entre Québécois, on pouvait se reconnaître au premier coup d'œil.

Ce n'est d'ailleurs pas seulement une affaire de rats des villes. Du fond de sa campagne ancasterienne, mon beau-père refuse de porter la tuque, le foulard et les mitaines : c'est à peine s'il consent à porter des gants. Quant aux chaussures, c'est n'importe quoi. Beau-Père a une souffleuse pour déneiger sa grande entrée et une toute petite pelle – rien qui ressemble aux gros poussoirs à neige qui font partie de mon enfance. D'ailleurs, je n'en ai pas vu un seul dans le sud de l'Ontario. Dans toute la famille de Julie-ma-Julie, ils ne sont que deux à aimer l'hiver : Julie-ma-Julie et son frère. Les autres l'aiment en photo. Alors si, dans l'arrière-pays torontois, on déteste l'hiver à ce point, imaginez ce qui arrive quand ils montent à Toronto.

Ce déni total des Torontois à l'égard de l'hiver est évident dans leurs politiques vis-à-vis de l'hiver. J'ai vu ça à la première tempête. D'abord, ils déneigent les rues, mais pas les trottoirs. Dans Toronto-Centre, chaque propriétaire est responsable d'enlever la neige sur le bout de trottoir devant chez lui – ça ne fonctionne qu'à moitié, mais c'est ainsi. La réalité, c'est que ces urbains hivernophobes n'ont jamais prévu de désencombrer les trottoirs de tous les abribus et poteaux qui empêcheraient les chenillettes de circuler. Pendant ce temps, ils déneigent les trottoirs des quartiers périphériques, là où personne ne marche. Cette carence de planification est d'autant plus étonnante que l'une des forces de Toronto est précisément la planification urbaine. Mais ils ne planifieront pas l'hiver !

Pour justifier ces absurdités, les Torontois ont recours à toutes sortes de subterfuges, du genre : « le déneigement coûte cher » ou « il neige moins qu'à Montréal ». Certes, il neige un tiers de moins qu'à Montréal, mais ça fait quand même deux tiers ! Ils font donc des économies de bouts de chandelle. Et s'il neige trop, on appelle l'armée. Et mentalité ailleuriste oblige, ils sont d'autant plus justifiés de le faire que c'est comme à New York, tiens !

Les hivernophobes ont même trouvé un truc pour se justifier : ils appellent ça le « facteur vent ». Un beau jour que nous nous buvons une bière après un bon ski dans les Laurentides, la serveuse vient nous voir avec cette espèce de sourire tous-solidaires-des-grandes-catastrophes-naturelles et lâche sa bombe :

« Vous savez combien il fait dehors ? Moins 35 !

— Méchante erreur ! Ils annonçaient -22.

— Ben, c'est -22, mais -35 avec le facteur vent.

— Bref, il fait -22 °C et il vente moyennement. »

La pauvre fille a froncé les sourcils. Je venais de lui dégonfler sa baudruche catastrophiste.

Le facteur vent est finalement ce que je déteste le plus de l'hiver. J'en veux beaucoup aux météorologues qui ont planté cette notion molle dans les millions de têtes molles pour mettre du drame dans leurs bulletins mous.

« Le mercure indique -15 °C aujourd'hui, mais avec le vent, la température ressentie est de -1 000 °C !

— Ah ben là dis donc ! » s'exclame l'animateur béat.

Quand j'étais jeune, il n'y avait pas de facteur vent. Il ventait, tout simplement. D'ailleurs, le vent n'avait pas non plus de vitesse. Sa vitesse était : pantoute, bof, moyen, pas pire, fort, trop et à « écorner les bœufs ». De nos jours, il « facteur-vente ».

Le concept du facteur vent a été inventé dans les années 1950 par des chercheurs américains échoués sur une banquise en Antarctique. Comme ils n'avaient strictement rien à faire, ils ont cherché à qualifier le froid intense. Mais ce qui est critique pour le reste de l'histoire, c'est qu'ils ont fondé leurs mesures sur la vitesse de refroidissement de l'eau dans un cylindre. Le concept même de facteur vent part du principe que nous sommes tous des cylindres d'eau ayant une capacité de déduction hydrocéphalique. Moralité : un adulte qui sort par grand froid sans se couvrir mérite de geler parce qu'il est inadapté. Darwin a écrit de belles choses là-dessus.

Tout corps chaud émet naturellement une bulle de chaleur qui l'enveloppe et que le vent cherche à déplacer. Au cours Hiver 101, que l'on passe en général entre trois et cinq ans, l'enfant apprend que le vêtement accroche cette bulle de chaleur à sa peau malgré le vent. Au cours Hiver 201, entre sept et huit ans, l'enfant apprend que deux autres facteurs influencent la température ressentie : la direction du vent et le soleil. Si vous marchez face au vent ou droit au vent, il facteur-vente plus que si vous marchez dos au vent ou courbé. Si vous marchez à l'abri du vent, comme près d'un mur, il facteur-vente moins.

Allez tourner en rond sur la patinoire au vent par -18 °C et observez bien. À un moment donné, il facteur-vente très fort de face, ensuite il facteur-vente moins de côté, et ensuite il ne facteur-vente presque plus quand vous avez le vent dans le dos. Puis ça recommence quand vous changez de direction.

Au cours Hiver 202, on fait une petite expérience : on va retourner patiner par -18 °C, cette fois quand il ne vente pas ! Observez bien. Quand vous patinez par un jour sans vent, il facteur-vente toujours égal et toujours de face – tiens, tiens !

Bref, le patin, le ski, la raquette, la marche sans facteur vent, ça n'existe pas. Même à reculons. Le simple fait de marcher dans l'air immobile produit du facteur vent.

Au cours Hiver 301, vous êtes invité à gosser sur le site d'Environnement Canada et sa calculatrice du refroidissement éolien. Amusez-vous à entrer des chiffres. Qu'observez-vous ? Réponse : La plus grosse variation de température ressentie est au PREMIER km/h de vent.

Mettons qu'il fait -10 °C et qu'il vente à 1 km/h, la température ressentie est de -11 °C. Donc, le premier km/h fait bouger la température ressentie d'un gros degré. Il faut ensuite monter le vent à 30 km/h pour finalement toucher -20 °C (29 km/h de plus, pour 9 degrés de différence). Et ça plafonne à -25 °C pour un vent de 100 km/h (75 km/h de plus pour un petit 5 degrés). Au-delà de 100 km/h, le facteur vent ne bouge plus du tout.

Leçon 1 : Le facteur vent est pire quand il ne vente pas trop. (Un mathématicien vous dirait que la courbe est asymptotique.)

Leçon 2 : Vos vêtements d'hiver repoussent le seuil du premier km/h de vent sur votre peau. Si le vent ne traverse pas, il ne facteur-vente pas.

Question d'examen : Vous débarquez de l'autocar à Québec par -24 °C, il fait un vent glacial de 20 km/h et vous devez marcher 2 kilomètres. Que faire[38] ?

Moralité : Le facteur vent est toujours pire si vous vous comportez en cylindre d'eau.

En fait, j'aime tellement l'hiver que j'en ai deux : l'hiver urbain et l'hiver des campagnes. J'ai mon sport d'hiver urbain – le patin – et mon sport d'hiver des campagnes – le ski de fond. J'ai aussi mes amis d'hiver urbains, qui ne sont pas les mêmes que mes amis d'hiver des campagnes.

L'hiver des villes, c'est bien évidemment la sloche et les voitures enlisées des conducteurs sans pneus à neige. Mais c'est aussi les longues sorties nocturnes sur le mont Royal, alors que, à travers la forêt squelettique et dégarnie de feuilles, les lumières de la ville éclairent assez les sentiers pour qu'on puisse skier dans les bois sans lampe.

Chaque fois qu'un Français nous visite l'hiver, je ne manque pas, s'il est présentable, de l'envoyer chez mon ami Paul Bernier. Il faudra que je vous présente Paul Bernier, un bon jour. C'est mon ami architecte et un vieux copain du séminaire de Sherbrooke. Il a une superbe maison rue Pontiac. Ce n'est pas le meilleur campeur, mais sa maison, qui donne carrément sur

38. Réponse : Ben, vous marchez – avec le bon vêtement et du bon côté de la rue (celui qui est à l'abri du vent). Tiens, il facteur-vente moins !

le trottoir, est l'un des meilleurs sites pour observer l'opération D – pour Déneigement.

J'ai découvert ça par hasard justement un soir de fin de tempête, alors que nous soupions chez lui avec d'autres copains. L'opération D battait son plein et nous avons carrément ouvert la porte de sa maison pour examiner le ballet des mécaniques tout en buvant un verre et en applaudissant les engins. J'ai d'ailleurs ce souvenir impérissable d'un chauffeur de chenillette en t-shirt dans sa cabine, sursautant en nous entendant l'acclamer depuis la porte de chez Paul.

Si vous ne connaissez pas Paul Bernier, vous n'avez qu'à vous planter dans un café ou devant la fenêtre chez vous pour admirer l'opération D.

Dans le genre « hiver industriel », on ne trouve pas mieux. Il y a en fait deux phases : défensive et offensive. La phase défensive consiste à pousser la neige quand elle tombe. Les chenillettes Bombardier vrombissent sur les trottoirs pour les dégager ; les pelles gigantesques des chasse-neige dégagent les rues et les saleuses les recouvrent d'abrasif et de sel. Selon le type de neige et de température, ils s'y prennent différemment.

La phase offensive consiste à retirer la neige des rues et des trottoirs quand il y en a trop. On peut prévoir la mise en branle de l'opération D par des affiches qui ordonnent aux automobilistes de se garer ailleurs sous peine d'amende. L'imminence de l'opération est annoncée par l'attroupement de gros camions à benne. Puis, tels les musiciens qui s'accordent avant l'entrée en scène du chef d'orchestre, le concert des alarmes des dépanneuses, si caractéristique, donne le *la* de l'opération D en annonçant aux retardataires qu'ils doivent immédiatement retirer leur voiture pour ne pas nuire au bal des mécaniques.

Après ce prélude musical, l'opération D commence invariablement par le passage des Bombardier, ces petites chenillettes à trottoirs qui vrombissent plein gaz et qui foncent à toute allure à deux pas des portes.

Suivent alors les plus gros engins, judicieusement appelés première gratte, deuxième gratte et troisième gratte. Ce manège consiste à pousser la neige dans la rue pour la ramener en un beau tas rectiligne. Cette étape annonce le crescendo final et l'entrée en scène de la grande vedette du spectacle : la souffleuse – invention 100 % québécoise que les Français s'obstinent à appeler une « turbofraise à neige » ou un « chasse-neige à vis fraiseuse ». La souffleuse est invariablement précédée de ses pages, deux cols bleus de la Ville de Montréal dont la tâche est de s'assurer que la souffleuse n'avale pas un Montréalais pressé ou un catatonique du photojournalisme. Suivie de son long cortège de camions à benne, la souffleuse avale le gros tas rectiligne et souffle la neige pâteuse dans les bennes des camions sans jamais s'arrêter. Quand il y a beaucoup de neige, deux autres grattes viennent réaligner les restes pour un second passage de souffleuse. Dans les quartiers densément peuplés, ce convoi est suivi par une file de voitures qui cherchent à se garer, puis par le pick-up de la voirie rempli de quatre cols bleus qui viennent décrocher les affiches d'enlèvement de la neige.

Ce bel ordonnancement est parfois interrompu par des événements malheureux, comme un touriste japonais un peu trop curieux ou, plus souvent, l'obligation de faire passer le camion des éboueurs pour séparer les poubelles du reste de la neige. Il arrive parfois d'autres incidents plus cocasses.

Huit chapitres plus tôt, je vous ai parlé de ma collection personnelle de Drames urbains, tel mon célèbre bac de recyclage fondu. La plus belle pièce est néanmoins un artefact d'hiver urbain à la confluence de l'hiver industriel et de l'hiver domestique. C'est un morceau de ferraille d'environ un mètre et demi de long, tordu et déchiré en une forme de spirale. Cette pièce ornera longtemps notre salon – au grand dam de Julie-ma-Julie. Invariablement, les invités se prennent au jeu des devinettes : qu'est-ce ? Ou plutôt : qu'était-ce ? Un seul, en dix ans, a mis le doigt dessus sans indice.

Il s'agit d'un vieux calorifère électrique qui est passé dans une souffleuse à neige ! Il avait été jeté sur le banc de neige par le propriétaire de notre immeuble. Or, par une belle nuit frigide de janvier, alors que l'opération D battait son plein juste sous ma fenêtre, j'avais été réveillé par un grincement sinistre, suivi d'un clouc sonore et de l'arrêt soudain du vacarme des machines. Une portière s'ouvrit, un ouvrier sortit et se mit à claironner dans l'air dense et froid :

« Crisse de tabarnaque de ciboire ! Qu'essé ça, câlice ? »

D'autres portières claquèrent, prélude au conciliabule.

« Baptême, qu'essé qu'y s'passe, encore, viarge ?

— Ben viens voir, hostie !

— Viarge !

— Bout de Christ !

— M'as dire comme toi, calvaire. »

Le reste du chapelet d'ostensoirs, de saint-simoniaque, de vierge, de calvaire, de crucifix, de Jésus-Marie-Joseph se mêla bientôt aux percussions répétées des outils alors que les ouvriers essayaient de dépêtrer le calorifère enroulé autour de la vis d'alimentation de la souffleuse.

De dépit, les ouvriers jetèrent l'objet sur le trottoir, et le cortège grandiose repartit. Et c'est ainsi que le lendemain matin, au sortir de chez moi alors que j'allais faire mes courses, je suis tombé raide d'étonnement devant cette révélation sublime : L'ŒUVRE !

D'un point de vue journalistique, j'aime presque autant l'hiver industriel que l'hiver des campagnes. Cela m'a d'ailleurs un jour inspiré un reportage sur le glaciologue d'Hydro-Québec – car figurez-vous que notre société d'État embauche un glaciologue pour travailler sur le bon moment pour créer le couvert de glace des réservoirs et protéger ses équipements de la glace sous-marine.

C'est d'ailleurs ce glaciologue qui, pour m'expliquer l'essence de son art, m'a fourni la réponse à une énigme à l'origine de nombreux drames familiaux: la bière-oubliée-dans-le-banc-de-neige-qui-fige-quand-on-la-débouche?

Mise en scène: en plein party du jour de l'An, entre deux rigodons, la soif vous prend et vous vous rappelez que votre caisse de bière est restée dans le banc de neige. Surprise: quand vous la tirez de là, la bière n'est pas gelée, alors qu'elle devrait être congelée. Pour vous remettre de vos émotions, vous en débouchez une. En quelques secondes, la bière providentielle est entièrement figée en un bloc de glace. Ça casse un *party*.

Comme cet événement se produit en général quand les principaux intéressés ont déjà un peu forcé sur la bouteille, ce problème est longtemps passé sous le radar des experts. Jusqu'à ce que je rencontre le glaciologue d'Hydro-Québec, qui s'est servi de l'Énigme de la bouteille-qui-fige pour m'expliquer comment se forme la glace.

Contrairement à ce que croient bien des gens, la glace ne se forme pas spontanément à 0 °C. La glace est un cristal qui a besoin de s'appuyer sur une impureté pour se fixer. Si bien que dans un milieu naturel, où il y a beaucoup d'impuretés, la glace prend à -1 ou -0,5 °C. S'il tombe quelques flocons de neige, la glace prendra encore plus vite puisque les flocons, qui sont des cristaux, amorcent la cristallisation dès qu'ils touchent l'eau glaciale. En l'absence d'impuretés, le liquide gèlera, mais beaucoup plus bas que zéro, vers -15 °C. Or, le peu d'air dans la bouteille scellée est pur, mais au moment de la déboucher, les impuretés de l'air ambiant se précipitent, les cristaux se fixent, la bière fige en quelques secondes et vous êtes pris pour passer le reste de la soirée à quêter des bières à vos amis.

Mes vieux amis savent néanmoins que, d'un point de vue personnel et en dehors du travail, c'est l'hiver des campagnes que je préfère. En particulier pour le ski de fond.

Le ski de fond est le seul sport, avec le patin, que je suis capable de pratiquer en tournant en rond, tellement j'aime ça. Le vélo, j'aime bien, mais cette discipline est autant un moyen de transport qu'un sport. Le ski de fond, je peux en faire plusieurs fois par jour, huit jours sur sept, sans me tanner, le jour comme le soir à la lampe.

Mon genre, vous vous en doutez, ce n'est pas le petit ski avec mes ti-skis et mon ti-uniforme et mon petit fer à repasser pour farter mes ti-skis avec ma titecire. Je préfère le ski de brousse, avec ma hache dans mon sac et mon kit de fartage. Ma femme et notre amie Kate – grandes skieuses devant l'Éternel – ont beaucoup ri de moi à me voir traîner ainsi ma hache. Jusqu'à ce qu'un bon après-midi de janvier, nous nous égarions dans les Laurentides à la tombée du jour. Elles ont été fort heureuses d'avoir une hache à porter de main. Dans de telles circonstances, la hache peut servir soit à faire un feu, soit à défoncer un chalet pour trouver des allumettes, un briquet, un foyer, un garde-manger et – qui sait? – un bar, soit à transformer le chalet en bois d'allumage.

La vie est une belle aventure qui se termine toujours mal, mais j'ai la certitude que, sur mon lit de mort, j'aurai une pensée pour une de ces inoubliables sorties de ski avec Julie-ma-Julie et notre club informel de skieurs invétérés et invertébrés.

Comme ces samedis après-midi dans les Laurentides, derrière Morin Heights, à grimper Lover's Leap en imaginant le souper de raclette au Swiss Inn et la baise d'enfer sous la tête d'orignal. Comme ce week-end mémorable au lac Simon, un très grand lac où nous avons pu admirer une gigantesque fracture de compression qui soulevait des plaques de glace verticales. Comme cette semaine magique où nous avons skié sur le sentier des Caps, dans Charlevoix, par -30 °C, tout en admirant les marées qui charriaient les glaces sur le fleuve. Comme ces féeriques sorties au mont Chauve, près du mont Orford, après un verglas, quand la forêt est littéralement vitrifiée. Comme ce week-end magique où Julie et moi sommes allés skier carrément sur les battures du fleuve, entre Saint-Vallier et Saint-Michel-de-Bellechasse.

Aussi, quelle ne fut pas la surprise de mes amis d'apprendre que je partais une semaine en Abitibi, en janvier, avec un groupe de Français, pour faire – gasp ! – de la motoneige !

Chapitre 22

Au pays de Joseph-Armand

Où l'auteur, qui ne sait même pas conduire une tondeuse, part faire une semaine de motoneige en Abitibi avec un groupe de Français dont une bonne moitié est belge, et où il découvrira à son grand étonnement que la motoneige est à la fois objet culte et objet de culture.

Quand j'annonce à mes amis que je pars faire une semaine de motoneige en Abitibi avec un groupe de touristes français, il faut que j'en calme deux ou trois parmi les plus indignés. Ma préoccupation est avant tout anthropologique et géographique. On ne peut pas examiner l'*Homo quebecencis* sans examiner son invention la plus glorieuse, invention estrienne au demeurant, qui fait vibrer ma fibre régionale.

Il y a aussi une autre considération plus pratique. Je suis passionné de géographie. Or, la géographie du Québec – dont seulement un petit quart du territoire est quadrillé par des routes carrossables – n'est accessible qu'en hydravion, en canoë ou en motoneige. Le canoë, j'aime bien, mais pas au point de me laisser dévorer par des hordes de moustiques voraces et autres frappe-à-bord qui peuplent nos tourbières. Quant à l'hydravion, ça coûte cher. L'hiver, il n'y a plus de moustiques. Le canoë est impraticable. L'avion à ski coûte encore plus cher. Reste la motoneige – après tout, il y a autant de kilomètres de pistes de motoneige que de routes, au Québec, un peu plus de trente-deux mille. Alors autant commencer tout de suite.

Je me suis donc mis à la recherche d'une combine – style raid-d'aventure-à-travers-les-contrées-enneigées-de-l'arrière-pays-d'en-haut. Mais après quelques appels, il en est ressorti que je ne connaissais rien à ce moyen de transport et que toutes les équipées intéressantes – du genre Schefferville-Manic V ou Chibougamau-Chibougamau – font appel à des motoneigistes expérimentés. Bref, je n'ai pas le CV.

Car je n'ai jamais été très « moteur ». J'ai de l'expérience avec les tondeuses électriques, mais je ne sais pas comment faire démarrer un moteur à essence sur une tondeuse ou une scie à chaîne. La souffleuse, oubliez ça ; comme d'ailleurs le hors-bord, la motomarine. En fait, comme je le découvrirai, mon problème n'est pas technique, mais foncièrement culturel : je n'ai guère plus d'intérêt pour la mécanique que pour les sections « auto » ou « sport » des journaux, que j'ignore avec superbe.

Je me suis donc résolu à faire mes classes. Et, autant bien faire les choses, je ferai mes classes avec un groupe de touristes français qui débarquent en Abitibi. Cette idée allait me permettre également de faire double-emploi et d'examiner comment ces touristes confrontent leurs idées du Canada et la réalité.

Et je trouverai même un pourvoyeur, L'Auberge Harricana, à Val-d'Or, que mon idée ne rebute pas et qui accepte de m'intégrer comme journaliste à un groupe de touristes. Cet établissement situé à 15 kilomètres au sud de Val-d'Or dessert deux clientèles distinctes : les Valdoriens en mal de gastronomie et les touristes-à-moteur en mal de grands espaces. Depuis son ouverture, je suis même le premier client québécois qui vient y essayer la motoneige. Car l'homme abitibien, lui, possède déjà sa propre motoneige.

Je me suis joint au groupe de touristes là où on les cueille, c'est-à-dire dans le hall des arrivées internationales de l'aéroport Pierre-Elliott-Trudeau. Je suis le seul Québécois dans le groupe, qui se rassemble autour de la pancarte de l'Auberge Harricana – groupe qui se compose de six Français et de quatre Belges.

« Quoi ? Un Québécois qui n'a jamais fait de motoneige ? » me demande Martine avec son sympathique accent lorrain.

Elle a bien raison, Martine. Le Québec compte huit cent mille adeptes de la motoneige, ce qui ne laisse qu'environ 7,2 millions de profanes, comme moi…

On épilogue beaucoup sur les Français cultivés de la variété outremontaise-ma-chère, mais on oublie souvent que les Français sont aussi un peuple passionné de machines – une revue française comme *Moto* tire à trente mille exemplaires. À preuve, les exploits insensés et les défis si typiquement français tels le Paris-Dakar, le Pékin-Paris (jadis en auto, actuellement à vélo), le Raid Harricana (motoneige), le Tour de France, le Vendée Globe (voilier circumpolaire) ont pour point commun la célébration ultime de la machine.

En fait, la première chose qui attire des Européens à 600 kilomètres au nord-ouest de Montréal, en hiver, c'est d'abord la perspective de piloter une de ces rutilantes machines à 12 000 dollars sur des sentiers peu fréquentés. En France et en Suisse, l'usage de la motoneige est restreint aux centres de ski ou, hors des zones réservées, aux fonctionnaires de la sécurité civile. En Abitibi, n'importe quel Européen peut se transformer en missile sur un lac gelé sans risque de se faire décapiter par une clôture ou un tuyau de cabane à sucre, et sans s'attirer les foudres des voisins – qui donnent eux-mêmes le bon exemple. On peut aussi s'y égarer, comme ils le découvriront…

Les clients de l'Auberge Harricana sont presque tous des motards. Jean-Michel, un garagiste marseillais, est marié à Noëlle, une cadre à la mise en marché des pièces chez Peugeot. Il est aussi marié à ses *sidecars* avec lesquels il a fait de la moto jusqu'au Maroc pour ses vacances. Christian, qui travaille dans une usine de voitures en Lorraine, fait du quad et de la moto sportive pour se détendre. Bref, ils sont tous tarés de moteurs. Jacques est ancien vendeur de motos et un fana de courses à moto, lui-même issu d'une famille de cascadeurs où l'on pratiquait la course de voiture sur deux roues.

Entre eux, ils parlent surtout « motos » ou « bécanes », et fort peu de politique, de culture... (Sauf Karine, la femme de Jacques, qui est une fan finie de Céline Dion, le genre de groupie qui la guette à son hôtel et qui fredonne du *Celeen* à longueur de journée.)

Mes touristes-à-moteur ont tous très hâte d'arriver à destination : après sept heures d'avion, il leur reste six heures d'autocar vers Val-d'Or. Parmi les six arrivés la veille, quatre ont trouvé Montréal laide et moche – ce qui n'a rien d'étonnant un vendredi soir de janvier par -17 °C, avec le décalage horaire. Seulement deux d'entre eux ont déjà voyagé au Québec, et un seul s'est donné la peine de lire un guide touristique.

Inutile de vous dire que ce ne sera pas leur dernier choc culturel. D'ailleurs, le prochain survient au Tim Hortons de Saint-Jovite, où notre autocar arrête pour le « souper ». Il faut tout expliquer : la soupe, le sous-marin, le beigne.

« Sont drôles. Y connaissent pas ça, un beigne ? me demande la caissière quand ils sont partis s'asseoir avec leur plateau.

— Eh non ! réponds-je. Pour eux, une beigne, c'est une taloche. Un beigne, ils appellent ça un beignet ou un donut.

— Franchement, un beigne, c'est français.

— Ils ont même pas de Dunkin'Donuts ? demande sa collègue, tellement ébaubie qu'elle se solidarise avec la concurrence.

— Ni Dunkin'Donuts ni Tim Hortons, vous vous rendez compte ! opiné-je.

— C'est quand même pas croyable.

— Quand même ! »

Quant à mes Français et à mes Belges, leurs repères sont tout aussi bouleversés, et le trou de beigne passe à peine mieux qu'une beigne. (Ils ignorent encore, les pauvres, qu'au retour ils arrêteront au Belle Province de Mont-Laurier.) Les plus allumés comprennent déjà que leur courte semaine de vacances à moteur sera aussi un défi culturel.

Nous arrivons à l'Auberge Harricana vers 23 h 30. Tandis que nos touristes-à-moteur vont ronfler dans leur chambre, j'en profite pour faire connaissance avec l'aubergiste, Gilles, quarante-cinq ans, un Italien natif de Menton, dans le sud de la France. Avant d'immigrer, en 1997, ce fana de moteurs gérait son hôtel tout en rédigeant trente feuillets par mois pour la revue française *Moto*. Arrivé au Québec, il s'est tout de suite entiché de la motoneige. Et après quelques années à monter des forfaits motoneige dans les Laurentides, il a racheté cette pourvoirie en bois rond de dix-sept chambres, l'une des plus grosses du genre au Québec. Lui et sa femme, Mathilde, l'ont décorée avec goût et un certain humour. Les trophées de gibiers et les raquettes côtoient les carottes géologiques (hommage à l'histoire minière régionale) et les peaux. La pièce de résistance est d'ailleurs une superbe peau de… zèbre – que Gilles réussit parfois à faire passer pour un croisement entre un ours polaire et un ours noir !

Bien que français et tout récemment immigré, Gilles est devenu rapidement un membre en vue de la Chambre de commerce locale. L'Abitibi est une terre de colonisation récente et tout le monde ici est un peu pionnier. Gilles, lui, est un pionnier du tourisme d'aventure dans une région ressource en mal de diversification et très loin des centres touristiques.

Gilles nous servira de guide le premier jour, et sa présence familière me réconforte. Jean-Mi, Christian et Jacques sont tout de suite à l'aise devant les engins : ils ont compris comment ça fonctionne rien qu'en observant. Moi, engoncé dans ma salopette, mon manteau, mon casque et mes gants à trois doigts qui me font des mains d'extraterrestre, je ne suis pas du tout rassuré devant ma Yamaha rouge, une espèce de gros insecte agressif et bruyant sorti tout droit des fantasmes freudiens des émules de Joseph-Armand Bombardier. Méchante engeance ; les designers se sont clairement inspirés de l'ornithologie : le profil général est celui d'un super frelon aux hormones, avec des amortisseurs en mandibules et des teintes multicolores de coléoptère.

Heureusement, il suffit d'un cours de maternelle sans maths pour piloter une motoneige : il y a le frein à gauche, la manette de gaz à droite et le bouton d'embrayage. Aucune pédale. Fin du cours théorique. Pour l'essentiel, il s'agit d'une tondeuse aux stéroïdes, mais une tondeuse munie de phares, de chauffe-mains dans les poignées et d'un chauffe-pouce dans la manette de gaz !

Pas de klaxon, cependant : trop bruyant. À 70 décibels à l'arrêt, il faut couper les gaz pour se comprendre. Et quand ça roule, on s'entend à peine penser – Karine se plaindra d'ailleurs de ne pas s'entendre fredonner ses chansons de Céline.

Vers 10 h 30, le soleil dépasse tout juste la crête des épinettes et nous partons doucement à la file indienne – je suis le cinquième de la file. Nous roulons à 20 km/h : une motoneige est un engin nerveux, et Gilles veut que nous nous habituions au guidon, très raide à cause de la glace et du gel. Le convoi accélère bientôt à 40 km/h.

Comme je le découvrirai, 200 kilomètres de motoneige sont nettement plus éreintants que 200 kilomètres en voiture ! Nous n'avons pas fait 500 mètres et je sais que la journée sera longue. C'est archibruyant, ça brasse et c'est hyper-physique. Pas aérobique, remarquez, mais physique. Car une motoneige, voyez-vous, cela se pilote avec le derrière : pour bien tourner, dans les courbes, il faut sortir le cul. Par-dessus le marché, l'ergonomie particulière du guidon fait qu'il est plus facile de tourner à droite qu'à gauche. En effet, la main droite doit agripper à la fois la poignée du guidon, tout en sortant le pouce, qui actionne la manette de gaz. À gauche, c'est encore plus bizarre : la main droite actionne le guidon, mais tout en étant assez relâchée pour tenir la poignée du frein ! Ajoutez à cela la nécessité de prendre appui pour se sortir le cul dans la courbe !

C'est justement dans un virage à gauche que je m'humilie en faisant la première sortie de piste à moins d'un kilomètre du départ. J'ignore comment : en roulant bêtement à 30 km/h, j'ai dû regarder les arbres au lieu de la courbe, puis j'ai sans doute appuyé sur l'accélérateur en voulant freiner. Toujours est-il que je vais m'enliser dans la neige épaisse au milieu des fardoches. J'essaie de reculer, mais je m'enfonce.

Gilles n'attendait que cette première gaffe pour donner sa première « conférence improvisée » sur le dégagement de motoneige. En principe, une motoneige est un véhicule tout-terrain, mais il faut être très habile pour la piloter hors des sentiers damés. Dès qu'on tombe dans la poudreuse, c'est un jeu d'équilibre pour ne pas la renverser et de doigté pour accélérer juste assez pour avancer sans s'enfoncer davantage. Bref, cela s'apparente au surf, mais avec une planche de 500 kilos équipée d'un moteur.

J'avais toujours cru que c'était par coquetterie que les fabricants décoraient leurs engins de poignées (sur le siège, sur les skis, en veux-tu, en v'là). Erreur ! Cela résume tout le programme. Pour se désenliser, il faut que deux joyeux drilles soulèvent les deux skis tandis que le troisième larron joue délicatement de la manette pour permettre à la motoneige de reprendre prise dans la neige. Si ça ne marche pas, il faut agripper les poignées du siège pour tasser le derrière du bolide sur du solide – en fait, du moins mou.

Pendant la journée, je me transformerai en émule de Louis Cyr une bonne demi-douzaine de fois pour aider ceux qui m'ont aidé. Toutes ces difficultés expliquent à elles seules pourquoi la motoneige est un sport grégaire et organisé : ça ne marche bien que sur les sentiers damés, et on n'est en sécurité qu'en groupe, car il faut absolument être trois ou quatre pour s'entraider.

Pendant une de ces pauses désenlisement, Jacques met le pied hors du sentier et s'enfonce jusqu'aux hanches. Puis, je le vois qui avance obstinément vers la lisière de la forêt et qui se penche pour examiner quelque chose. Il enlève son casque et fait de grands signes à Gilles, qui coupe les gaz de sa Yamaha rouge.

« Oh, regarde, Gilles, c'est des traces d'orignal ?

— Non, Jacques, de lièvre, répond Gilles, notre guide.

— Ça ressemble beaucoup, tout de même.

— Ouais, un orignal est une sorte de gros lièvre. »

Gilles descend rejoindre Jacques dans le fossé avec de la neige jusqu'aux hanches. Les dix autres motoneigistes restent sagement sur le sentier damé à écouter une nouvelle « conférence improvisée » sur la faune canadienne, en particulier pour distinguer le lièvre et l'orignal, qui ont beaucoup de traits communs malgré leurs différences.

Je suis fourbu quand nous arrivons à l'escale du Rapide 7, à 60 kilomètres au sud-ouest de l'auberge. Gilles, qui entre le premier, montre sa connaissance de la diète locale en commandant tout de suite douze hamburgers, quatre poutines, huit frites, douze soupes, six Coke et six Seven-up.

« C'est un restaurant, ça ? demande Jacques, mon chasseur d'orignal, devant son assiette.

— C'est le genre friterie, dit Karine, sa femme.

— Mais c'est pas des frites, ça ! »

Ce ne sera pas sa dernière déconvenue gastronomique à l'heure du lunch. Qu'ils soient à moteur ou non, les touristes français et belges sont unis par une forte culture culinaire qui les place à des années-lumière du Québécois de base élevé dans une espèce de désert culinaire. Dans les villes de plus de 10 000 habitants, on trouve à l'occasion un ou deux restaurateurs plus habiles que les autres « faiseurs de manger », ce qui se résume à deux villes pour l'Abitibi. L'Auberge Harricana fait donc figure d'oasis avec des plats tels le briochon de saucisse, la soupe de poisson avec sa rouille, la salade de chèvre chaud d'Abitibi ou la populaire miche du trappeur.

Mes touristes-à-moteur, comme tous les Européens, s'étonnent et s'indignent de l'absence presque généralisée de gibier dans les menus. Une des choses que mes touristes-à-moteur apprécient le plus de la cuisine de Gilles est une fricassée d'ours et de caribou servie dans une miche de pain évidée – sa célèbre « miche du trappeur ». Ils en parleront pendant deux jours. J'en garderai moi-même un souvenir aussi lumineux que les grands ciels de La Corne.

L'absence de gibier authentique est un véritable scandale. Alors qu'il y a de la faune partout à ne plus savoir qu'en faire, un restaurateur abitibien doit absolument acheter son gibier d'un boucher spécialisé à Montréal. Même un pourvoyeur comme Gilles ne peut pas en mettre sur la table, sauf qu'il peut apprêter le gibier ou le poisson que son client a lui-même tué ou pêché. On est donc devant le paradoxe du touriste français qui veut manger de l'orignal d'Abitibi mais qui doit manger de la viande qui transite par Montréal, à moins bien sûr d'avoir frappé un orignal et démoli sa motoneige, ce qui permet au pauvre pourvoyeur de le lui servir.

Tout de même : en Abitibi, comme les Abitibiens. Dès le lunch suivant, nous aurons déjà deux volontaires pour ces mets du terroir que sont le *hot chicken* et le hot-dog Michigan.

Au retour, je suis plus à l'aise de rouler à la limite légale de 70 km/h. J'ai déjà acquis la certitude que moi qui suis là pour voir du pays, je n'en verrai pas. Car à 70 km/h sur un sentier étroit, on est pris dans une sorte de tunnel et notre champ de vision se rétrécit: c'est à peine si on peut s'imprégner de l'ambiance autour du tunnel. Pour les détails: oubliez ça. Je roule donc dans ma bulle de vacarme.

Cette contemplation du bruit me permet de découvrir une nouvelle gamme de sons. Sous les 50 km/h, on n'entend sous le casque que le ratatata du moteur, le gnignigni de la chenille sur le sentier damé et les oumf laconiques du motoneigiste qui encaisse les cahots. Au-delà de 50 km/h, la même chenille passe du gnignigni à une espèce de vibration en bzbzbz à laquelle se mélange, vers les 70 km/h, le shshshsh de la neige qui remonte entre les skis pour rebondir sur le casque, et le « sti » laconique du motoneigiste qui vient d'éternuer dans sa visière et qui essaie de la dégivrer sans s'arrêter.

La visière givrée est d'ailleurs le problème universel qui unit les motoneigistes de toutes conditions sociales et de toutes origines – un peu comme la *turista* au Mexique. Au bar, dans les tavernes et dans les restaurants, les motoneigistes de partout peuvent épiloguer longtemps sur la meilleure façon de prévenir le givre. Certains enduisent la lentille de produits antigivrants; d'autres ont des visières chauffées à dégivrage électrique – n'importe quoi. Un de mes touristes-à-moteur m'a même dit avoir entendu d'un indigène local que la solution consistait à pisser sur sa visière avant de la laisser sécher sur le coin de la table. Personnellement, mon truc, que je tiens d'un ex-vendeur de machinerie lourde à la retraite et cousin de la fesse gauche de Richard Desjardins, consiste à entrouvrir la visière pour laisser circuler l'air, puis à la relever dès que j'arrête – ou quand j'éternue.

La motoneige a beaucoup évolué depuis ses débuts: le moteur à deux temps, très polluant, cède le pas au quatre-temps, moins hurlant et plus propre. Autrefois, du temps des deux-temps, les motoneigistes revenaient de leur balade couverts d'huile à moteur. Ce qui reste inchangé, c'est le désir de puissance des utilisateurs. Ainsi, sur le lac Lemoine, qui est en fait un élargissement de la mythique rivière Harricana,

Martine et Noëlle ne peuvent se retenir de s'élancer à 130 km/h. Devant elles : 15 kilomètres de neige folle jusqu'à l'auberge. Hi ha !

Autre chose qui n'a pas changé : la motoneige demeure une *prima donna* mécanique qu'il faut sans cesse bichonner. À chaque arrêt et avant chaque départ, le motoneigiste consciencieux doit soulever le derrière de sa machine pour faire tomber la glace des engrenages de la chenille. Au besoin, il faut même y aller à coups de maillet. Sinon, tout risque de figer jusqu'au printemps. Un bon soir, par -28 °C, alors que nous nous arrêterons dans un dépanneur au crépuscule une petite demi-heure pour nous réchauffer, deux de nos six motoneiges auront figé au point qu'il nous faudra vingt minutes pour les débloquer.

Et c'est compter sans les problèmes d'essence. La motoneige est vorace : cela consomme des litres et des litres de pétrole, et c'est encore pire pour les touristes-à-moteur, qui raffolent de jouer de l'accélérateur. Le premier soir, au retour, Jacques tombera même en panne sur la berge devant l'auberge, et il faudra le remorquer jusqu'à la pompe.

Comme de raison, quand nous arrivons à l'auberge, Gilles s'aperçoit qu'un client, qui n'est pas de notre groupe, a oublié de secouer et de déglacer sa motoneige. Celle-ci est totalement figée. À six, nous parviendrons à la haler et à la pousser dans le garage pour qu'elle dégèle au chaud.

Car la motoneige aussi a besoin de son après-ski !

Mes dix touristes-à-moteur, eux, ne forment pas un groupe uni : leurs expériences seront très variées. Les deux qui profiteront le plus de leur voyage, Christophe et Serge, deux Belges[39] des Ardennes[40], se sont pris un guide personnel dès le jour 2. Leur jeune guide, Claude, est un ex-mineur de Lebel-sur-Quévillon, mais formé en technique d'aménagement de la faune.

39. Personne n'est parfait.

40. À qui le dites-vous ?

Grâce à Claude, Serge et Christophe découvriront les points d'intérêt normalement connus des seuls habitants, comme les barrages de castors, la trappe, la pêche sur la glace et le village indien Kitcisakik, dans le parc de La Vérendrye.

Les huit autres touristes-à-moteur, qui ne veulent pas de guide, passeront une bonne partie de la semaine à s'égarer et à retrouver leur chemin. La plupart ne s'en formaliseront pas : ils ont traversé l'Atlantique et le parc de La Vérendrye pour le plaisir de faire de la motoneige sous les grands ciels de l'Abitibi, à travers lacs et marais, et pour admirer les grands couchers de soleil entre les lumineux bosquets de bouleaux ou dans les sombres forêts d'épinettes sans rencontrer âme qui vive, dans la lumière bleutée du crépuscule, si belle et si traîtresse[41]. Ils ont bien raison : à condition d'être proprement vêtu et de pouvoir se chauffer, la nature nordique est plus belle et hospitalière l'hiver que l'été. Les tourbières sont gelées et les moustiques sont partis en Argentine.

Pour ma part, ma première journée de motoneige m'a convaincu que je ne suis pas du tout un émule de Joseph-Armand. Je préfère aller m'aérer les esprits en ski de fond. De la motoneige un jour sur deux, ce sera suffisant. Je dois admettre que je suis un peu déçu. J'entretenais le fantasme secret d'un grand raid à motoneige à travers les grands espaces glacés du Grand Nord Québécois, mais encore faut-il aimer la motoneige, ce qui n'est évidemment pas mon cas, même si je sais maintenant me servir de l'engin. Moi qui voulais apprivoiser la motoneige pour voir du pays ! Pas moyen de regarder le paysage sans risquer de se tuer, avec les bosses dissimulées, les cahots sournois et les courbes perfides qu'il faut prendre le cul sorti. C'est totalement désagréable.

Pour tout dire, je me trouvais un peu moumoune d'avoir pris un forfait touristique en Abitibi, mais cela aura finalement été une excellente décision. Si j'étais

41. Chouette phrase, pas vrai ? Je l'ai reprise de Chateaubriand, qui avait fait de la motoneige en Abitibi entre deux mémoires d'outre-tombe.

allé m'initier à la motoneige par un circuit aventureux de dix jours dans le Grand Nord, je me serais franchement ennuyé de ma mère.

Mes touristes-à-moteur trouvent très étrange cette coutume appelée « ski » qui consiste à crapahuter sans moteur dans la neige. Mais je reviens enchanté de ma balade : l'Abitibi hivernale est beaucoup plus silencieuse que les Laurentides, Charlevoix ou l'Estrie (les régions que je connais le mieux). Bien que je skie aux abords d'une pourvoirie spécialisée dans la motoneige au bord d'un lac qui est une petite autoroute à motoneiges, je n'entendrai qu'une seule fois leur vrombissement lointain. Dans la solitude réelle de ces espaces, ce son me paraîtra même plus sympathique que jamais, pour ne pas dire rassurant. Curieux effet !

À la nuit tombée, Gilles est inquiet : Claude a ramené Serge et Christophe au bercail avant le crépuscule, comme prévu, mais les huit autres, qui sont partis sans guide du côté de Louvicourt, tardent à revenir.

Il n'est pas aisé de trouver son chemin en motoneige la nuit. Certes, il y a la signalisation, mais les repères plus subtils comme les lumières ou la lueur des zones d'habitations sont difficiles à détecter sous le halo des phares. J'en ferai moi-même l'expérience le lendemain soir à l'occasion d'une sortie nocturne sur le lac Lemoine. Pendant toute l'heure que durera la balade, j'aurai l'impression fausse que le lac « descend en pente douce » : c'est le résultat de l'effet de vision télescopique provoqué par la vitesse, le halo des phares et l'absence de repères lumineux. À tel point que je me surprendrai plusieurs fois à me demander « Quand est-ce qu'on arrive au lac ? » alors que nous aurons passé l'heure à en faire le tour !

À 19 heures, Gilles part à la recherche des absents. À 20 heures, il alerte la Sûreté du Québec. Les sept disparus arrivent finalement à 20 h 45, à la queue leu leu derrière Mike, un grand Valdorien à la dégaine de Gabin rencontré par hasard pendant sa balade digestive.

Le reste de la soirée se passera à tempêter contre la signalisation déficiente autour de Val-d'Or. Comme je le constaterai au cours des jours qui suivront, les panneaux de signalisation ne sont effectivement pas très clairs.

Supposons que vous voulez aller à Louvicourt : les panneaux indiquent parfois « Louvicourt », parfois « Senneterre » – ce qui a du bon sens si on sait que Louvicourt est sur le chemin de Senneterre. Si on l'ignore, on se croit perdu et on se perd davantage à chercher le bon chemin. Et c'est ainsi que nos touristes se sont égarés sans boussole, sans hache et même sans briquet par une frigide soirée abitibienne, et ils auraient sans doute passé une mauvaise nuit sans le passage providentiel de Mike. (Pour compliquer l'affaire, une des cinq motoneiges est tombée en panne près d'une tourbière au milieu de nulle part !)

Ces inconsistances signalétiques sont aggravées par une autre coutume valdorienne. C'est que le club de motoneige local, responsable de la signalisation, est aux prises avec une épidémie de vols de panneaux, que certains Valdoriens collectionnent au détriment du club et de la chambre de commerce ! Rien pour aider le touriste-à-moteur – et pas seulement européen. Est-ce une autre manifestation du protectionnisme valdorien ?

Le lendemain soir, je boirai une bière avec un motoneigiste de Québec habitué aux longues balades – il arrivait justement de Québec. Il me racontera n'avoir rien vu de pire que la signalisation autour de Val-d'Or. Finalement, ce motoneigiste s'est plié à la coutume locale et il est reparti avec son panneau-souvenir avant qu'il n'en reste plus !

Mais il faut bien admettre aussi que la grande difficulté du touriste-à-moteur n'est ni le froid, ni la neige, ni la glace, ni la signalisation boiteuse, ni les collectionneurs valdoriens : c'est la culture, même pour ceux qui ne s'intéressent qu'aux moteurs et aux grandes étendues glaciales.

D'abord, les agences touristiques régionales gagneraient beaucoup à publier un petit feuillet expliquant que les conventions de couleurs de la signalisation sont inversées, outre Atlantique. Par-dessus le marché, les cartes nord-américaines (routières et topographiques) sont beaucoup moins détaillées que les cartes françaises, ce qui force les Européens à développer leur sens de l'orientation.

Pas sûr ! Les Européens ne comprennent souvent rien de rien aux points cardinaux qui ne sont pas des directions pour eux, mais des lieux. Si vous dites à un Marseillais fini comme Jean-Mi de rouler plein nord sur 50 kilomètres, il pense d'abord à Dunkerque, parce que Dunkerque, c'est le Nord. Alors, il se perd.

Dans notre groupe, le seul touriste-à-moteur qui a le sens de l'orientation est Paul, un pêcheur de La Rochelle habitué de naviguer à vue et qui sait comment se repérer en fonction du soleil, de la lune, des étoiles et de la lueur lointaine des villes. On n'en est pas là avec Jean-Michel, qui essaiera de nous guider pour contourner Val-d'Or et qui ne s'apercevra même pas qu'il en a fait le tour au complet ! Lui, c'est certain, il lui faut une carte d'état-major française.

Ajoutez à cela l'accent. Au sixième jour, ils étaient encore nombreux qui trouvaient que j'avais « un sacré accent, dis donc ». Dans le groupe, seul deux des quatre Belges avaient commencé à comprendre qu'au fond, quand ils sont ici, ce sont eux qui ont un accent. Mon pêcheur de La Rochelle, qui en était à son troisième voyage, était pas mal dégourdi non plus. Mais la plupart des autres, après six jours, disaient encore « Pardon ? » quand un Valdorien leur parlait de son Ski-Doo.

Alors vous pensez bien que lorsque le Valdorien de base leur dit « Pour aller à Louvicourt, passez par le nord, mais faites attention de pas vous perdre autour de la ligne à haute tension ! », eux n'entendent que : « Pou'ler à L'vi'co, pô sépal no', mé fêta-tention d'pô v'pard'tou dla ligna ottension ! »

L'homme de théâtre George Bernard Shaw disait des Américains et des Britanniques qu'ils formaient deux peuples séparés par la même langue. C'est aussi vrai des Québécois et des touristes-à-moteur, même quand ils sont fédérés par la motoneige.

POSTFACE

Rénovations parentales

Où l'auteur interrompt son récit en raison d'une succession d'événements qui ne sont pas hors de son contrôle, mais qui ouvrent néanmoins la porte à une série de nouveaux opus plus délirants les uns que les autres sur l'adoption, la rénovation et la circumnavigation[42].

Il y aura eu une suite à mon chapitre XXX, puisque Julie-ma-Julie et moi avons décidé d'adopter. En fait, nous avions toujours voulu adopter. Seulement, nous avons plutôt décidé de ne plus faire d'efforts pour concevoir des enfants. À Céline et René les joies de l'insémination artificielle.

Je n'essaierai pas de vous raconter l'aventure de l'adoption – ce n'est pas un chapitre, c'est un livre. Au départ, nous avons brièvement considéré d'adopter localement, et nous avons ainsi participé

42. Alors on se dit beubaille, tourlou, ciao, auf Wiedersehen, maa as-salaama, adiós, tschüss, adye, à betôt, arrivederci, sayonara, shalom, 再見, dasvidania, la revedere, ave, kwaheri, hasta pronto, gûle, goût de baille – bref, à toutte !

à une rencontre de futurs adoptants, une première rencontre qui fut aussi la dernière.

Lors de cette séance d'information, Julie-ma-Julie avait demandé, à la ronde, si cela posait problème de partir un an en France ou aux États-Unis avec l'enfant adopté. La vingtaine de parents et les trois travailleurs sociaux s'étaient tournés vers nous avec une tête de « Ben voyons, ça ne se fait pas ! ». En réalité, cela se fait, mais le problème survient dans les mois ou les années où l'enfant est dans les limbes administratifs, alors qu'il est confié pour adoption mais n'est pas officiellement adopté.

Nous nous sommes donc tournés vers l'adoption internationale, qui avait le mérite, dans notre cas, de créer une situation claire en droit quant au statut de l'enfant.

À l'origine, nous avons approché une association qui s'occupait d'adoption en Chine, mais quand ses gens se sont mis à nous dire qu'il faudrait maintenir un lien entre la Chine et l'enfant pour le plus grand bien de l'enfant, Julie-ma-Julie et moi avons eu une réaction de rejet presque viscérale. Il était hors de question de mettre les pieds dans une association où des bénévoles auraient la prétention de nous dire ce qui est bon pour notre enfant. Il ne fait aucun doute qu'il est bon pour la Chine que les adoptants d'enfants chinois se sentent obligés de retourner en Chine de temps à autre, mais de là à dire que cela est nécessaire au développement de l'enfant, pousse mais pousse égal ! À franchement parler, la façon dont les Chinois s'étaient alors monté une espèce d'industrie touristico-adoptive nous a proprement écœurés. Nous nous sommes donc tournés vers Haïti.

Nous ignorions, comme la plupart des gens, que nous étions dans les dernières années où l'adoption internationale serait relativement simple. En tout et pour tout, cette grossesse administrative a duré quatorze mois, et nous étions en plein lancement de livre, à l'automne 2006, quand la machine administrative a eu ses premières contractions.

Je serais de mauvaise foi si je vous disais que l'arrivée des jumelles m'a pris par surprise, mais ma vie changera radicalement en 2006. On n'adopte pas comme ça en criant ciseau, mais je dois admettre que cet événement heureux aura été pour moi la source d'un profond choc professionnel. Quand on a travaillé plus de vingt ans à son compte, chez soi, sans patron, l'arrivée d'un enfant – et à plus forte raison de deux – force des changements dans les habitudes de travail.

Ça ne paraît pas, dans tous ces récits de voyage, mais je suis beaucoup plus casanier et routinier que j'en ai l'air. C'est le paradoxe du métier d'écrivain voyageur : on se donne des expériences fantastiques, mais on n'en vit que si l'on s'astreint à s'asseoir devant un clavier pendant de longs mois pour les raconter.

Or voilà, l'arrivée de nos deux perles des Antilles bouleversera toutes mes habitudes de travail, ce que je mettrai plusieurs mois à admettre et plusieurs années à corriger.

La vie avec des enfants, c'est autre chose. En plus de devoir tout expliquer, on en vient à devoir tout reconsidérer et tout réentendre et tout revoir : son enfance, ses comptines, Saturnin, Nic et Pic, Fanfreluche, Dumbo.

Il faudra apprendre à fonctionner avec les services de garde pas plus serviables qu'il faut. Nous avons la chance d'avoir une locataire, pigiste comme nous, qui a également adopté en Haïti. Notre duplex est rapidement devenu une sorte de kibboutz où les enfants circulaient tout en étant élevés entre deux familles.

Les enfants sont une espèce envahissante qui ne respecte aucun territoire. La vie familiale me forcera à apprendre à défendre jalousement mon espace de travail – un combat où l'on reconnaît vite quelle bataille il faut livrer et lesquelles il faut gagner. Il faut très rapidement inculquer aux enfants que si l'ordinateur peut servir de jeu le soir, ils ne doivent jamais y toucher sans permission – car ils pourraient effectivement effacer tout un dossier de facturation, votre présentation « PauvrePoint » ou un compte client sans s'en rendre compte. Puis, quand les enfants vieillissent, cela passe au téléphone.

C'est très bien quand les enfants ont compris, mais auparavant il y aura eu plusieurs expériences désagréables, surtout si vos enfants, comme les miennes, sont bricoleurs et vous « empruntent » constamment votre matériel. C'est ainsi qu'un bon jour je ne trouve plus mon agrafeuse. Je la cherche partout dans mes affaires, celles de Julie-ma-Julie, dans la cuisine, le salon, le sous-sol, dans les affaires des filles, en vain. Plus d'agrafeuse. Je demande aux filles :

« L'avez-vous prise ?

— Non, on ne sait pas où c'est.

— On l'a pas prise.

— Ouais. »

Je me résous donc à acheter une nouvelle agrafeuse. Et puis, trois mois plus tard, Nathalie vient me trouver dans mon bureau, tout sourire, en tenant l'agrafeuse disparue.

« Elle était où ?

— Chez la voisine ! »

Il y aura, comme ça, la phase des crayons, des stylos et des ciseaux. Ah ! Les ciseaux ! La dernière paire, je devrai carrément la fixer à une corde, celle-là !

J'aurais dû vous dire que, au travers de tout ce processus d'adoption, puis d'adaptation, nous avons acheté un duplex dans Rosemont. La propriété est une forme de masochisme très courant qui consiste à engloutir du temps et des ressources dans une maison en espérant récupérer ses billes. Ce n'est pas la décision la plus intelligente qui soit, mais c'est une forme d'épargne forcée.

Comme de raison, nous entreprendrons quatre campagnes de rénovations, plus ou moins majeures. La troisième, amorcée moins de six mois après l'arrivée des filles, consistera à construire une annexe pour agrandir la superficie de la maison de 20 %.

Après la campagne de rénovations de 2005, puis celle de 2006, et encore celle de 2007 et celle de 2008, Julie-ma-Julie et moi nous sommes retrouvés sans aucun projet de rénovation en 2009 – mis à part la toiture à refaire, mais ça ne vaut même pas la peine d'en parler. Devant ce calme salutaire, l'ennui nous a pris. Julie-ma-Julie et moi avons décidé qu'il serait amusant d'aller vivre en famille à l'étranger – ce qui était notre vieille idée.

Julie-ma-Julie s'est donc arrangée pour obtenir une bourse Fulbright avec l'Université de l'Arizona, qui nous amènera à passer les six premiers mois de 2010 à Phoenix. Pour ajouter une touche de romantisme nécessaire, nous avons même acheté un VR pour faire la traversée du sud-ouest des États-Unis. Cela vous déprogramme une vie !

Cette sabbatique aura été en fait de nature expérimentale. L'objet était de tester ce que c'est que de vivre et de travailler en famille à l'étranger sur une longue période. Les résultats auront été à ce point probants que nous conclurons, avant même de revenir au Québec à l'été 2010, qu'il faudrait répéter l'expérience pour une année complète… en France.

Et c'est pourquoi je mets le point final à cet opus magistral dans le petit 4 ½ parisien où « Nadeau, Barlow, Barlow-Nadeau, Barlow-Nadeau & associés » aura passé l'année 2013-2014…

Mais comme le disent si bien les Parisiens : « *This,* mes amis, *is yet another story.* »

Paris, le 27 février 2014[43]

43. Pierre est content.

Suivez les Éditions Stanké sur le Web :
www.edstanke.com

Cet ouvrage a été composé en ITC New Baskerville 12/14,4
et achevé d'imprimer en août 2014 sur les presses
de Marquis imprimeur, Québec, Canada.

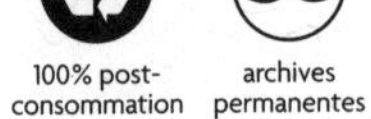

certifié | procédé sans chlore | 100 % post-consommation | archives permanentes | énergie biogaz

Imprimé sur du papier 100 % postconsommation,
traité sans chlore, accrédité Éco-Logo et fait à partir de biogaz.